日本の歴史 十四

「いのち」と帝国日本

小松 裕
Komatsu Hiroshi

小学館

日本の歴史

「いのち」と帝国日本

第十四巻

アートディレクション　原研哉
デザイン　竹尾香世子
美馬英二

凡例

- 年代表示は原則として西暦を用い、適宜、和暦を補いました。
- 本文は原則として常用漢字および現代仮名遣いを用いました。また、人名および固有名詞は、原則として慣用の呼称で統一しました。なお、敬称は略させていただきました。
- 歴史地名は、適宜、（ ）内に現在地名を補いました。
- 引用文については、短歌・俳句なども含めて、読みやすさ、わかりやすさを考えて、句読点を補ったり、漢字を仮名にあらためたりした場合があります。
- 中国の地名・人名については、原則として中国語の読みに従いました。ただし慣習の表記に従ったものもあります。
- 朝鮮・韓国の地名・人名は、原則的に現地音をカタカナ表記しました。ただし、歴史的事柄にかかわる地名・人名などは漢音読みにした場合があります。
- この巻が扱っている時代の年表を巻末に掲載しました。
- 図版には章ごとに通し番号をつけ、それぞれの掲載図版所蔵者、提供先は巻末にまとめて記しました。
- おもな参考文献は巻末に掲げました。
- 五十音順による索引を巻末につけました。
- 本書のなかには、現代の人権意識からみて不適切な表現を用いた場合がありますが、歴史的事実をそのまま伝えるために当時の表記どおりに掲載しています。

1

明日を生きる

子供たちの諸相

●修学旅行に旅立つ子供たち
一九一九年（大正八）七月、東京府立第五中学校（現在の小石川高校）の一年生が、軽井沢に向けて出発した。子供たちの底抜けに明るい笑顔が、明日への希望を物語っている。

2

●ライオン歯磨（小林商店）の工場で
一九一六年施行の工場法で一二歳未満の就労が禁止されるまで、働く子供は多かった。箱詰め作業をする女工の表情に、あどけなさが残る。一九二九年（昭和四）頃。

→205ページ

3

●スケートに興じる女児たち

一八七七年（明治一〇）、札幌農学校に赴任したアメリカ人ブルックスがスケート靴を紹介（新渡戸《にとべ》稲造《いなぞう》説も）。大正期に普及し、冬の遊びの主役になっていく。写真は一九二三年、諏訪湖《すわこ》にて。

●山梨県甲府の子守学校（相生小学校）
明治のころ、子守は子供たち（とくに女児）の重要な仕事であった。学校に行けない子供たちのために、子守学校を開設して就学率を高めようとした。写真は一九一〇年。 →２２３ページ

5

●林間学校で昼寝する子供たち

大正モダニズムのなかで、臨海学校や林間学校が始まっていった。写真は、岐阜県の自然のなかで、引率の先生に見守られながら昼寝をする子供たち。

日本パノラマ館で展示された「義和団戦争図」（部分）
連合軍の天津《ティエンジン》攻撃を描く。一九〇一年七月公開。このパノラマは高さ一六m、長さ一〇九m。橋を渡るのがインド兵で、手前は日本軍の野戦病院事務所。三六〇度見渡せるパノラマは、ニュース映画の登場まで戦争を追体験する主役だった。

↓49ページ

6

●東京・浅草の日本パノラマ館
一八九〇年五月につくられたこの円形小屋は、直径三六m、高さ三〇mもの巨大な建物であった。戦争画を中心に圧倒的な視覚体験を提供した。

→26ページ

●日本パノラマ館の館内の様子
日露《にちろ》戦争の南山《ナムサン》の戦いを描いたパノラマを、日の丸の小旗を手に子供が熱心に見入っている。小人料金は三銭（かけそば三杯分）。子供たちの日常に戦争が入ってきた。 ↓26ページ

9

●砧《きぬた》を打つ朝鮮の子供たち
日本の侵略によって朝鮮を追われ、中国間島《カンド》地方(現在の吉林省)で生活せざるをえなくなった朝鮮の子供たち。のちに民族解放運動に参加した子供もいたかもしれない。

↓284ページ

目次

日本の歴史　第十四巻

「いのち」と帝国日本

第二章

「いのち」と帝国日本

はじめに

「いのち」の序列化

「命どぅ宝」

沖縄に「命《ぬち》どぅ宝《たから》」（いのちこそ宝もの）という言葉がある。平和運動家の阿《あ》波根昌鴻《はごんしょうこう》は、その自伝を『命こそ宝』と題している。

二〇〇七年（平成一九）に、アジア太平洋戦争末期に発生した沖縄の「集団自決」を、日本軍の強制によるものではなかったと書き換えさせた教科書検定が大きな問題となった。

この問題を契機に、『沖縄タイムス』では、五月二八日から「集団自決」の生き証人たちの聞き書きを連載した。そのタイトルは、「命語《ぬちがた》い」と付けられている。冊子化にあたって、記者の謝花直美《じゃはななおみ》は、「命どぅ宝」という言葉が「集団自決」から家族を救った例を紹介している。

大分にも「いのちき　してます」という言葉がある。この言葉は、作家の松下竜一《まつしたりゅういち》が一九八一年（昭和五六）に刊行した単行本のタイトルにも使われた。

松下は、〈「いのちきをする」とは、かつがつに生活をしているといった意味の、多分この地方に特有のいいかたで、貧しくともまっとうに生きる者たちの、最もつきつめた形での挨拶語《あいさつご》であった〉と述べている。いのちを維持することに精一杯でも、清く正しく誠実に生を送ろうと心がけている民衆の精神をみごとに表わした言葉である。

◉新聞に見入る子供
ロシアとの戦争には、子供たちも無関心ではいられなかった。一〇年おきの大規模な戦争は、子供の将来も含めて「いのち」の問題を浮上させていく。前ページ図版

1

◉阿波根昌鴻（一九〇一～二〇〇二）
伊江島《いえじま》の反戦地主。〈命をはぐくむ土地を人殺しの練習のためには使わせない〉〈土地は万年。金は一瞬〉と主張していた。

「いのち」の序列化

いのち。

それは、近代国家権力のもっとも本質にかかわる存在である。国家権力は、身体《しんたい》のみならず人びとのいのちをも支配し、管理しようとしてやまない。その意味で、あらゆる政治は「いのちをめぐる政治」にほかならない。

本巻が対象とする時期は、一八九四年（明治二七）の日清《にっしん》戦争から一九二〇年代までである。これまでの通史ではありえない時期区分を行なった理由は、近代国家権力の本質ともいうべき「いのちをめぐる政治」が、この時期にこそ明確に出現してくるからである。それをひとことで表現するならば、「いのち」の序列化である。人びとのいのちに序列をつけ、一方は優遇し一方は抹殺するという政策を実施し、それを人びとに当然のこととして受容させていく政策のことである。

日清戦争に始まり、その後ほとんど一〇年ごとに繰り返された対外戦争で失われた無数のいのち。もちろん、それは日本人だけのいのちではない。そこで敵とされた人びとのいのちは、殺されて当然のものと位置づけられ、喪《うしな》われても悼《いた》まれることさえなかった。しかも、国家は、死者をも序列化する。国民国家は、一般に国のために戦った死者を「英霊」として祀《まつ》るが、じつは祀られなかった人もたくさんいた。悼まれることのなかった死者の存在が、そこには隠されている。それだけではなく、軍の階級によって一時金や年金にも歴然とした差別があり、序列化されていた。

植民地支配とは、「いのち」の序列化と同義であった。台湾でも朝鮮でも、いや、帝国日本の威光が及ぶ地域ではどこでも、日本人はつねにその序列のトップに位置していた。一方、支配される民族のなかにも序列があった。たとえば、台湾総督府は、山地に居住している先住民族をその序列の最下層に位置づけていた。このように、帝国日本は、帝国の版図《はんと》に包摂《ほうせつ》することによって同化を迫り、序列化による排除を通じて自発的な同化志向を引き出すという巧妙な支配を展開していった。

それは、支配民族と被支配民族が明確な植民地だからそうであったのだろうか。

いや、そうではない。それは日本国内においても同様であり、沖縄やアイヌの人びとに対する同化政策にもある程度共通するものであった。「いのち」の序列化のなかで、アイヌ民族やハンセン病患者のいのちは最下層に置かれ、「絶滅」の対象とされた。ハンセン病の患者は、堕胎《だたい》や断種を強制され、人間のもっとも根源的な営みである「いのちをつなぐ」権利すら奪われていったのである。

「いのち」の序列化を支えたもの

「いのち」の序列化を生み出し、それを強化していった最大の要因は、人びとの「文明」意識にあった。「文明」の対極に「野蛮」が存在した。もちろん、ここでいう「文明」とは、西洋化（近代化）のことで、「文明」対「野蛮」の戦いと見なされた日清《にっしん》戦争に勝利することによって確立したものである。こうして、日本以外のアジア諸国を野蛮視する心的傾向が成立した。だが、西洋化以外に、もうひとつの「文明」意識が存在したことも忘れてはならない。それは、前近代からの伝統といってもよい農耕こそが、「文明」的という考え方である。農耕＝「文明」という考え方が、狩猟生活を中心とするアイヌ民族や台湾の先住民族への野蛮視に拍車をかけたのである。
つぎに大きかった要因は、「民族意識」である。近代日本人の民族的優越感は、「文明」意識と重なり合い、対外戦争の相次ぐ勝利と植民地の獲得という帝国日本の発展そのものによって、かきたてられていった。それを、「万邦無比《ばんぽうむひ》」である「万世一系《ばんせいいっけい》」の天皇（制）を戴《いただ》いているという「国体」観念が強化した。このような優越感は、やがて植民地支配によって新たに「日本人」とされた人びとにも影響し、それを内面化してしまう人も出現した。

第三には、「国益」や「公益」という考え方である。往々にして資本家の利益を代弁したにすぎないそれは、何が「国益」であり「公益」であるかを決定する権限を政府が独占していただけに、あらがいようもない大きな力で人びとにのしかかってきた。こうして、人びとは、「国益」を守るための戦争に駆り出され、「公益」を掲げる政府・企業の前に、公害による犠牲を甘受させられていった。

以上の三つに比べるとその比重は小さいが、ジェンダー（性差）の問題も忘れてはならない。家父長制による男性中心社会であった当時の日本では、男が「文明」を代弁し、尊重され、女たちのいのちは男たちのそれよりも価値が低いと見なされた

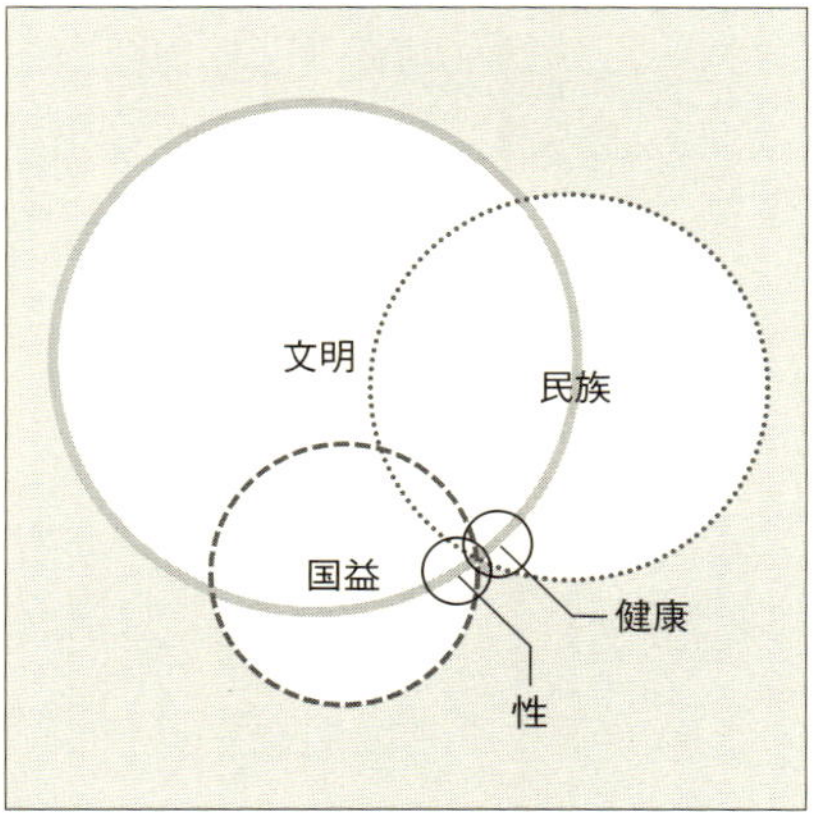

◉「いのち」の序列化を支えた五要素
円の大きさは、人びとがとらわれている度合を表わしており、同一人の中で重なりあっている。時代によって円の大きさは異なってくる。

のである。

最後に、一九二〇年代から強調されはじめた「健康」という観念である。「健康」であることが、イコール国家に奉仕することであるとされた。女性たちは、将来の強い兵士を産み育てるためにも、「健康」であること、丈夫であることが強制されていった。子供たちの「健康」にも社会的な注目が集まるようになった。こうして、「健康」でないと見なされた人びと（病者や障害者など）の存在が、それまで以上に強く意識されるようになったのである。

大きくまとめるならば、これらの五つの要因が相互にからまりあって、「いのち」の序列化を支えていったのである。

「いのち」と帝国日本

このように、帝国日本の歴史過程は、「国益」や国家目的の前に人びとのいのちを選別し、日常的に序

西暦	内閣	国外での動き	国内の動き
一八九四	二次伊藤博文	日英通商航海条約調印 日清戦争開戦	
一八九五	三次伊藤博文	日清講和条約調印 三国干渉 台湾総督府設置 閔妃（明成皇后）を殺害	
一八九九	二次山県有朋		旧土人保護法公布
一九〇〇	山県有朋	義和団、各国公使館包囲 八か国連合軍、北京入城	治安警察法公布 立憲政友会発足
一九〇一	四次伊藤博文		片山潜・幸徳秋水ら社会民主党結成
	一次桂太郎		田中正造、足尾銅山鉱毒事件につき天皇に直訴
一九〇二	桂太郎	日英同盟協約調印	小学校教科書疑獄事件
一九〇三	桂太郎		第五回内国勧業博覧会開催 藤村操、投身自殺 幸徳秋水ら平民社結成
一九〇四	桂太郎	日露戦争開戦 第一次日韓協約調印	
一九〇五	桂太郎	日露講和条約調印 第二回日英同盟協約調印 第二次日韓協約調印	日比谷焼打ち事件起こる
一九〇六	一次西園寺公望	韓国統監府設置 南満州鉄道株式会社設立	日本社会党結成、翌年禁止
一九〇七	西園寺公望	第三次日韓協約調印 日本、韓国の内政を掌握	「癩予防ニ関スル件」公布
一九〇八	西園寺公望	ハワイ移民停止を通知	
	二次桂太郎		戊申詔書発布
一九〇九	桂太郎	伊藤博文、ハルビンで暗殺	鹿児島本線全通
一九一〇	桂太郎	韓国併合に関する日韓条約調印、朝鮮総督府設置	大逆事件の検挙開始
一九一一	桂太郎	日米新通商航海条約調印 日本、関税自主権を確立 第三回日英同盟協約調印	大逆事件の幸徳秋水らに死刑判決 青鞜社『青鞜』創刊
一九一二	二次西園寺公望		大正と改元 第一次護憲運動始まる
一九一四	二次大隈重信	第一次世界大戦に参戦 赤道以北のドイツ領南洋群島占領、青島占領	原敬、政友会総裁に就任 東京駅開業

列化したうえで管理し、支配し、動員してきた。「国益」の前にいのちは蹂躙《じゅうりん》され、価値がないとされたいのちは隔離され抹殺された。

とりわけ青年には、大きな試練が待ち構えていた。男子ならば、相次ぐ戦争に動員され、戦場でいのちを落とすかもしれなかった。運よくそれをまぬがれたとしても、猛威をふるったコレラや肺結核などで若いいのちを散らす可能性があった。今日の私たちが想像する以上に、いのちの基盤はもろかったのである。

しかし、そのようななかにあって、一瞬だけではあってもいのちを解き放ち、いのちを輝かせて生きた男たちや女たちがいたことも事実である。本巻では、できるだけ多くの人物をとりあげ、彼ら／彼女らが時代のなかで何を考え、どのように生きてきたのかを紹介してみたい。「いのち」の序列化に抵抗することこそが、もっとも根源的なデモクラシーの主

一九一五	大隈重信	対華二一ヵ条要求提出	猪苗代水力電気、東京までの送電線完成
一九一八	寺内正毅	シベリアへ出兵	米騒動発生
	原敬	第一次世界大戦終結	大学令公布
一九一九	原敬	朝鮮で三・一独立運動始まる 中国で五・四運動始まる ヴェルサイユ講和条約調印	『改造』創刊
一九二〇	原敬	国際連盟発足 尼港事件起こる 南洋群島、日本の委任統治領に	平塚らいてう・市川房枝ら新婦人協会結成 大杉栄ら日本社会主義同盟結成、翌年解散命令
一九二一	原敬	ワシントン会議開催	原敬首相、暗殺される 尾崎行雄ら全国普選断行同盟結成
	高橋是清	日米英仏四か国条約調印	
一九二二	高橋是清	海軍軍備制限条約・中国に関する九か国条約調印	全国水平社創立 日本農民組合創立
	加藤友三郎	シベリア派遣軍北樺太除き撤兵、青島派遣軍撤兵	堺利彦ら日本共産党を非合法に結成
一九二三	加藤友三郎	中国で反日運動高まる	関東大震災、翌日戒厳令
	二次山本権兵衛		大杉栄ら殺害される
一九二四	清浦奎吾	米、排日移民法成立	第二次護憲運動始まる 第一次共産党解党
	加藤高明		市川房枝ら婦人参政権獲得期成同盟会結成
一九二五	加藤高明	日ソ基本条約調印 北樺太派遣軍、撤兵	治安維持法成立 普通選挙法成立
一九二六	一次若槻礼次郎	朝鮮産米増殖運動開始	労働農民党、日本農民党、社会民衆党、日本労農党結成 朴烈・金子文子に死刑判決 日本共産党再建 昭和と改元
一九二七	田中義一	第一次山東出兵・撤兵	金融恐慌に対しモラトリアム発令
一九二八	田中義一	第二次山東出兵を決定 日中両軍衝突（済南事件） 第三次山東出兵を声明 張作霖爆殺事件起こる パリ不戦条約調印	初の男子普通選挙 三・一五事件、共産党弾圧 治安維持法改正、死刑罪追加 全県警察部に特別高等課設置
一九二九	田中義一	中国国民政府を正式承認	
	浜口雄幸	世界恐慌始まる	カジノ・フォーリー発足
一九三〇	浜口雄幸	台湾で抗日霧社蜂起事件起こる	「エロ・グロ・ナンセンス」が流行語に

張であったと考えるからである。

もとより、歴史とは叙述にほかならない。唯一絶対正しい歴史など、どこにも存在しない。存在するのは、さまざまな歴史だけである。中学や高校の歴史教科書も、そういったさまざまな歴史のひとつにすぎない。もちろん、あった事実をなかったことにするのは論外だが、人は、さまざまな歴史のなかから、自分の思想や感性にあった歴史を選択し、それをもとに自分の歴史認識を構築していくのである。

私は、本巻のなかで、いのちを中心とした私なりの歴史を描こうと試みた。政治や経済や制度の変遷を中心に描くことよりも、歴史を生きた人びとの語りに耳を傾け、その内容を中心に歴史を構成しようと考えた。そして、いのちの諸相を浮き彫りにするには、戦争、デモクラシー、アジアという三つの視角からこの時代を分析することが重要だと判断した。そのために、三章構成とした。一般の通史に慣れた人にはとまどいを与えるかもしれないが、時間の経過を忠実にたどるような叙述もあえてとらずに、自在に時間を行き来している。多少なりとも重視したのは、「された側」の視点である。それこそが、ナショナルヒストリーを相対化し、歴史の真実に迫るひとつの方法であると考えたからである。

熊本県の菊池恵楓園《きくちけいふうえん》に入所して半世紀以上になるハンセン病快復者の阿部智子《あべともこ》は、私たちに、「いのちを生き抜くとは、どういうことなのだろうか」と問いかけている。いのちの基盤そのものが崩壊しつつある現在、私は、この問いに対する答えを、読者の皆さんと一緒に模索していこうと思う。

第一章

「いのち」と戦争

1

向田邦子の祖父の体験

向田邦子《むこうだくにこ》のエッセイ集『眠る盃《さかずき》』に、「檜《ひのき》の軍艦」という文章が収められている。そのなかに、建具師《たてぐし》であった母方の祖父岡野《おかの》梅三《うめぞう》の話が出てくる。

祖父は二百三高地の生き残りである。撃ち合いが激しくなると、居職《いじょく》の兵隊たちは上官の目を盗んでは足を高く上げ、

「撃ってくれ！　撃ってくれ！」

と叫んだというはなしを聞いたことがある。足の一本やそこら無くなっても、生きてさえ帰れば、手があればやってゆけるということなのだろう。祖父自身の気持だったのかも知れない。

二〇三高地とは、日露《にちろ》戦争を代表する激戦地であり、乃木《のぎ》希典《まれすけ》率いる第三軍が三回にわたる総攻撃、肉弾戦のあとにようやく陥落させたところである。遮蔽物《しゃへいぶつ》がほとんどない斜面で、兵士たちは、前からも後ろからも飛んでくる銃砲弾の嵐のなかで、バタバタと倒れていった。三回の旅順総攻撃だけで、日本側に一万五〇〇〇人を超える死者を出したのである。

向田邦子の祖父がいうような卑怯《ひきょう》なふるまいを、帝国陸軍の兵士がするはずがないと思う人がいるかもしれない。しかし、向田邦子が書いている話は、史料的にも裏付けられる事実である。

◉『軍人の妻』（満谷国四郎《みつたにくにしろう》作）戦死した夫の遺品を掲げて、健気《けなげ》に悲しみに耐えている妻の表情は、戦争の悲惨さを雄弁に物語っている。一九〇四年に描かれた作品。

前ページ図版

近代に入り「国民皆兵」制度が樹立されるまでの日本人にとって、戦《いくさ》とは基本的に武士が行なうものであり、民衆にはほとんど無縁の世界であった。これはヨーロッパでも同様で、戦争とは軍人か傭兵《ようへい》がするものであった。

ところが、近代国民国家は、「国民軍」を必要不可欠な国家装置として導入する。いみじくも、一八七二年（明治五）の徴兵告諭《ちょうへいこくゆ》に「血税《けつぜい》」と表現されたように、兵役は成人男子が血をもってあがなう義務とされ、一八九〇年の教育勅語には、「一旦《いったん》緩急あれば義勇公に奉じ」るのが臣民の務めであると位置づけられた。

それまで他人事であった戦争に、しかも外国との戦争に自分が駆り出される。鉄道や船に乗ったこともない人びとが、いきなり外国に連れていかれて「敵」と戦争をする。そういった体験を余儀なくされた近代の日本人（男性）は、はたして、戦争というものをどのように受け止めたのであろうか。戦場で敵と向かい合ったとき、恐ろしさにおののくことはなかったのであろうか。初めて人を殺したとき、どのように思ったのであろうか。そして、日本国内で戦争を支えた「銃後《じゅうご》」の人びとも含めて、戦争という体験が一人ひとりの日本人をどのように変えていったのであろうか。

第一章では、「将軍にとっての戦争」ではなく、「兵士にとっての戦争」という視点から、日清・日露戦争の歴史を中心に考察してみたい。戦争に駆り出された兵士のみならず、戦争の舞台になった朝鮮・中国・台湾の民衆のいのちは、どのように扱われたのであろうか。

日清戦争――文明国への「入学試験」

日清開戦

日清《につしん》戦争（中国では甲午《ジヤーウー》《こうご》中日戦争という）の開戦をめぐっては、当初から明確な意図をもって用意周到に準備されたとする説と、朝鮮に出兵した結果引くに引けなくなり開戦に至ったとする説とが対立している。「開戦意図論」と「結果開戦論」との対立ということになるが、いずれにせよ、もっぱら日本側の事情で開戦に至ったことには変わりがない。

東学《トンハク》《とうがく》（崔済愚《チエジエウ》によって創始された民衆宗教）農民の蜂起《ほうき》を鎮圧するために、朝鮮政府が清国に出兵を要請したのは、一八九四年（明治二七）六月三日のことであった。その情報をキャッチした日本政府は、朝鮮政府の要請がなかったにもかかわらず、六月八日に朝鮮に出兵した。

ところが、日本軍が出兵してすぐの六月一〇日に、東学農民軍は朝鮮政府と全州《チヨンジユ》和約を結び、占領していた全州からの撤退を始めた。これによって、日本軍は出兵の名目を失った。

しかし、日本政府は、七月一〇日、朝鮮政府に対して五条二七項の内政改革要求を一〇日以内の期限付きで突きつける。朝鮮政府は、日本軍が撤退しなければ考慮することはできないと回答した。それに対して、日本側は、七月二三日に軍隊を王宮に侵入させ、閔《ミン》《ビン》氏政権を打倒して国王の父である大院君《テウオングン》政権を樹立した。この王宮占領事件は、大鳥圭介《おおとりけいすけ》公使と大島義昌《おおしまよしまさ》旅団長との密接な連携のもとに、きわめて周到に計画されたものであった。
日本軍王宮占領の報を受け、清国は増援軍を派遣してきた。その結果、日本軍と清国軍とのあいだで戦闘が始まった。まず、七月二五日に豊島《プンド》沖で軍事行動に出た日本艦隊は、さっそく清国軍艦を攻撃した。そして八月一日、清国に対して宣戦布告を行なった。

この戦争に、日本陸軍は、第三師団と第五師団よりなる第一軍（司令官山県有朋《やまがたありとも》）と、第一師団と混成第一二旅団（第六師団）からなる第二軍（司令官大山巌《おおやまいわお》）を編成し動員した。

第一軍は、釜山《プサン》や仁川《インチョン》、元山《ウオンサン》などに上陸し、朝鮮半島を北上して、平壌《ピョンヤン》で大規模な戦闘を行なったのち、中国との国境を流れる鴨緑江《アムノクカン》を渡って、九連城《ジウリエンチャン》や海城《ハイチャン》などに攻め入った。

一方、第二軍は、まず遼東《リヤオトン》半島の花園口《ホアユエンコウ》に上陸して金州《ジンジョウ》をめざし、後続部隊とあわせて旅順《リューシュン》《りょじゅん》・大連《ダーリエン》《だいれん》を攻略した。

日清戦争の展開（1894.8.1～95.4.17）

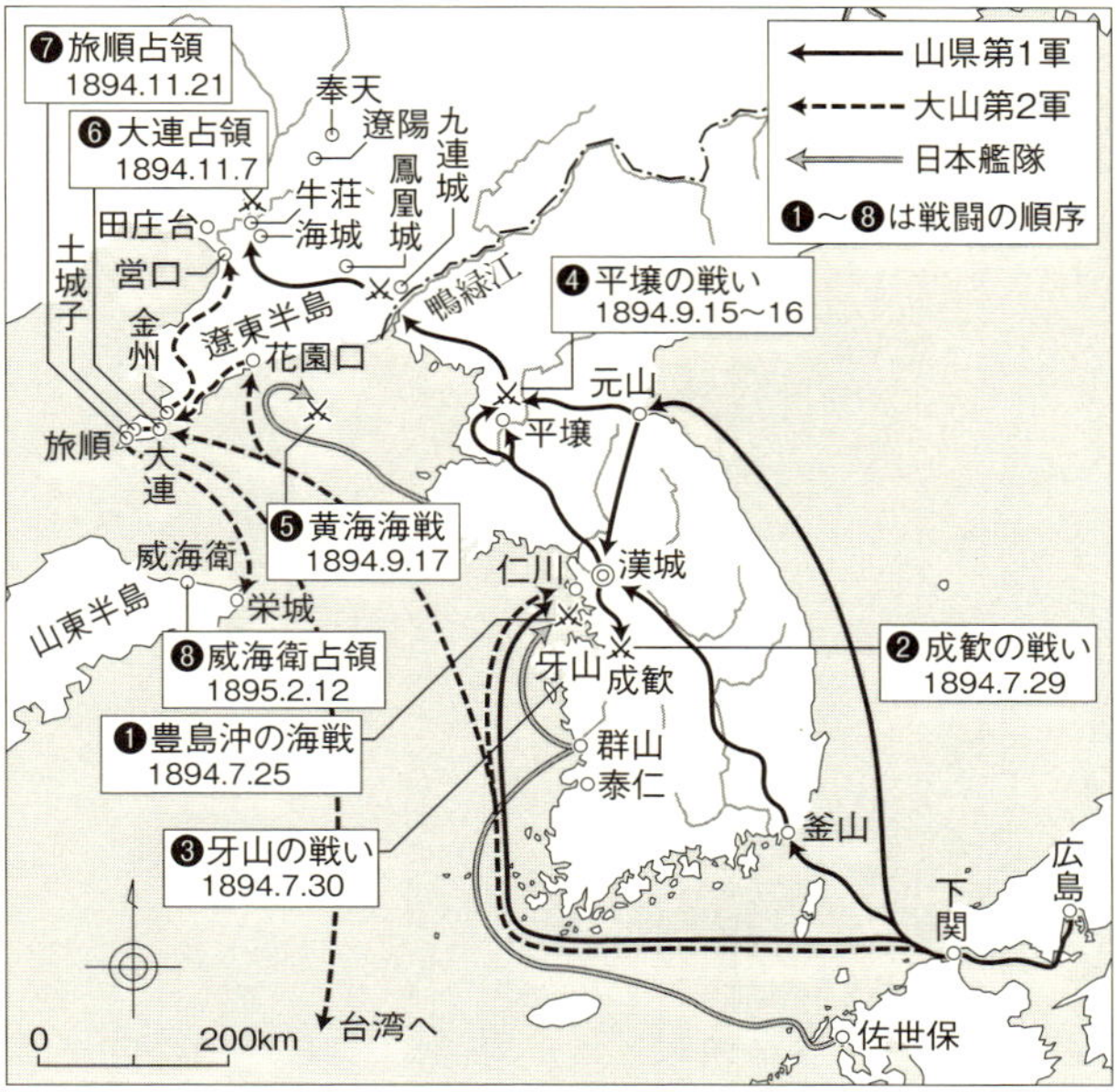

兵士に仕立てあげられる

国立国会図書館の近代デジタルライブラリーで、「征清《せいしん》」をキーワードに検索すると、七五冊もの本が出てくる。それらに含まれている兵士や従軍記者などの日誌・回顧録を素材に、兵士にとっての日清《にっしん》戦争をみていきたい。

日清戦争に動員された将校・下士官・兵卒の数は、一七万四〇一七人に及んだ。しかし、兵士は、最初から兵士であったわけではない。兵士に仕立てあげられていったのである。加藤芳《かとうよし》五郎《ごろう》もそのひとりである。

現在の東京都稲《いな》城市にあたる稲城村坂浜《さかはま》出身の加藤は、一八九四年（明治二七）八月三〇日に召集され、東京・青山《あおやま》停車場を九月二四日午後八時に出発した。出発時の加藤の心境は、〈住みなれしやかたを出て広嶋《ひろしま》に向《むか》う兵士の心悲しき〉という歌に表わされている。

しかし、停車する駅ごとに小学生をはじめとする大勢の人が集まって万歳《ばんざい》を唱え、婦人や女子生徒などのゆきとどいた接待を受けるなかで、加藤の気持ちも〈余等万歳の声を聞く毎《ごと》に銘《めい》肝《かん》し、己《おのれ》の任務を重からしむ〉というように徐々に変わってい

日清戦争のおもな従軍記

書名	著者名	出身	所属	刊行年
日清戦争従軍秘録	濱本利三郎	愛媛県	第1軍 第5師団歩兵	1972年
征清従軍録	横沢次郎		第1軍 朝日新聞従軍記者	1897年
従軍漫録	西島良爾	静岡県	第1軍 司令部通訳官	1897年
征清従軍日誌	海野鉚吉	静岡県	第1軍 第3師団騎兵	1895年
征清奇談従軍見聞録	伊東連之助	長野県	第2軍 第1師団輜重兵	1896年
従軍実記	高柳直	千葉県	第2軍 第1師団工兵	1895年
従軍日記	小野六蔵	山梨県	第2軍 第1師団輜重兵	1895年
遠征日誌	片柳鯉之助	東京府	第2軍 第1師団砲兵	1978年
従軍略記	加藤芳五郎	東京府	第2軍 第1師団後備兵	1997年
南征史	堀江八郎		台湾 野戦混成支隊	1897年
日誌大略	佐川友吉	神奈川県	台湾 野戦混成支隊	1978年

く。決定的であったのは、汽車が関ヶ原《せきがはら》にさしかかったときのことであった。畑を耕作していた農夫が、地にうずくまって両手を合わせ、汽車に向かって拝んだのである。それを見た加藤の心に〈敵愾心《てきがいしん》〉がわきあがり、宇治川《うじがわ》を渡るころには、〈野蛮なる清《しん》兵の姑息《こそく》計略の為《ため》に我本望《ほんもう》を誤らざる〉ことを決意するに至った。

だが、加藤に観光旅行的気分がまったくなかったといえばうそになるだろう。日記には、富士山や遠州灘《えんしゅうなだ》、名古屋城、彦根《ひこね》城、琵琶湖《びわこ》などの光景が克明に記されている。しかし、ホームにあふれんばかりに動員された見送りの人びと、さかんに打ち振られる「日の丸」の小旗、轟《とどろ》きのような「万歳」の声、心のこもった手厚いもてなし、それに楠木正成《くすのきまさしげ》を祀《まつ》った湊川《みなとがわ》神社への必勝祈願の参拝など、九月二六日午後四時一一分に広島に到着するまでの四四時間余のあいだに仕掛けられたさまざまな細工が、加藤のように国家意識が未熟であったふつうの人びとを、帝国の戦士へと変貌《へんぼう》させていったのである。

とはいえ、多くの兵士にとって、自分が戦地に赴くことを実

2

◉出征兵士の見送り
千葉県佐倉駅の様子。たくさんの人が集まり、旗や幟《のぼり》を手に、出征していく兵士を盛大に見送っている。

感させられたのは、広島・宇品《うじな》港から乗った船が玄界灘《げんかいなだ》を越え、日本が少しずつ遠ざかるのを目にしたときであった。血を吐くほどの船酔いに苦しみながら、誰もが、これから先の自分の運命と故郷に残した家族に、思いを馳《は》せずにはおられなかったのである。

「不潔」と「臭気」

朝鮮半島の各地に上陸した第一軍の兵士も、遼東《リヤオトン》半島に上陸した第二軍の兵士も、いちように驚きをもって書き記しているのは、「不潔」と「臭気」である。たとえば、一八九四年（明治二七）九月一〇日に元山《ウオンサン》に上陸した海野鉚吉《うんのりゆうきち》（静岡県出身）は、つぎのように書いている。

〈家屋の周囲は豚及び牛を放養し、糞《ふん》は堆積して戸口《ここう》を塞《ふせ》ぐに至る。その不潔実に名状すべからず。臭気夥《おびただ》しく鼻を撲《う》ち、余は乗馬行進するすら忽《たちま》ち吐瀉《としや》を促すに至る〉。中等以下の人民は入浴の習慣もなく、衣服の洗濯もしないので臭気がひどく、近寄ることもためらわれる、と。そして〈我等は朝鮮国の野蛮屢々《しばしば》聞く処《ところ》なれども、今回現地を視察して実に意外の驚きをなせり〉と結論づけた。

このように、日本の兵営内の徹底した清潔主義のなかで育成された兵士の多くは、朝鮮人や清《しん》国人の「不潔」と「臭気」を「野蛮」の証明と受け止めたのであった。

もっとも、第二軍の輜重輸卒《しちようゆそつ》（軍需品などの運搬に従事した兵）であった小野六蔵《おのろくぞう》（山梨県出身）のように、かつて広島に滞在中、成歓《ソンホアン》と平壌《ピヨンヤン》の両会戦における清国軍捕虜を見て、その「不潔」を笑っていたが、花園口《ホアユエンコウ》上陸以来の従軍生活ですっかり垢《あか》まみれになったわが身を顧みて、〈今は同位置に立てり。故《ゆえ》に不潔を不潔と思わず。習慣これ性となれり〉と、清国人の「不潔」もたんなる習慣の違いによるものと相対化しえた人物も存在していた。

戦争とはいっても、実際に敵と戦うのはごくわずかな日数で、従軍生活のほとんどは行軍《こうぐん》と野営・宿営に明け暮れた。日中戦争を描いた映画『土と兵隊』（火野《ひの》葦平《あしへい》原作、田坂《たさか》具隆《ともたか》監督、一九三九年〈昭和一四〉）にも、「戦争とは、歩くことだ」という印象的なせりふが出てくるが、一般の兵士、とくに歩兵にとってもっとも苦しかったのは、行軍であった。なにしろ、約三〇キログラムにも及ぶ背嚢《はいのう》を負って、一日に三、四〇キロメートルも歩くのである。雨中の泥道の行軍はさらにきつかった。坂がすべって上れないのである。飲料水の欠乏と気候の厳しさが、それに拍車をかけた。

夏目《なつめ》漱石《そうせき》の『坊つちやん』に登場する体操教師のモデルといわれる濱本利三郎《はまもとりさぶろう》は、一八九四年六月一三日に松山歩兵第二二連隊に入営し、軍曹《ぐんそう》として従軍、八月五日に元山に上陸した。濱本たちは、そこから漢城《ハンソンかんじょう》（現在のソウル）に向かい行軍を始めた。途中、川も井戸もなく、飲み水に欠乏して、汗すら出なくなった。やがて「黄色の脂《あぶら》」が全身からわき出したという。真夏の強烈な日射しは容赦なく隊列を照らし、人も牛馬もバタバタと倒れた。日射病である。途中、一五分間の休憩が与えられたが、濱本は、腰を下ろすと同時に昏倒《こんとう》して、手足が動かなくなった。

〈千三百余名のわが軍隊は敵のため斃《たお》れずして、いまや焦熱《しょうねつ》地獄の責苦《せめく》の下で埋没せんとする〉。濱本は、日記にそう記載している。

濱本の苦戦

日清《にっしん》戦争における最初の大規模な戦闘は、一八九四年（明治二七）九月一五日の平壌会戦《ピョンヤン》であった。平壌城を固める六万の清《しん》国軍を、およそ二万の日本軍が攻撃し、翌日占領した。戦闘後に城内を実見した佐藤四郎《さとうしろう》（宮城県出身）は、敵の死者は二〇〇〇人あまり、捕虜が六〇〇〇人、五〇門の大砲や小銃、その他の武器をたくさん分捕《ぶんど》り、日本兵は大喜びしていると書き送った。遅れて九月二四日に平壌を通過した海野鉚吉《うんのりゅうきち》は、道路の両側に充満する清国兵の死臭に、鼻をおおって行進した。

その後、第一軍は、清国との国境を流れる鴨緑江《アムノクカン》の渡河作戦を展開した。一〇月二五日、濱本利《はまもとり》三郎《さぶろう》らは、敵の銃砲火をかいくぐって鴨緑江を渡り、九連城《ジウリエンチャン》、鳳凰城《フォンファンチャン》と攻め落としていった。九連城に入った司令部所属の太田《おおた》資重《すけしげ》軍曹は、鮮血川をなし、家は焼け、牛馬は倒れ、生首がゴロゴロしている悲惨《ひさん》な状況を〈実に東京浅草のパノラマと同様〉と表現している。太田にとって戦場の風景は、見世物の「パノラマ」にたとえるしかなかったのである。

3

●平壌会戦
朝鮮半島を北上する日本軍と清国軍が激突した。清国軍は予想に反してすぐに白旗を掲げた。緒戦の勝利で、戦局は日本に有利となった。

あまりにも早い進撃に食糧の運搬がまにあわず、また敵の眼前とあって炊飯もできず、濱本たちは持参の生米《なまごめ》をかじって空腹をしのいだ。もっとも、この間の四〇〇キロメートル余の行軍中も、〈梅干三個あるいはつくだ煮数切れに満足〉しなければならない状況だった。

一一月に入ると、朝夕はぶるぶる震えるほど寒気が厳しくなった。防寒具の支給がまにあわなかったため、何枚も重ね着して寒さをしのごうとしたが、凍傷にかかる兵士が相次いだ。日本酒を分配するのでザルを持ってこいといわれ、日本酒の氷の塊を渡されたほどの寒さであった。

濱本が最初に行なった本格的な戦闘は、一一月二五日の連山関《リエンシャングアン》の戦いであった。日本軍六〇〇、砲二門に対し、清国軍三〇〇〇、砲六門という圧倒的不利な状況のもとで行なわれた。戦闘を指揮していた将校は相次いで死傷し、最後には見習い士官しか残らなかった。結局、四七名の死傷者を出す苦闘の果てに、ようやく敵を撃退した。

最大の苦戦は、一二月一〇日の攀家台《パンジャータイ》《はんかだい》の遭遇戦であった。第三小隊を率いる濱本は、小隊の先頭に立って、「突貫《とつかん》」(突撃)の号令を発した。五〇人あまりを連れて突撃したが、敵の陣地に到着したときには、わずか一四、五人しか残っておらず、ほかはみな戦死してしまった。大隊はさらに猛進しようとしたが、敵はいっこうにひるまず、両側の高地と前面の村落の三方から猛烈な射撃を加えてきた。被弾した大隊長が、立つこともできないままで「前へ! 前へ!」と絶叫するが、誰も応じようとしない。そうこうしているあいだにも死傷者は続出する。濱本は、死を覚悟した。そして、第一・第三大隊に続き、濱本が属する第二大隊も決死の突撃を敢行した。

高地に布陣していた敵陣に一番乗りを果たした濱本は、過労と空腹のために丘の頂上で失神してしまった。しばらくして蘇生した濱本のかたわらに、戦死した清国兵が横たわっていた。その清国兵のカバンの中に血のついた小麦粉の団子三枚を見つけた濱本は、それをむさぼり食い、なんとか生還したのであった。

娘の地主愛子《じぬしあいこ》によれば、濱本はこのことを生涯忘れず、毎年一二月一〇日には塩味だけの団子三枚を食し、〈このだんごはいのちの親ですよ。あのときの感謝を忘れては申し訳ない。お父さんをたすけてくれた支那《しな》兵の冥福《めいふく》を祈りましょう〉と語っていたという。

その後、第一軍は、一二月一九日に海城《ハイチャン》で一万五〇〇〇人の敵を撃破し、旅順《リューシュン》《りょじゅん》・大連《ダーリエン》《だいれん》を占領した第二軍とあわせて、遼東《リャオトン》半島をほぼ制圧した。

異装の軍夫

激戦を続ける日本軍のなかに、笠をかぶり草鞋《わらじ》を履いた、法被股引《はっぴももひき》姿の異装の集団が交じっていた。いわゆる軍夫《ぐんぷ》である。彼らは、輜重《しちょう》と兵站《へいたん》（作戦軍の後方にあって軍需品の輸送や連絡線の確保などを担った機関）という戦争には欠かせない重要な部分を、牛や馬のかわりに担った。

仙台を拠点とする第二師団は、行政ルートを通じて軍夫を集めた。それに、義勇兵として従軍を志願していた旧藩士、旧民権家、西南《せいなん》戦争従軍者などが応じた。他地域では、一八九三年（明治二六）に設立された貿易業者の大倉組《おおくらぐみ》（のちの大倉財閥）などが請け負って募集している。まさに種々雑多な階層や職業の持ち主から構成されていた。

じつは、相撲《すもう》の力士も軍夫として従軍している。相撲協会では、高砂《たかさご》取締、伊勢ノ海《いせのうみ》検査役など五人の名で陸軍大臣に従軍願を提出したが却下された。そのため、幕下の力士を中心に、近衛《このえ》師団の軍夫として戦争に協力したのである。これも、力士たちの「報国の志」を示すことで、当時「裸体踊《はだかおどり》」と軽蔑《けいべつ》され、廃止論まで出ていた相撲の地位を向上させるためであった。

軍夫組織には、「千人長」「百人長」「五十人長」などのまとめ役が置かれたが、たとえば「千人長」として指揮した宮城県職員の細谷《ほそや》直英《なおひで》は、旧仙台藩士で戊辰《ぼしん》戦争・西南《せいなん》戦争に従軍した体験を有していた。彼は、烏《からす》の縫取《ぬいどり》を入れた派手な緋《ひ》色《いろ》の服を着て指揮したという。

日清《にっしん》戦争に動員された軍夫は、一五万三九七四人とされている。それに加え、現地でなかば強制的に徴集した朝鮮人・中国人・台湾人軍夫が、延べで一二一万人にのぼると推定される。だが、軍夫のなかには博徒《ばくと》もたくさんおり、彼らは集結地の広島でも戦地でも、さまざまなトラブルを起こした。

4

◉「軍夫の活躍」
負傷兵を運ぶ軍夫。草鞋を履いている。イギリスの『ザ・グラフィック』紙の特派員として日清戦争に従軍したビゴーが描いた。

『朝日新聞』記者の横沢次郎《よこざわじろう》は第一軍に従軍したが、彼の『征《せい》清従軍録《しんじゅうぐんろく》』には、一八九四年一〇月に第一軍司令官山県有朋《やまがたありとも》が各師団長に回付した「訓戒」が記録されている。それによれば、山県は、〈唯《ただ》もっとも恐るる所は則《すなわ》ち我軍に属する役夫《えきふ》にして、彼等は固《もと》より教育ある者にあらず、また規律に慣るる者にあらず、ただ賃銀を目的として従軍をなしたる者に過ぎざるなり。而《しか》してその頭数を問えば則ち数万の多きに及べり。これまことに軍隊の累《るい》なり〉と危機感をあらわにしていた。軍夫による略奪事件も相次いだようで、師団長名でたびたび略奪禁止令も出されている。

　第一軍司令部付きの陸軍通訳官であった西島良爾《にしじまりょうじ》（静岡県出身）は、中国服に身を固めて往来し、辮髪《べんぱつ》がないだけでほとんど中国人と変わらない軍夫の姿を目撃している。また西島は、酒保《しゅほ》（宿営地における公設の販売所）の物価が高いので、郷里の家族に送金しようと思っても、一週間分の給料が酒や砂糖に消えてしまうという軍夫の嘆きも記録していた。一般の軍夫の日給は四〇銭《せん》。砂糖一斤《きん》一円三〇銭、酒一升一円五〇銭であった。

5

◉清国兵の捕虜を監視する朝鮮兵
日清戦争に際し、朝鮮人はたくさんの軍夫だけでなく、「大日本・大朝鮮両国盟約」に従って、政府兵も動員された。

近代史研究者の大谷正《おおたにただし》は、長脇差《ながわきざし》や仕込み杖《しこづえ》、なかには日本刀やピストルを持って武装した軍夫の存在は、〈客観的に見れば、当時の日本軍は不正規兵を混入した「野蛮の軍隊」とされても仕方がな〉く、戦時国際法に抵触する危険性があったと指摘している。

このように問題視されていた軍夫であったが、いざ戦況が不利になれば、棍棒《こんぼう》一本を手にして戦闘に参加することがあったし、軍人と見なされて敵に殺されることもあった。兵士とは異なり、防寒服も支給されなかったので、凍傷で倒れる者もたくさんいた。

しかし、『明治廿七八年日清戦史』などの公式記録による戦病死者一万三四八八人のなかに、軍夫の死者は含まれていない（大谷は、軍夫を含めると、実際には二万人を超えると推計）。また、病死した軍夫は靖国《やすくに》神社の合祀《ごうし》対象にもされなかった。つまり、軍夫たちのいのちは、公式統計に反映される価値のない、軍馬以下のものと考えられていたのであった。

「文明」対「野蛮」

近代日本で最初の大規模な対外戦争であった日清《にっしん》戦争を、外務大臣の陸奥宗光《むつむねみつ》は、〈西洋的新文明と東洋的旧文明との衝突〉であり、日本にとってはまさに〈文明列国の仲間に加入する〉〈試験〉であると位置づけた。

文明国クラブへの入学試験としての日清戦争を、知識人は思想的立場を異にしながらも、こぞって「文明」対「野蛮」の戦いと位置づけた。それをもっとも的確に表現したのが福沢諭吉《ふくざわゆきち》である。

福沢は、〈日清の戦争は文野の戦争〉であるとまとめ、日清戦争は〈文明開化の進歩を謀《はか》るものとその進歩を妨げんとするものとの戦いにして、決して両国間の争いに非《あら》ず〉と述べ、いわば〈文明宗〉と〈野蛮宗〉との〈一種の宗教争い〉であると指摘した。そして、日本は〈文明開化の番兵〉として、〈人類の幸福、文明の進歩のために、至当の天職を行うものなり〉と主張した。

福沢ほど露骨ではなかったものの、内村鑑三《うちむらかんぞう》も英文でこの戦争の意義をまとめ、それを翻訳して『国民之友《こくみんのとも》』に発表した「日清戦争の義」のなかで、日清戦争は倫理的にも〈義戦〉（ただしい戦争）であると強調した。そして、日清戦争は〈新文明を代表する小国〉と〈旧文明を代表する大国〉との戦いであり、〈東洋における進歩主義の戦士〉である日本の勝利を望まない国があるだろうか、と述べている。

当時の日本を代表するジャーナリストの多くが強調した「文明」対「野蛮」の戦いという図式は、しだいに民衆のなかにも浸透していった。

過熱する民衆

『毎日新聞』の記者であった横山源之助《よこやまげんのすけ》によれば、開戦時の民衆は、わりあいに冷静というよりも、むしろ戦争に無関心であったという。とりわけ地方の民衆はそうであった。ところが、緒戦の連戦連勝にあおられて、民衆は一気にヒートアップしていく。その熱狂ぶりは、戦争の仕掛け人ともいえる陸奥宗光《むつむねみつ》さえも驚くほどだった。

それでは、どうして民衆の戦争熱が一気に沸騰することになったのであろうか。
第一に考えられるのは、新聞報道の影響である。日清《にっしん》戦争には、全部で六〇の新聞社などが一一四名の従軍記者を派遣して報道合戦を繰り広げた。画工も一一名、当時まだめずらしかった写真師も四名派遣している。従軍記者のなかには、新聞『日本』の記者桜田文吾《さくらだぶんご》のように、実際の戦闘に参加した者もおり、貸し与えられた刀で捕虜を殺害した者もいたという。

もちろん、軍事機密に関する報道は、禁止されるなどの報道管制がしかれていた。しかし、東北や九州の新聞には兵士や軍夫の書簡や談話が掲載され、なかには旅順《リューシュン》《りょじゅん》虐殺事件をなまなましく記したものもあった。日清戦争の段階では、報道管制や軍事郵便の検閲などはまだ十分に機能しなかったといえる。

各新聞は、工夫を凝らして戦局の推移や戦争美談などを報道し、発行部数を競い合った。たとえば、〈シンデモ　ラッパヲクチカラハナシマセンデシタ〉と、「義勇」「忠義」の鑑《かがみ》としてとりあげられるラッパ手の木口小平《きぐちこへい》（日清戦争で戦死）も、報道によってつくられた英雄のひとりであった。もっとも、新聞

◉**街頭新聞を見る人びと**
民衆に与えた新聞報道の影響は大きかった。日露戦争のときには、戦局の様子が速報として新聞社の前に貼り出されるほどだった。

と民衆との相乗作用にも注目しておかなければならない。民衆は新聞の戦争報道にあおられたばかりでなく、民衆の熱狂ぶりも新聞報道をエスカレートさせていったのである。

一八九三年（明治二六）の新聞年間発行部数一〇六〇万は、九五年には約一五〇〇万部に急増している。折しも、新聞は、自由民権期以来の論説を中心とした新聞から、報道を中心とした新聞への過渡期にあたっており、日清戦争は商業ジャーナリズムの成立に大きな役割を果たしたのである。

第二に、芝居・歌舞伎《かぶき》・落語・講談などの大衆芸能の影響があげられる。この時期、大衆芸能は好んで日清戦争をテーマにとりあげていた。そのため、激高《げっこう》した観客が清国兵に扮《ふん》した俳優に殴りかかるなどの事件が、相次いで発生している。

荒畑寒村《あらはたかんそん》の『寒村自伝』にも詳しいが、『万朝報《よろずちょうほう》』にも、〈見物檄して俳優を乱打す〉（一八九四年九月二一日）、〈見物助力して支那《しな》兵士を擲《なぐ》る〉（同年一〇月一一日）などと報じられている。このうち、後者の事例は、一〇月九日の明治《めいじ》座《ざ》公演中の出来事であった。日清双方の兵士が入り乱れて戦っている場面で、清国兵を演じていた市川緋《いちかわひ》鯉《ごい》が花道で日本兵を組み伏せ痛い目にあわせていた。そのさまを歯がみしながら見ていた観客が、花道に躍り出て緋鯉に飛びかかり、緋鯉をやっつけて

●ラッパ手の最後
軍隊は、起床も就寝も、突撃も退却も、ラッパの合図で動いた。隊列の先頭でラッパを吹くラッパ手は、子供たちの憧れであった。

6

しまったというのである。おかげで、緋鯉は自宅療養しなければならなかった。

　このように、現実とフィクションとの区別がつかなくなるほど民衆は、戦争に熱狂していた。

　第三に、当時大流行した戦記物や軍歌の影響が指摘できる。たとえば、博文館《はくぶんかん》から出版された『日清戦争実記』は、第一編から第六編まで合計で一〇二万部売れた。軍歌のなかでは、有栖川宮熾《ありすがわのみやたる》仁《ひと》参謀総長の命でつくられた『討清軍歌』が有名である。「膺《う》てや懲《こ》らせや清国を」で始まる『討清軍歌』は、参謀本部が数万部印刷し、各師団各中隊ごとに五部ずつ配布したという。

　そのほかには、地域における義会（徴兵慰労・援護組織）や救恤《きゅうじゅつ》活動の展開、宗教者の活動、実物教育としての戦利品の公開などもあげられる。このうち戦利品の公開は、一八九四年九月六日に天皇が見たあとに大阪の博物館と東京の靖国神社で展示され、その後全国を巡回した。翌年四月には〈なおひそかに清国の風を慕《した》うの頑迷者その跡を絶つに至〉っていない沖縄県にも回覧されている（『万朝報』一八九五年（明治二八）四月九日）。日中両属の長い歴史をもつ沖縄では、一八七九年の「琉球処分」によって日本のひとつの県にされたあとも、清国に逃れて清国との関係を復活させようと画策した「脱清《だっしん》士族」の運動にみられるように、日本に対する不満が根強く残っていたからである。

　こうして、近代最初の対外戦争に直面した日本の民衆は、義勇兵の出願や献金・献納などを通して熱心に戦争に協力すると同時に、祝勝会や追悼会を開くなど、戦争色に染め上げられていった。「挙国一致《きょこくいっち》」の成立である。〈献金の金があれば酒を飲む〉といった男をみんなで袋だたきにしたという報道に、戦時下の民衆の精神状態がうかがえる（『万朝報』一八九四年一〇月一〇日）。

旅順虐殺と朝鮮・台湾の戦争

兵士たちの証言

戦局の帰趨《きすう》は、一八九四年（明治二七）九月一七日の黄海《ホアンハイ》《こうかい》海戦（清国《しんこく》北洋艦隊五隻を撃沈）と、一一月二一日の旅順《リューシュン》《りょじゅん》占領によってほぼ決定したが、第二軍の一部はさらに威海衛《ウェイハイウェイ》攻略作戦を展開し、翌九五年二月一二日に清国艦隊を全面降伏させた。

旅順占領に際して、第二軍は虐殺事件を引き起こした。大量殺人のひとつの契機は、戦死した日本兵の遺体に加えられた凌辱《りょうじょく》であったと思われる。清国兵が日本兵の遺体を凌辱することは、戦線のあちらこちらでみられた。たとえば、旅順を前にして、一一月一八日に土城子《トウーチャンズ》で清国軍と交戦した高柳直《たかやなぎちょく》（千葉県出身）は、敵が退却したあとに残された日本兵の死体が、みな頭部を欠いた身体のみであったことや、なかには腹部を十文字に切り裂かれ、そこに土砂が詰められている遺体があったことを目撃している。

〈怒気《どき》胸に満ち、毛髪帽を衝《つ》き、同胞戦死者のためには、縦令《たとい》如何《いか》なる苦戦をなすも彼等を鏖殺《おうさつ》（皆殺し）してその霊魂を慰せんとの気慨《（ママ）》は、口にこそ言わね、凜々《りんりん》その面《おもて》に顕《あら》われ士気頗《すこぶ》る激振せり〉と高柳は記した。

旅順における虐殺事件やその後の旅順市街の様子は、第二軍の兵士の手記や書簡にさまざまに書き残されている。窪田仲蔵《くぼたなかぞう》（長野県出身）は、一一月二一日の日記につぎのように書いている。

〈この時、余等は旅順町に進入するや、日本兵士の首一つ道傍《みちばた》木台に乗せさらしものにしてあり。余等もこれを見て怒に堪えかね、気は張り支那《しな》兵と見たら粉にせんと欲し、旅順市中に人と見ても皆殺したり。ゆえに道路等は死人のみにて、行進にも不便の倍なり。人家におるも皆殺し、大抵の人家二三人より五六人死者のなき家はなし。その血は流れ、その香もはなはだ悪し。捜索隊を出し、あるいは討ちあるいは切り、敵は武器を捨て逃るのみ。これを討ちあるいは切るゆえ、実に愉快極《きわま》りなし〉

一一月二一日に旅順に入った長野県諏訪《すわ》郡出身の伊東連之助《いとうれんのすけ》も、〈敵兵の死するもの山野江海に充満せり、……積屍《せきし》山の如く、郊の内外死軀累々《しくるいるい》として醒風《せいふう》鼻を衝《つ》き、碧血《へっけつ》靴を滑らして歩行自由ならず、やむを得ず死人の上を歩めり、清兵の狼狽《ろうばい》して海に投じ溺死《できし》するものその数測るべからず〉と書いている。

第二軍の輜重輸卒《しちょうゆそつ》であった小野六蔵《おのろくぞう》は、二五日に外出を許されて旅順市街地を散歩したが、〈毎家《まいか》多きは十数名少きも二三名の敵屍あり。白髯《はくぜん》の老爺《ろうや》は嬰児《えいじ》と共に斃《たお》れ、白髪の老婆は嫁

7

●旅順の中心街を破壊する日本軍
日本軍に同行したイギリスの画家の目に、殺害、略奪、破壊の限りを尽くす日本軍の姿が焼き付いた。犬や猫の死骸《しがい》も見られる。

娘と共に手を連ねて横わる。その惨状実に名状すべからず〉と書いている。二五日になってもまだ民間人の死体がたくさん放置されていたことがわかる。

以上のように、旅順では、抵抗をやめない敵兵だけでなく、降伏を希望する敵兵も、命乞いをする民間人も無差別に殺害した。そして、日本兵の凶刃《きようじん》から逃れようとして、たくさんの人びとが海に飛び込んで溺死した。湾は溺死体で水面が見えないほどだったという。

じつは、旅順攻撃に際して、司令官の山地《やまじ》元治《もとはる》中将が、婦女老幼を除き皆殺しにしてもかまわないという指令を出していた。だが、いくら「婦女老幼を除き」といったところで、「皆殺し」の許可を得て敗残兵狩りに熱中している兵士に、冷静な判断を求めるのは無理であった。大量虐殺が行なわれている最中、大山巌《おおやまいわお》以下の第二軍司令部は、軍楽隊の演奏を肴《さかな》にシャンパンで乾杯し、祝勝の宴をはっていた。

この虐殺事件によって、はたしてどれだけの人が犠牲になったのだろうか。従軍将兵の書簡には、死者だけで「千二三百」「千三百人」「五千人」などと記されている。

相次ぐ虐殺事件

旅順《リユーシユン》《りよじゆん》での事件が世界中に報道されて苦境に立たされた日本政府は、通信社のロイターを買収して事件をもみ消そうとした。伊藤博文《いとうひろぶみ》首相も、〈取紕《とりみだ》すことは危険多くして不得策《ふとくさく》〉であるとして、〈不問に付〉すことを指示していた。

その後、日本軍は、講和交渉を有利に進めるために、牛荘《ニュウジュアン》、田庄台《ティエンジュアンタイ》、営口《インコウ》などを攻略したが、一八九五年（明治二八）三月四日の牛荘城陥落後には、敵兵が閉じこもっているとして、家屋という家屋を銃撃したり爆破したりするなどの大規模な掃討戦を行なっている。翌朝市街に出た朝日新聞従軍記者の横沢次郎《よこさわじろう》は、人家や路上に無数の死体が転がっているのを実見しており、死者の数は〈二千二百幾個の夥《おびただ》しきに及びたり〉と記録している。また、田庄台の占領後には、この地が敵の戦略上の要地であることや、人家に潜伏している敗残兵を「処置」するのが煩わしいとして、司令官命令で全市を焼き払った。

それればかりではなく、日清《にっしん》戦争最初の大規模な戦闘であった平壌《ピョンヤン》会戦後にも捕虜の虐殺があったという指摘がある。福井県大野《おおの》郡羽生《はにう》村出身の森永治太《もりながはるた》は、一八九四年一〇月二日に戦場掃除と占領整備のために平壌に到着した。清国兵の死体や馬の死骸《しがい》が人家のなかにまだたくさん残されていた。そして、捕虜になった清国兵について、森永はつぎのように記している。〈分捕《ぶんど》り兵一千二百人、内広島へ送兵八百人、日本憲兵巡査にて四百人首を切る〉、と。

日清戦争は、決して「文明的」な戦争ではなかったのである。

東学農民鎮圧戦争

一八九四年（明治二七）九月、全琫準《チョンボンジュン》を中心とする東学《トンハク》《とうがく》農民軍が全羅道《チョルラド》でふたたび蜂起《ほうき》した。朝鮮史研究者の趙景達《チョギョンダル》は、全州《チョンジュ》和約までを第一次農民戦争、これ以降を第二次農民戦争と呼んでいる。

第一次蜂起の目的が、主要には国王の善政を阻害していると見なした地方官の苛斂誅求《かれんちゅうきゅう》批判にあったのに対して、第二次の蜂起は明確に「抗日反開化」をうたい、日本の侵略から「宗国」を救うことを目的にしていた。

これに対し、二八〇〇名余の朝鮮軍と、後備歩兵独立第一九大隊を中心とするおよそ一九〇〇名の日本軍が、合同して鎮圧にあたった。

一〇月二三日、全琫準率いる四万に加え、数万に及ぶ農民軍が公州《コンジュ》を攻撃した。東学農民たちは、弾丸が当たらないという信仰をもっていた。迎え撃つ朝鮮・日本の連合軍は、およそ一〇〇〇名にすぎなかった。しかし、火力に劣る農民軍は、至るところに屍《しかばね》の山を築いて退却を余儀なくされた。逃走離散する農民が増え、最終的に八〇〇〇名ほどに減少した農民軍は、一一月二七日の泰仁《テイン》での戦いに敗れて解散を余儀なくされ、全琫準は逃亡した。

農民軍の蜂起は、全羅道だけでなく、忠清道《チュンチョンド》、慶尚道《キョンサンド》、江原道《カンウォンド》など広範に発生したが、ことごとく鎮圧された。戦闘が終結しても、〈東学党に対する処置は厳烈なるを要す。悉《ことごと》く殺戮《さつりく》すべし〉と命

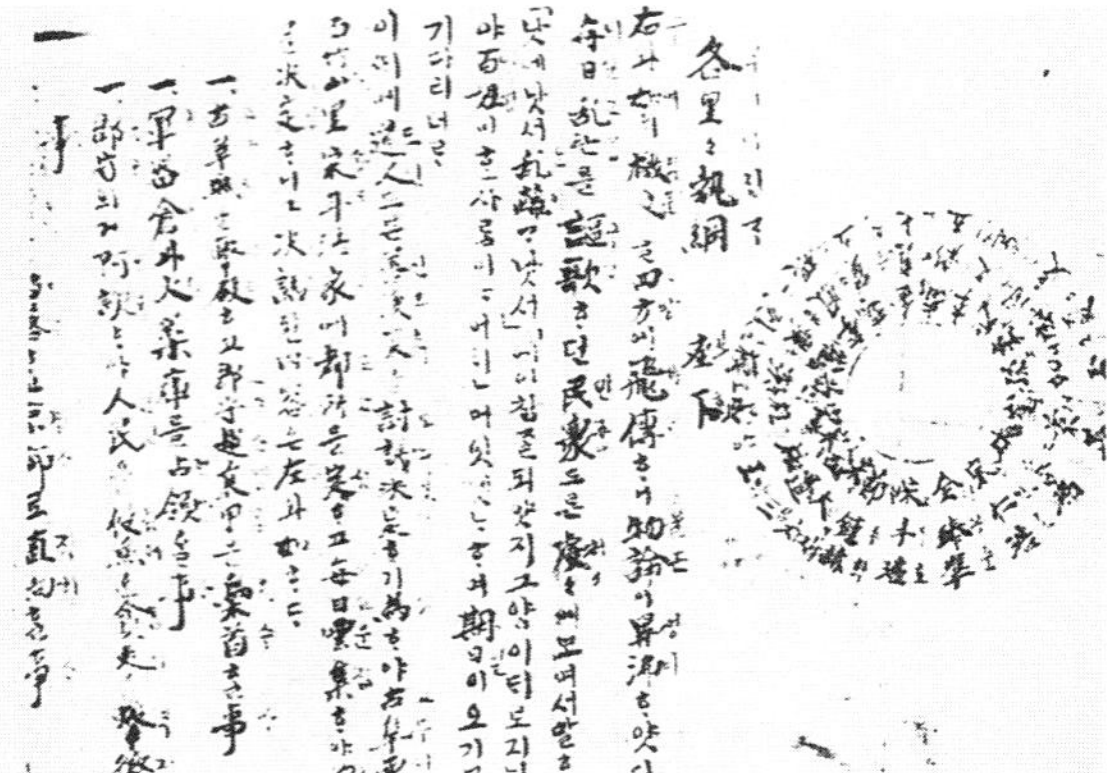

8

●全琫準が決起を呼びかけた「沙鉢通文《さはちつうもん》」
朝鮮各地の東学の指導者たちに送られた。円形に書かれた署名は、日本の百姓一揆《いっき》で見られた傘連判状《からかされんぱんじょう》を彷彿《ほうふつ》させる。

令されていた日本軍は、残党を珍島《チンド》に至るまで追撃し、徹底的な「東学徒狩り」を行なった。趙は、最終的な東学農民の犠牲を、三万人を優に超え、五万人に迫る勢いであったと推定している。最近の韓国における研究も同様に、犠牲者は二万人以上、五万人までのあいだ、と指摘している。全琫準は逮捕され、一八九五年四月、孫化中《ソンホアジュン》、金徳明《キムドンミョン》ら四名の指導者と一緒に処刑された。

当時の日本人の多くは、東学農民の蜂起を、一揆《いっき》徒党の類《たぐい》としか認識できなかった。そんななかで、全琫準をひじょうに高く評価していたのが田中正造《たなかしょうぞう》である。正造は、全琫準の志が朝鮮を〈宗教を以《もっ》て根本的の改革を試み〉ようとする点にあったと指摘して、朝鮮改革の〈新芽〉を日本軍が蹂躙《じゅうりん》したことを、〈惜しいかな〉と嘆いた。

台湾民衆の抵抗と弾圧

一方、李鴻章《リーホンジャン》《りこうしょう》と講和交渉を進めていた日本は、一八九五年（明治二八）三月一四日、比志島《ひしじま》大佐率いる野戦混成支隊を、澎湖島《ポンフーダオ》占領作戦のためにひそかに派遣した。三月二三日に澎湖島に上陸した混成支隊は、その月のうちに澎湖島を平定する。

四月一七日、下関において日清《にっしん》講和条約が調印され、日本への台湾の割譲が決まると、近衛《このえ》師団を台湾に派遣し、のちに、第二師団の後備部隊も派遣されている。

領有戦争当時の台湾

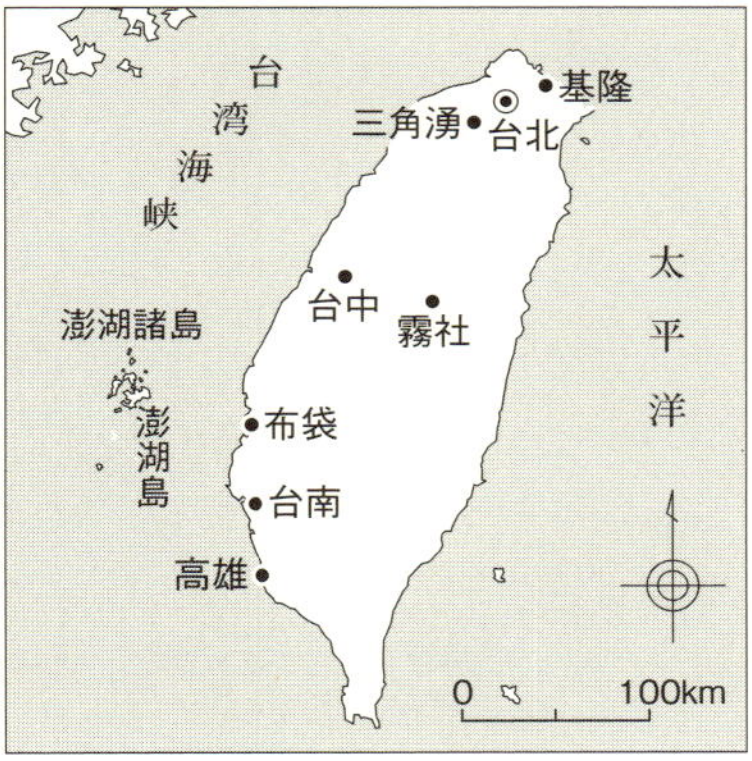

近衛師団は、五月二九日から上陸作戦を展開したが、台湾では、それより先の五月二五日に台湾民主国が樹立されていた。

アジアで最初に共和制を宣言した台湾民主国は、三国干渉のような列強の介入を期待して、清朝《しん》の高官張之洞《ジャンジードン》の示唆のもとに、民政・軍事を掌握する台湾巡撫《じゅんぶ》の唐景松《タンジンソン》と土着の士紳（科挙《かきょ》の合格者で官位をもつ者もいる）・土豪《どごう》（大地主、開拓指導者。私的武力を擁した）らが中心になって樹立したものであった。しかし、総統に就任した唐景松はろくに戦わないまま六月四日に清国に逃亡し、劉永《リウヨン》福《フー》将軍も一〇月一九日に脱出した。台湾史研究者の黄昭堂《ホアンジャオタン》は、台湾民主国の存続期間を、五月二五日から一〇月一九日までの一四八日としている。

だが、台湾民衆のゲリラ的抵抗に直面した台湾領有戦争は、たいへん苛酷《かこく》なものであった。今野《こんの》良治《りょうじ》近衛騎兵一等軍曹（宮城県出身）が父親に書き送った戦闘の様子は、以下のようなものである。

七月一五日、三角湧《サンジヤオヨン》付近偵察の命を受けて、小隊長以下二二名が台北《タイペイ》を出発した。沿道の民衆はみな日本の国旗を掲げ、「大日本善良民」の札を戸前に貼《は》り、お茶や粥《かゆ》を勧めては偵察隊をねぎらった。安心して前進したところ、突然砲声がし、四方より小銃の弾が飛んできた。後退して、先ほどねぎらいを受けた村落を拠点に防御しようとしたところ、村人たちはみな戦闘員に変わっていて、男も女も銃を手にし、子供までが竹槍《たけやり》を持って退路を断とうとしている。結局、無事に帰ることができたのは、わずか三名のみであった。日本軍は、後日、その報復として、この村を襲撃し、家屋を焼き、住民を殺害した。

このように、「笑みを浮かべた村民」こそが日本軍にとってもっとも手強《てごわ》い敵であった。清国との戦争でも、清国兵は、敗走するとすぐ軍服を脱ぎ捨て民間人の格好をして民家に潜り込むことが多かったというが、台湾では、兵士が民間人を装うのではなく、「順民」を装った住民が武器を持って抵抗したのである。侵略戦争をする側にとって、このことは最大の恐怖であった。この恐怖から解放されるには、住民を「皆殺し」にするしかなかったのである。

日本は、軍夫《ぐんぷ》二万六〇〇〇人を含む七万六〇〇〇人余の兵力を台湾占領に投入したが、台湾各地で住民ぐるみの抗日ゲリラ戦が展開され、日本軍も深刻な被害を受けた。混成支隊の一員であった堀江《ほりえ》八郎《はちろう》は、従軍記である『南征史《なんせいし》』のなかで、〈変幻出没極まりなく〉とか〈変幻極まりなし〉という表現を随所で用いている。そして、「土兵《どへい》」の勇猛ぶりを率直に認め、〈彼等は天性勇武の民〉であると評価していた。

熊本出身の近衛師団所属石光《いしみつ》真清《まきよ》中尉にとって、台湾領有戦争は彼の初陣《ういじん》であった。台南《タイナン》の嘉義城《ジャーイーチャン》で〈敵も味方も、城壁上に満ちた戦死者を踏んで肉弾戦を演じた〉あとに、石光は城内

9

◉日本軍を迎える台湾民衆
女性も子供も総出で、にこやかに日本軍の到着を待つ台湾萬巒荘《ばんらんそう》の村民たち。お茶や粥《かゆ》、饅頭《マントウ》などを用意し、日の丸を掲げている。

の掃討を行なった。そのとき、戦死体のなかから、かよわい泣き声を立てている女児を見つけた。石光は、その子に「周花蓮《ジョウホアリエン》」という名前を付け、従卒《じゅうそつ》に背負わせながら戦闘を行なったので評判になった。戦場での仏心は仇《あだ》となることが多いが、石光のこの行為は、台湾民衆の人心を掌握するのに役立った。台湾での戦闘を通じて、石光の心に、「女兵の死体」の多さが強烈な印象を残した。

コレラの猛威

もちろん、すべての台湾民衆が日本に抵抗したわけではない。だが、このような台湾民衆の抵抗が、日本軍の最大の悩みであったことは間違いない。それに加え、コレラやマラリアなどの病気が、兵士や軍夫《ぐんぷ》を悩ませた。とりわけ、コレラは猛威をふるった。

たとえば、混成支隊が乗った船では、航海中にコレラが発生し、澎湖島《ポンフーダオ》に上陸するまでのあいだに三隻で三〇名の死者を出した。上陸後さらにコレラが蔓延《まんえん》し、四月から五月にかけて患者が続出する。結局、三月一五日から七月八日までのあいだに総数六一九四名のうち一九四五名が罹患《りかん》し、一二五七名が死亡した。死亡率はなんと二〇・三パーセントに達する。

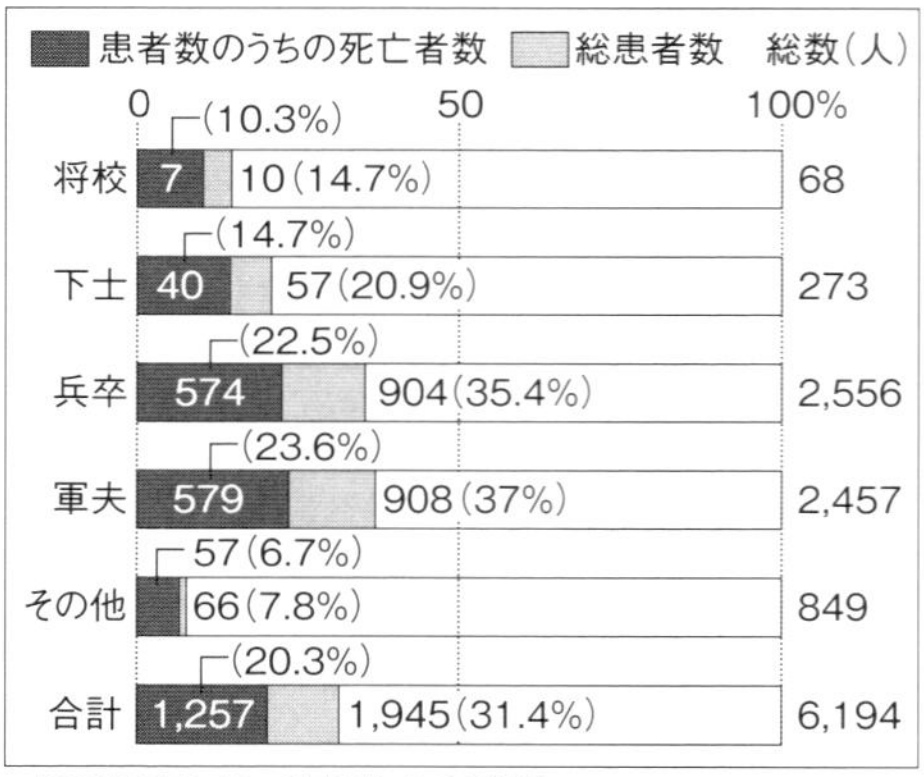

*1895年3月15日～7月8日における統計　堀江八郎『南征史』より作成

●台湾遠征混成支隊のコレラ被害
コレラへの抵抗力は、ふだんの勤務状態や栄養に大きく左右された。

しかも、死者は、将校や下士に少なく、兵卒や軍夫に多かった。将校の死亡率が一〇・三パーセントであったのに対して、兵卒は二二・五パーセント、軍夫のそれは二三・六パーセントであった。病気は確実に人を選び、階級の低い者に犠牲が集中したのである。

コレラの伝染が終息に向かうと、今度は腸チフスやマラリアが発生した。同じ混成支隊の佐川友《さがわとも》吉《きち》〈神奈川県出身〉も、六月にマラリアに罹患し、一〇日ほどの入院を余儀なくされた。佐川は、帰国後ふたたび発病している。

混成支隊の堀江《ほりえ》八郎《はちろう》は、〈始終全く健康無病と称すべき者はほとんど絶無というも敢《あえ》て過言に非《あらざ》るなり〉と述べている。日清《にっしん》戦争の死者一万三四八八人のうち、病死者は一万一八九四人。日清戦争が「疾病《しっぺい》との戦争」といわれる所以《ゆえん》である。

結局、台湾における大規模な住民の抵抗は、一九〇二年（明治三五）まで続いた。

日清戦争の意義

たしかに宣戦布告をして戦ったのは日本と清《しん》国であった。しかし、日清戦争は、日本と清国だけの戦いであったわけではない。以上でみてきたように、朝鮮の東学《トンハク》《とうがく》農民や台湾民衆とも戦い、とりわけゲリラ的な抵抗にさらされた台湾における日本軍は、兵士と民間人の区別なく殺害し、村をまるごと焼き打ちするなどの徹底した掃討戦を行なった。その意味で、日清戦争は、朝鮮や台湾における戦争も含めてトータルに考える必要がある。

また、日清戦争は、東アジア世界秩序を大きく変貌《へんぼう》させる契機となった。それまでの伝統的な東アジアの世界秩序は、中華帝国を中心とした冊封《さくほう》・朝貢関係からなる華夷《かい》秩序によって維持されていた。日本や朝鮮において、小中華主義、もしくは「日本型華夷秩序」と称されるものが形成されていたにせよ、清国側からみれば日本はケシ粒のような小国にすぎなかった。大連《ダーリエン》《だいれん》や旅順《リューシュン》《りょじゅん》で戦闘が行なわれているとき、北京《ペキン》では、西太后《シータイホウ》《せいたいごう》の還暦を祝う盛大な祝典が催されており、歌舞音曲で満ちあふれていたのである。

そういった「中華帝国体制」ともいうべき東アジアの伝統的システムに対し、その異端児であった日本は、台湾出兵・琉球処分・壬午《イモ》《じんご》軍乱・甲申《カプシン》《こうしん》政変と、何度となく揺さぶりをかけてきた。日清戦争はその集大成ともいうべき位置を占めることになった。

朝鮮・台湾を失った清国は、西北のモンゴル地域に対する支配強化を図っていったが、日清戦争の敗北による清朝の落日は、東アジア世界が帝国主義列強を中心とする世界システムに併合される契機となったのである。

義和団戦争

義和団の誕生

日清《にっしん》戦争後に産業革命を牽引《けんいん》したのは、製糸や綿紡績などの軽工業であった。とりわけ製糸業は、日清戦争が始まった一八九四年（明治二七）に、初めて機械製糸が坐《ざ》繰《ぐり》製糸の生産を上まわった。こうした企業勃興《ぼっこう》熱のなかで、空前の鉄道ブームも巻き起こった。重工業部門で日清戦後経営を象徴する官営八《や》幡《はた》製鉄所は、一九〇一年二月五日に第一高炉に火入れがなされた。だが、八幡製鉄所の製品が軍に本格的に供給されるのは日露《にちろ》戦争後のことであった。

一方、戦争に敗北した清国では、日本の近代化政策に学ぼうとする機運が高まり、一八九八年六月に光緒《グアンシウー》帝が「変法自強《へんぽうじきょう》」（議会政治を基礎とした立憲君主制の樹立をめざす政治改革）を宣言する。これに対して、西太后《シータイホウ》《せいたいごう》を中心とする保守派は、九月に戊戌《ウーシウー》《ぼじゅつ》の政変を起こし、実権を掌握した。

政情が不安定ななかで、ドイツをはじめとする列強の中国侵略が進行する。その契機となったのが、一八九七年に山東省《シャンドン》で

◉官営八幡製鉄所の東田《ひがしだ》第一高炉
一九〇一年、筑豊《ちくほう》炭田を後背地にもつ北九州八幡の一寒村に、大規模な製鉄所が建設された。鉄は軍需の中心であった。

ドイツ人宣教師二名が殺害された事件である。それを利用してドイツ軍は、山東半島と膠州《ジャオジョウ》湾を占領した。ドイツに遅れじと、イギリスは威海衛《ウェイハイウェイ》を、ロシアは旅順《リューシュン》《りょじゅん》・大連《ダーリエン》《だいれん》を占領した。

周知のように、ヨーロッパの帝国主義諸国がアフリカやアジアを侵略する際、往々にしてキリスト教宣教師がその先兵役を務めた。文明イデオロギーの体現者でもあった彼らは、野蛮で遅れた人びとをキリスト教に改宗させ文明生活に誘うことが天職であるという強烈な使命感を抱いていた。そのため、村の寺《じ》廟《びょう》を破壊して、その跡に教会を建てたりすることがあった。その結果、土着勢力とのあいだにさまざまな軋轢《あつれき》が発生し、反キリスト教（仇教《きゅうきょう》）運動が高まっていった。義和団《ぎわだん》とは、そういった仇教運動の延長線上に成立した団体のひとつである。

山東半島東部の人々は、キリスト教から共同体を守るべく、村の寺廟を中心に結集し、民間信仰と武術を手に郷土防衛に向かった。村外から招いた老師や拳師が壇を建てると、一〇歳代の子供をはじめとして、大人も女性たちも集まって、武術や秘術の訓練に熱狂した。義和団の特色のひとつは、「紅燈照」「藍燈照」「青燈照」（燈照とはランプのこと）などの女性だけのグループが組織され、運動の前面に立ったことである。

彼ら／彼女らは、儀式を通して「降神付体、刀槍不入」（神を降して体に付せば、刀も槍も身体に入

中国の勢力分布（義和団戦争後）

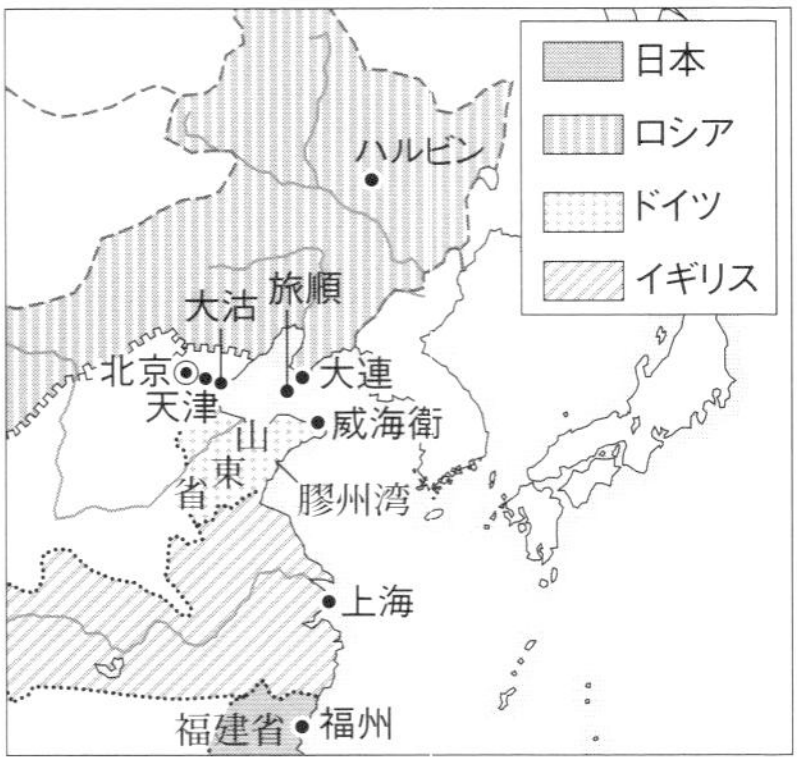

らず）という信念を獲得していった。そして、キリスト教と帝国主義が一体となって侵略してきたのに対して、「扶《ふ》清滅洋《しんめつよう》」（清朝を助けて外国を討つ）をスローガンに一八九九年三月に蜂起し、一二月二三日には山東省でイギリス人牧師を殺害した。

　これに対して、自国民を保護することを名目に、イギリス・アメリカ・ドイツ・ロシア・フランス・イタリア・オーストリア・日本の八か国が連合軍を結成して戦闘行動に入ったが、義和団は一九〇〇年六月二〇日に北京の各国公使館を包囲した。清朝は翌二一日、国内向けに「宣戦上諭」を発して、挙国一致《きょこくいっち》を呼びかけた。こうして、明確な宣戦布告、国交断絶などの措置がとられないまま、義和団に加え清国軍をも相手とする戦争が始まった。

　この戦争は、これまで北清《ほくしん》事変と呼ばれることが多かったが、中国史研究者の小林一美《こばやしかずみ》は「義和団戦争」と称すべきであると提唱している。日本も参加した東アジアにおける最初の多国籍軍による戦争であり、日本は西欧列強にとっての「極東の憲兵」という役割を果たした。

11

●連合軍と戦う義和団
「仇教」＝反キリスト教に加え、「滅洋」＝反西洋侵略勢力を掲げた義和団は、軍事力の圧倒的な格差にもかかわらず、勇猛に戦った。

藤村俊太郎の戦争

日本は、義和団《ぎわだん》戦争に第五師団と第一一師団からなる混成支隊を動員した。戦闘は、一九〇〇年（明治三三）六月一六日の大沽《ダーグー》砲台攻撃に始まり、一七日に陥落させると、連合軍は天津《ティエンジン》《てんしん》に迫った。

藤村俊太郎《ふじむらしゅんたろう》は、広島騎兵第五連隊の軍曹であったが、所属する第一中隊が動員対象からはずされたため、わざわざ志願して従軍した。六月二二日に広島の宇品《うじな》港を出たとき、彼はまだ一九歳と二か月にすぎなかった。彼は、日本軍の参戦は「居留民保護」のためと聞かされていた。

藤村は、七月四日に大沽に上陸し、最初の夜を海軍陸戦隊が占領した砲台のなかで過ごした。翌日、初めて敵の死体を見た。堀に、全裸の死体がたくさん浮かんでいた。それを見た藤村は、〈個人同士にはなんの恩怨《おんえん》なきものが、互いに殺傷し合うとは〉と感傷的になり、彼らにも〈両親・兄弟、あまたに肉親がいるであろうに〉と憐憫《れんびん》の情すらわいてきた。

しかし、そんな感傷も、七月八日に同じ小隊の宇都宮竹一《うつのみやたけいち》が、藤村たちの目の前で敵の砲弾に当たって即死すると、いっぺんに吹き飛んでしまった。たちまち敵が憎くて憎くて仕方がなくなった。

翌日、黒牛城《ヘイニュウチャン》付近の智庄《ジージュアン》部落にひそんでいた七、八〇〇名の義和団と初めて戦闘を行なった。義和団員は赤色の鉢巻《はちまき》と帯を締め、赤色の房のついた青竜刀《せいりゅうとう》や槍を持って果敢に接近戦を挑んできた。藤村は、拳銃でまたたくまに四人を倒し、その後は軍刀で戦った。

戦闘が終わって智庄部落に入り、残敵の掃討《そうとう》を行なった。部落の入り口に折り重なって転がっている義和団の死体のなかに、一五歳ぐらいの子供も交じっていた。部落内の家には、まだ若干の敵と女子供がいた。部落の出口には騎兵が待ち構えており、逃げ出そうとする人びとをつぎつぎに刺し殺した。中隊長が大声で「女子供を殺してはならぬ」とたびたび叫んだが、その声はほうぼうで上がる悲鳴にかき消された。

藤村も証言しているように、日本軍は、この戦闘で捕虜をとらなかった。〈全然俘虜《ふりよ》がなかったわけではないが、ちょいちょい捕《とら》えた敵は、その処置に手数がかかるので、そのつど処分した〉という。藤村自身も捕虜をもらいうけて、軍刀の試し斬りをしている。捕虜は目をカッと見開き、藤村をにらみつけたまま息絶えていった。〈このときのことを考えると、いまでも寝ざめはよくない〉と藤村は回想している。

北京陥落

連合軍は、日本軍二七〇〇名を中核とする五〇〇〇〇余の兵力で一九〇〇年（明治三三）七月一四日に天津《てんしん》城《テイエンジンチャン》を攻め落とし、北京《ペキン》に向かって進軍した。八月五日の北倉《ベイツアン》での戦闘を経て、連合軍は北京に突入し、八月一五日に北京を陥落、包囲されていた公使館員の解放に成功。西太后《シータイホウ》《せいたいごう》らは、ほとんどが徒歩で北京を脱出する。北京は連合軍による略奪の巷《ちまた》と化した。日本軍も、師団長以下、率先して金塊、銀塊、馬蹄《ばてい》銀、貴金属、宝石類などを略奪して日本に送り、一部は国庫に入った。

こうして「居留民保護」を名目にした義和団《ぎわだん》戦争は、虐殺と略奪の戦争に終わった。義和団戦争は、文明国が行なった中国と中国民衆に対する野蛮で残虐な干渉戦争にほかならなかったのである。

『九州日報』の特派員として従軍した田岡嶺雲《たおかれいうん》は、列車の中から、沿道の民家がことごとく焼かれ、たくさんの人が路傍に撃殺されているのを目撃し、田畑を踏みにじられ、財産をなくし、一家離散し、殺される中国民衆の立場から、戦争の「非なる」ことを痛感した。

『読売新聞』の永田《ながた》新之丞《しんのじょう》も、天津城占領のあとを見まわりながら、城門の近くで老婆が葱《ねぎ》を入れた籠《かご》を抱えたまま倒れている姿や、八歳ばかりの子供が胸を撃たれて死んでいる姿を見て、戦勝の「裏面」を見よと指摘し、〈余はこの時そぞろに非戦主義の人となりぬ〉と書き送っている。

12

◉北京に入城する連合国軍総司令官
一九〇〇年一〇月一七日、北京に連合国軍総司令部が設置された。図版は、総司令官ワルデルゼー（ドイツ陸軍元帥）の北京入城シーン。

廈門占領計画

見逃してならないのは、連合国の目が北京《ペキン》に向いているときに行なわれた、日本の廈門《アモイ》（福建省《フージエン》）占領計画である。これは、政府と台湾総督府との連絡のもとに進められた。閣議は一九〇〇年（明治三三）八月一〇日、軍隊を派遣して廈門を占領する計画を決定した。八月二一日に天皇の裁可を受け、二三日に桂太郎《かつらたろう》陸軍大臣が児玉源太郎《こだまげんたろう》台湾総督にゴーサインを打電して軍艦「高千穂《たかちほ》」を派遣した。

二四日午前一時半、廈門の東本願寺《ひがしほんがんじ》布教所が何者かによって放火される事件が発生すると、それを口実に碇泊《ていはく》していた軍艦「和泉《いずみ》」より陸戦隊が上陸。廈門の治安維持が名目であった。布教所とはいっても、小屋のようなものであったらしい。現在では、この放火事件は、児玉総督を中心とする日本の謀略であったことが明らかになっており、事前に東本願寺僧侶にお金が渡されていたことも判明している。中国大陸や沿海州《えんかいしゅう》などでは、本願寺の僧侶が、欧米列強のキリスト教宣教師と同じ役割を果たしたばかりか、日本の謀略活動の拠点になっていたのである。

しかし、廈門の治安は混乱していないとする清国《しん》側の抗議や、アメリカ・イギリスの懸念を前に、これ以上日本が突っ走ることは困難であった。計画に固執する児玉総督をなだめながら、政府は八月二九日に撤兵を決定した。

こうして、日本は、中国侵略の拠点と位置づけていた遼東《リャオトン》半島の確保にも、廈門の確保にも失敗した。すでに陸軍内部には、日清戦争の時点で山東《シャンドン》省占領計画があったとされている。廈門占領計画とあわせて考えれば、日本軍が早期から中国大陸への野望を抱いていたことは隠しようもない。

アムール河の流血

北京《ペキン》陥落後も天津《ティエンジン》《てんしん》や北京周辺、鉄道沿線など、各地で義和団《ぎわだん》と民衆の抵抗が続いた。連合国は、鎮圧を名目に出兵し、勢力の扶植《ふしょく》に努めた。一方、黒龍江《ヘイロンジャン》《こくりゅうこう》（アムール河）を挟むロシアと清《しん》国の国境地帯でも清国軍とロシア軍との戦闘が起こり、それを契機にロシア軍は義和団鎮圧を名目に大規模な軍事作戦を展開し、満州（中国東北部）を勢力下に収めていった。ブラゴヴェシチェンスクでは、居住していた清国人三〇〇〇名以上が虐殺された。アムール河の流血に始まったロシア軍の進撃は、黒河《ヘイフー》、愛琿《アイホイ》、チチハル、ハルビンとまたたくまに制圧し、至るところで虐殺が行なわれた。当時ブラゴヴェシチェンスクに住んでいた軍人石《いし》光真《みつま》清《きよ》は、虐殺の様子を『曠野《こうや》の花』に活写している。

ロシア軍から逃れようとして居住地を脱出した難民の群れのなかに、いわゆる「北のからゆきさん」の姿があった。ウラジオストクでは、すでに一八八三年（明治一六）にその存在が確認できるといわれている。義和団戦争前には、バイカル湖以東の都市で彼女たちの姿を見ないところはなかった。石光の『曠野の花』は、長崎や天草《あまくさ》出身者が多かった「北のからゆきさん」たちの波瀾《はらん》の生を、しっかりと書きとどめている。

これらの女性たちを取り引きする商人は、新しい需要があると、〈至急白米幾袋何処《どこ》何処に送れ〉と打電して呼び寄せたという。「白米」とは女性たちを指す合い言葉であった。石光は書いている。〈まるで女たちは一個の商品として扱われ、人間とは看做《みな》されていないようであった〉

日露戦争はすぐそこであった。

アムール河周辺図

日露戦争――文明国としての「卒業試験」

必要のなかった戦争

一九〇四年（明治三七）二月八日、連合艦隊が旅順《リューシュン》《りよじゅん》港外のロシア艦隊を攻撃して、日露《にちろ》戦争の火ぶたが切っておとされた。二月一〇日、日本はロシアに宣戦布告する。宣戦布告前の奇襲攻撃は日本軍の常套《じょうとう》手段ともいえるが、当時はまだ、国際法上禁止されてはいなかった。

開戦を受けて、『万朝報《よろずちょうほう》』の茅原崋山《かやはらかざん》は、〈日清《にっしん》戦争は、帝国が世界文明国の伍伴《ごはん》に就《つ》くの入学試験たりき、日露戦争は豈《あに》その卒業試験なるなからんや〉（一九〇四年六月一六日）と書いた。日清戦争が文明国クラブに仲間入りするための「入学試験」であったとすれば、ヨーロッパの大国ロシアを相手とした日露戦争は、その「卒業試験」ともいうべきものであった。

これまで、日露戦争の開戦に至る経緯は、日本政府内に日英同盟論を中心とする桂太郎《かつらたろう》や小村寿太郎《こむらじゅたろう》などの少壮派と、日露

13

◉シロクマと相撲をとるミカド
ロシアと日本との戦争を風刺したフランスの絵葉書。そのまわりで、イギリス、アメリカなどの列強が見物している。

協商論をとりロシアとの妥協を模索していた伊藤博文《いとうひろぶみ》ら元老とが対立しており、一九〇二年一月に日英同盟が調印されたことによって、韓国の確保と満州の中立化をめざす前者の開戦論が勝利すると説明されてきた。そして、ロシアも、満州の確保と韓国の中立化をめざしていたために、日露交渉は妥協の余地がなかったとされていた。

ところが、現在では、外交史研究者の千葉功《ちばいさお》らの研究により、政府内の対立やロシアとの対立は、相互の意思疎通の失敗によるもので、本質的な対立とはいえず、〈必要のなかった日露戦争〉（大江志乃夫《おおえしのぶ》）と評価されている。日本政府は、イギリス・ドイツ・ロシアなどとの多角的同盟・協商網の構築を模索しており、伊藤や桂らとのあいだにあったのは、そのときにとりあえず日英同盟を先にするか、日露協商を先にするかの対立にすぎなかったという。

また、ロシア皇帝ニコライ二世は日本の韓国占領を認めており、一九〇四年一月二八日にロシア政府が最終的に決定した日露協商案には、朝鮮における日本の「利益の優越」や「顧問権と援助権」「工業的商業的行動」を認めるとともに、「満州において日本の獲得した総《すべ》ての権利及《および》優越権」をも尊重すると記されていた。これは、日本側も十分妥協可能な内容であった。

しかし、この協商案はなぜか駐日公使ローゼンのもとには届かず、逆にロシア側が時間稼ぎをしていると判断した日本政府は、一九〇四年二月四日の御前会議で対露交渉の打ち切りと開戦を決定してしまった。

日本が満州侵略の野望をもちつづけていれば、いずれはロシアとの激突は避けられなかったであろうが、少なくともこの時点での開戦は避けられた可能性があった。それにもかかわらず、ボタンのかけ違えからしびれを切らした日本側の主導で始まった日露戦争は、日露双方に膨大な損害を与えることになる。

それを象徴するのが、二〇三高地への肉弾攻撃に代表される旅順攻撃であった。八月一九日に第一回総攻撃が始まり、その後、一〇月二六日からと、一一月二六日からの第二回、第三回総攻撃を経て、ようやく日本が二〇三高地を占領するのは一二月五日のことであったが、占領までに一万五〇〇〇人以上の戦死者を出したのである。

結局、日露戦争は、日本側に約八万四〇〇〇人の死者と一四万三〇〇〇人もの負傷者を、ロシア側に約五万人の死者と二〇万人を超えるを負傷者を生み出した。戦費も日本側は約二〇億円を費やした。これは、一九〇五年の一般会計歳出の五倍近くに及び、日清《にっしん》戦争の戦費の約一〇倍であった。

日露戦争の展開（1904.2.10〜1905.9.5）

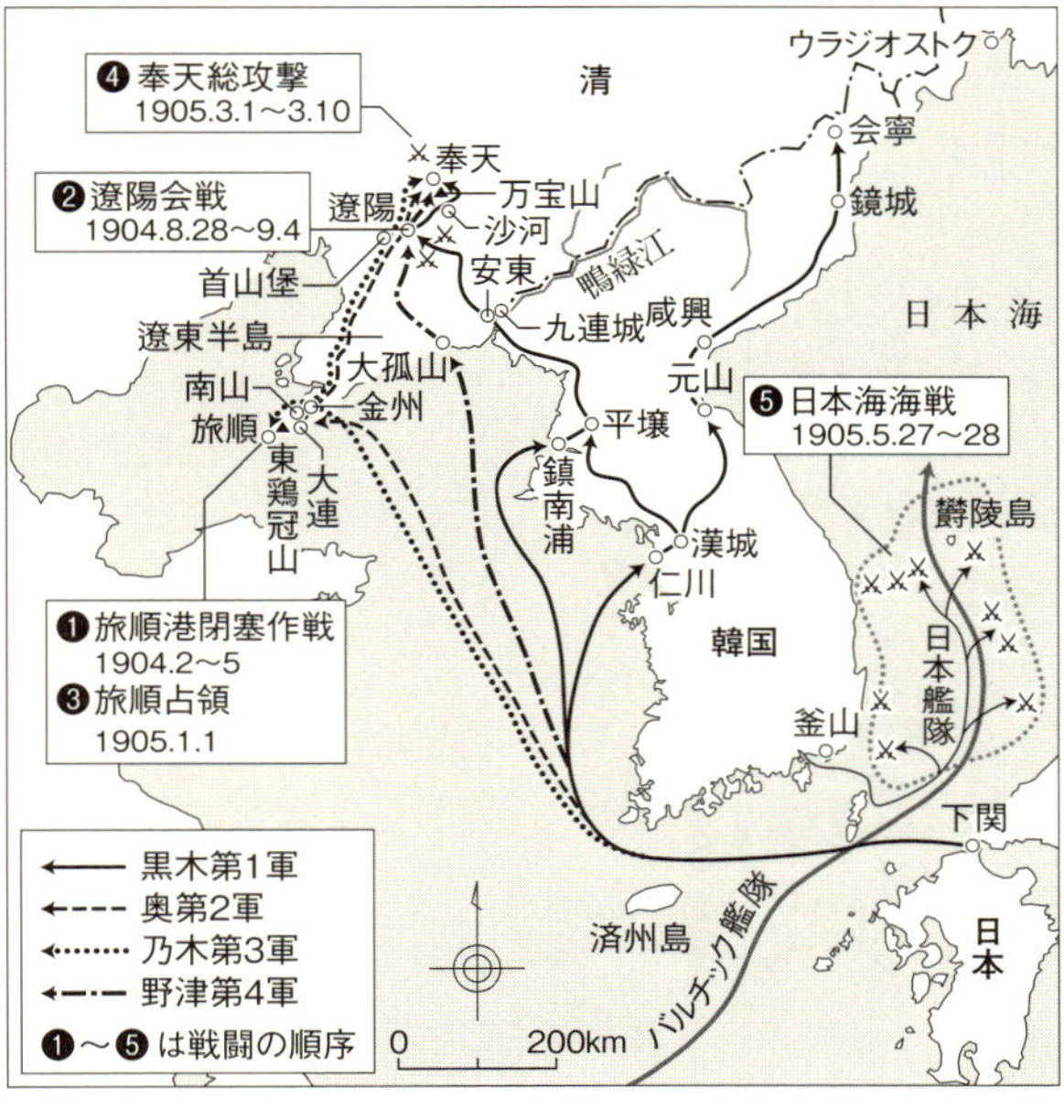

盛大な見送り

日露《にちろ》戦争には、日清《にっしん》戦争とはけた違いの約一〇八万人の兵士が動員された。兵士たちには、いわゆる「赤紙《あかがみ》」と呼ばれる召集令状が届けられた。これは葉書で郵送されるのではなく、市町村の吏《り》員《いん》が直接届けにきて、本人もしくは代理人が受領証に署名捺印《なついん》してそれを返すのである。

召集された兵士たちは、盛大に送り出された。日清戦争のときよりも、さらに組織的に、さらに趣向を凝らした見送り行事が各地で繰り広げられた。

新潟県長岡《ながおか》出身の新発田《しばた》歩兵第一六連隊上等兵（のち伍長）の茂沢祐作《もざわゆうさく》が新発田を出発するときは、立錐《りっすい》の余地がないほどに群衆がつめかけ、口々に万歳《ばんざい》を叫んだ。行進する路上には、至るところにアーチ（緑門）がつくられた。民家の軒先には日の丸の旗や球灯《きゅうとう》が掲げられ、花火も打ち上げられた。小学生が楓《かえで》のような手を挙《あ》げて万歳を唱え、一生懸命に唱歌を歌った。老人たちは涙を流しながら必死に手を合わせて茂沢たちを拝んだ。茂沢たちが乗った列車が通過する駅という駅には、たくさんの人びとがつめかけ、大きな提灯《ちょうちん》を振りかざしながら万歳や歓声をあげるので、長く眠ることができなかったほどである。

日露戦争のおもな従軍記

書　名	著者名	出身	所　属	刊行年
ある歩兵の日露戦争従軍日誌	茂沢祐作	新潟県	第1軍 新発田連隊歩兵伍長	2005年
日露戦争日記	多門二郎	静岡県	第1軍 第2師団歩兵中尉	2004年
日露戦争従軍記	溝上定男	兵庫県	第1軍 第12師団二等軍医	2004年
従軍日誌	久保欣一	栃木県	第1軍 近衛後備混成旅団騎兵	1910年
特務曹長日誌	稲垣光太郎		第1軍 近衛師団特務曹長	1978年
森俊藏日露戦争従軍日記	森俊藏	福岡県	第3軍 野戦砲兵連隊砲兵少佐	2004･06年
軍隊日誌	熊沢宗一	東京府	第3軍 習志野騎兵連隊騎兵	1978年
肉弾	桜井忠温	愛媛県	第3軍 歩兵連隊歩兵中尉	1906年
陣中日誌	大久保久太郎	東京府	第7師団	1997年
従軍三年	渋川玄耳	佐賀県	第6師団 法官	1907年
此一戦	水野廣徳	愛媛県	海軍大尉	1911年

*階級は従軍中の最高位

四国の高浜港《たかはま》を出航した歩兵第二二連隊の桜井忠温《さくらいただよし》（愛媛県出身）も、幼稚園児が無心に歌う軍歌や、「御大師様《おだいしさま》が守ってくださいますぞ。兵隊さん頼みますよ」と言いつつ、数珠《じゅず》を繰りながら伏して拝む老婆の姿に、いいようもなく感激し、発奮した。

しかし、こうした盛大な出征の祝賀行事の背後にひそむものを、ある将校は、皮肉まじりにつぎのように語っていた。「ああ、また人をおだて上げて殺そうとする声が始まった」。熊本県球磨《くま》郡の橋本憲三《はしもとけんぞう》がしっかりと記憶している将校のつぶやきは、憲三の父辰次《たつじ》が、貧乏な家族を残し、万歳の声に包まれながら球磨川に浮かぶ船に乗り込んだときのことであった。

旅順攻撃

朝鮮半島の仁川《インチョン》に上陸した第一軍は、陸路で遼東《リヤオトン》半島をめざして行軍した。ロシア軍が守備する九連城《ジウリエンチヤン》を攻撃するために鴨緑江《アムノクカン》を渡る前日の一九〇四年（明治三七）四月三〇日、第二師団歩兵第四連隊中尉の多門二郎《たもんじろう》（静岡県出身）は、中隊長が下士・兵卒を集めてつぎのように訓辞したことを記録している。近衛兵《このえ》・九州の兵と並んで戦《いくさ》をするのだから、東北の兵はのろい、鈍いといわれないよう、しっかりと働くように、と。大杉栄《おおすぎさかえ》の『自叙伝』にも明らかなように、日本軍では、往々にして地域的な対抗心が喚起され、利用されたのであった。

海上では、旅順《リューシュン》《りょじゅん》港閉塞作戦が展開されていた。古くなった船などを湾口に沈めて、ロシアの旅順艦隊を閉じこめてしまおうというのである。二月二四日の第一回作戦から、日本海軍は三回にわたって作戦を展開したが、そのたびにロシア側の砲撃を受けて失敗に終わった。犠牲者のひとりである広瀬《ひろせ》武夫《たけお》少佐（戦死後に中佐に昇進）は、のちに「軍神」として軍国主義の普及に利用された。沈没した閉塞船からはたくさんの死骸《しがい》が流れ出して、港内に流れ着いた。港内には、いつともなく数多くの鮫《さめ》が現われたという。

旅順攻撃に従事したのは、乃木《のぎ》希典《まれすけ》率いる第三軍であった。八月一九日から、第一回目の総攻撃が始まった。二四日まで、東鶏冠山《ドンジーグアンシャン》砲台などに何度も突撃したが、いたずらに死傷者を重ねただけであった。二四日の午前三時、桜井《さくらい》忠温《ただよし》は「決死隊」ならぬ「必死隊」を率いて東鶏冠山の砲台をめざし、突撃を敢行した。幅四メートルたらずの土地の裂け目を利用して前進したが、そこには日本軍の死傷者が「堆積《たいせき》」しており、あちこちからうめき声が聞こえてきた。しかし、それを踏み越えないことには前に進めなかった。

夜が明けようとするころ、桜井は、右手を撃たれて倒れた。腕の関節から下が砕けて垂れ下がり、血が止めどなく流れ出た。それでも桜井は、敵の展望台によじ登ったが、逆襲を受けて白刃《はくじん》戦とな

14

◉ロシア旅順艦隊への砲撃
日本軍は、旅順港内のロシア艦隊を殲滅《せんめつ》するために、二八サンチ砲を据え付けて山越しに砲撃したが、正確さを欠いた。

った。桜井は、左手を切られ、右脚を撃たれて、ばったりと倒れた。まわりは、日本兵の死傷者ばかりであった。身動きできずにいる桜井を、日本軍の砲弾が容赦なく襲った。着弾するごとに、周囲の死傷者の首や手や足が寸断されて飛び散った。

やがて、ロシア兵がやってきて、桜井の胸ぐらをつかんで引き上げた。しかし、全身朱《あけ》に染まった桜井を見て死んでいると思ったロシア兵は、桜井を投げ捨てて去っていった。そこに高知連隊の近藤竹三郎《こんどうたけさぶろう》が助けにきた。近藤は桜井を担ぎ上げ、五歩進んでは地面に伏し、一〇歩進んでは倒れ、死人のまねをしながら少しずつ進み、やっとのことで鉄条網の外側まで運び出した。そこで、包帯所まで連れていくように伝言して、近藤は去っていった。桜井は、一命をとりとめた。だが、桜井を助けた近藤は、この一か月後に戦死する。

まさに肉弾戦であった。旅順要塞を守備していたロシア兵は、日本軍の肉弾攻撃を目のあたりにして、日本兵は精神を狂わせる菓子を持っている、これを食べると何事も恐ろしくなくなるのだ、とうわさしていた。

死体収容一時休戦

野戦砲兵第一一連隊中隊長の森俊藏《もりとしぞう》中尉（福岡県出身）も、この攻撃に参加していた。森は、収容されないままに散乱している日本兵の死体を双眼鏡で見ながら、兵士の家族がこの悲惨《ひさん》な状況を見たらどう思うだろうかと考えていた。そして、いっこうに進まぬ死傷者の収容作業に歯がゆい思いをしながら言った。〈戦争は決して好んで起こすべきものにあらず〉、これは〈要塞攻撃の方案を誤りたるものと言わざるべからず〉と。

実際、森は、肉弾戦に対しては批判的であった。三度目の総攻撃でようやく東鶏冠山《ドンジーグアンシャン》砲台を陥落させたあとで、森は述べている。このように堅固な要塞であると認識できなかったのは、参謀本部の手抜かりである。〈要塞は…猪突《ちょとつ》の勇にてはとても陥落するものにあらず。換言すれば、機械の精巧完備に対して肉弾はとても駄目なり、機械の戦に対しては機械を以《もっ》てせざるべからず〉

一一月二六日からの総攻撃では、東鶏冠山砲台を守備するロシア軍と相談のうえで、死体収容のための戦闘休止時間が設けられた。白旗を合図に戦闘を中止し、両軍の兵士が要塞や塹壕《ざんごう》から出て死体の収容作業を行なうのである。そのとき、両軍の兵士たちは、酒を酌み交わし、煙草《たばこ》を交換し、握手をしたり談話したりしたという。茂沢祐作《もざわゆうさく》によれば、同じことが一九〇五年（明治三八）三月の奉天《フォンティエン》《ほうてん》（現在の瀋陽《シェンヤン》《しんよう》）会戦でも行なわれたそうである。

15

◉旅順の日本軍の死傷者収容
ロシア側から見た日本軍の死傷者収容作業。担架で運ばれる死傷者の近くに、銃を持ったままの死体や、軍馬の死骸《しがい》などが見られる。

とにかく激しい戦闘が続いた。一九〇四年八月三一日の首山堡《ショウシャンバオ》の戦いでは、「全滅に至るまで攻撃せよ」という命令のもとに、弾丸を撃ち尽くし、白刃《はくじん》戦となり、しまいには「石合戦」になった。血は川のように流れ、屍《しかばね》の山を築いて、ようやく敵を撃退したのである。

一〇月一六日、沙河《シャーフー》会戦の末期に行なわれた万宝山《ワンバオシャン》の戦いでは、夜八時頃に突然敵の逆襲にあい、戦線は混乱して総崩れとなった。万宝山の敗戦であるが、後備歩兵第二〇連隊の山田《やまだ》伝四郎《でんしろう》（京都府出身）によれば、あわてて退却した日本軍は、至るところで同士討ちを行なったという。戦場では、味方による誤射も多かった。

奉天会戦と日本海海戦

旅順《リューシュン／りよじゅん》が陥落して旅順艦隊を撃滅した結果、戦局は日本軍に有利となった。陸軍にとっては、一九〇五年（明治三八）三月一日から一〇日までの奉天《フォンティエン／ほうてん》総攻撃が、最後の決戦ともいうべき戦闘であった。奉天会戦は、両軍あわせて五六万の兵力が二四日間にわたって死闘を繰り広げた、世界史上未《み》曾有《ぞう》の大会戦であったが、このころになると、日本軍は、事実上戦闘を継続する能力を失っていた。砲弾が欠乏して、補給がまにあわないのである。

ロシアでも、一九〇五年一月二二日にサンクト・ペテルブルクで発生した「血の日曜日」事件にみられるように、皇帝専制への不満が高まり、政治情勢は混沌《こんとん》としていた。こうして両軍のにらみ合いが長く続いたが、たくさんの死傷者を出して最終的にロシア軍は退却した。

ロシア軍を追撃する日本軍は、捕虜や負傷したロシア兵を銃殺したり、軍刀や銃剣をもって殺した。足手まといになるからである。万宝山《ワンバオシャン》の戦闘で負傷した兵士は、万宝山の恨みを晴らしたと記している。

このような中国を舞台に展開された日本軍とロシア軍の戦闘を、中国人はしばしば遠巻きにして眺めていることがあった。彼らは、戦闘が終わると、戦死体から金目《かねめ》のものを略奪していくのである。多門二郎《たもんじろう》は、身ぐるみ剝《は》いだロシア兵の死体の首に縄をかけて引きずっていく中国人を目撃している。土地や家屋、財産など、この戦争で中国人が受けた損害も多く、「露探《ろたん》」（ロシアのスパイ）として処刑された人もいた。

残るは、バルチック（バルト）艦隊との海戦がいつになるかであった。一九〇五年五月二七日、東郷平八郎《とうごうへいはちろう》司令長官率いる連合艦隊は、ついに対馬《つしま》海峡を北上してくるバルチック艦隊を捕捉《ほそく》した。旗艦「三笠《みかさ》」をはじめとする連合艦隊は、大きく回頭しながらバルチック艦隊としばらく併走し、距離約六〇〇〇メートルになるのを待っていっせいに砲撃を開始。旗艦「スワ

16

●子供が描いた日本海海戦
雑誌の写真や挿絵に触発されたのだろうか。長野県の子供が描いたもの。日露戦争が子供たちに与えた影響の大きさがうかがえる。

ロフ」はたちまち火を噴き、後続の艦船も沈没したり、戦闘不能になったりした。二八日の海戦でも大きな損害を受けたバルチック艦隊は、ウラジオストクに逃れた二隻を除いて全面降伏した。

このとき、水野《みずの》廣徳《ひろのり》海軍大尉は、第四一号水雷艇長として日本海海戦に参加した。日露《にちろ》戦争では、まだ性能はよくないものの、魚雷が本格的に使われるようになっていた。水野は、水雷艇の仕事を「乞食《こじき》商売」と自嘲《じちょう》していた。軍艦の乗組員に比べての話である。

当日は濃い霧が立ちこめ、風浪が激しかった。開戦前、たまたまある旗艦のマストの上に、「霧晴れ、波静まり、天佑《てんゆう》限りなし…」という信号が掲げられたのを確認したが、小さな水雷艇は波に揺られて、ご飯も炊けず、お茶も飲めず、飲まず喰《く》わずの状態で、水野は死にものぐるいであった。結局、味方が有利であるかどうかもわからないまま、戦闘が終わったのである。これが水雷艇の乗組員にとっての日本海海戦であった。水野はのちに反軍思想を抱くようになり、海軍を辞めている。

日露戦争の最終局面で、日本軍は、戦後を見据えた樺太《からふと》（サハリン）占領作戦を展開した。すでに、アメリカのポーツマスで講和会議が始まっているころである。八月三〇日、第一三師団歩兵第四九連隊の兵士たちは、ロシア軍の残敵と交戦して一八〇名の捕虜を獲得した。〈翌日捕虜残らず銃殺せり〉と、ある兵士は書いている。この樺太の戦闘で、ロシア軍は国際条約で禁止されていたダムダム弾を使用したり、一般住民と区別できない服装をした義勇兵を参加させたりしたという。

こうして、たくさんの死傷者を出した総力をあげての激しい戦争は終わった。

日露戦争の意義

講和条約と「勝利の悲哀」

一九〇五年（明治三八）六月九日、アメリカ大統領セオドア・ローズヴェルトが日露《にちろ》両国に講和を勧告した。日本もロシアも相次いでそれを受け入れた。日本はこれ以上戦争を継続するだけの資金・生産力＝国力を欠いており、ロシアもまた国内に革命運動を抱えていたからである。

ローズヴェルトが講和を勧告したのは、日本側の講和斡旋《あっせん》要請を受け入れたようにみえるが、じつはアメリカの東アジアに対する思惑《おもわく》の反映であった。アメリカは、一八九八年四月にキューバの独立戦争に介入し、スペインと戦争を始めた。その後ハワイを併合すると、スペインが支配していたフィリピンに矛先を向け、一九〇二年七月にフィリピン占領を完了した。これは、義和団《ぎわだん》戦争後の中国分割競争に乗り遅れたアメリカが、東アジアへの進出のくさびを打ち込んだことを意味する。

アメリカ国務長官ジョン・ヘイの門戸《もんこ》開放宣言が、中国の利権獲得競争への参入宣言にほかならなかったように、アメリカがいちばん憂慮していたのは、東アジアにおいてロシア、もしくは日本が他を圧倒する一大勢力を有することであった。ロシアと日本の痛み分け、それこそがアメリカの希望であった。だからこそローズヴェルトは、それぞれの国内事情によって、日露の戦局が膠着《こうちゃく》状態になったころを見計らって講和斡旋に乗り出したのである。

一九〇五年八月一〇日からアメリカのポーツマスで開催された講和会議は、結局、日本側が想定していた最低の条件で妥結した。その内容は、樺太《からふと》南部の割譲、遼東《リヤオトン》半島の租借権、韓国の保護権の承認などであった。償金は一銭たりとも獲得できなかった。だが、これを、小村寿太郎《こむらじゅたろう》外務大臣を中心とする日本全権団の失敗ということはできない。彼らは、日本にこれ以上戦争を継続する力が残っていないことを熟知していたからである。

しかし、国民は納得しなかった。生活を切り詰めて戦時公債の募集に応じ、非常特別税を受け入れ、肉親のいのちを犠牲にしてまで戦争に協力していたからである。そうした国民の声を、『東京朝日新聞』は「講和事件に関する投書」として、九月一日から一〇月一日（途中一五日間の発行停止期間がある）にかけて連載している。一面全部を投書の紹介にあてた日も二日あった。

そこでは、〈昨年以来コンナ大騒ぎをやって二十憶《（ママ）》の金を遣《つか》い、十萬の死傷を出した結果が此《この》通りだ、馬鹿々々しい〉〈アレ程譲る位なら樺太なんざア、丸で貰はネー方が余程気が利《き》いて居《い》らア、還《かえ》しツちまへ〉〈談判《だんぱん》は殿と碁を打つ三太夫／勝ったお詫《わ》びに頭ひょこひょこ〉などという講和に対する批判のみならず、日本赤十字社や愛国婦人会を退会する、今後いっさい納税も兵役も国債募集にも応じないといった宣言、さらには軍

17

◉「命の大安売り」
支払った犠牲の大きさに見合わない講和条約に対する民衆の反発を表現。キセルをくわえているのが桂太郎《かつらたろう》首相、その前が小村寿太郎外相。
（『東京朝日新聞』一九〇五年九月六日）

備全廃を求める声も紹介されていた。そういった国民の怒りは、九月五日の日比谷焼打《ひびややきう》ち事件などとなって爆発する。

このように、素直に喜べない国民の心境を、徳冨蘆花《とくとみろか》は「勝利の悲哀」という言葉で代弁した。

日露戦争の意義

国民の多くに割り切れない思いを残した日露《にちろ》戦争であったが、それはまぎれもなく韓国と満州の利権をめぐる戦争であり、明確な帝国主義戦争であったといえる。国家の総力をあげての戦いであり、戦闘は長期化し、消耗戦の様相を呈した。世界の軍事史上に一大画期をなす、まさに総力戦の先駆けともいえる戦争であった。

軍費も膨大な額にのぼった。なにしろ、一八六六年の普墺《ふおう》戦争で、プロイセン軍が一か月で消費した二〇〇万発の砲弾を上まわる約二二〇万発の砲弾を、日本軍は金州南山《ジンジョウナンシャン》の会戦において一日で消費したのである。国家予算の予備金と国内債だけでほぼまかなえた日清《にっしん》戦争とは異なり、日露戦争では約二〇億の軍費のおよそ七八パーセントを公債と借入金に頼らざるをえなかった。外債はおもにイギリスやアメリカで募集された。ロシアでは、ユダヤ人が日本に戦争資金を提供しているとのうわさが流れ、ユダヤ人に対する襲撃（ポグロム）が相次いだという。実際、アメリカのユダヤ人は、ロシアのユダヤ人弾圧政策に抗議する意味合いもかねて、外債の募集に応じていた。

日露戦争で日本が勝利したことは、列強の圧迫に苦しんでいる民族や専制国家支配下の民衆に大きな影響を及ぼした。とりわけイスラム世界に与えた影響は大きく、イランでは立憲革命が起こって一九〇六年（明治三九）に議会を開設し、トルコでは、一九〇八年に青年トルコ党が第二次立憲制を開始した。トルコ人のなかには、子供に「トーゴー」「ノギ」「ジャポンヤ」という名を付けた人もいたという。中国の孫文《スンウェン》《そんぶん》は、一九〇五年に日本で中国同盟会を結成し、革命運動を開始した。

このように、日本の勝利が世界史的に大きな影響を与えたことは事実として確認しておく必要があるが、同時に、日本に対して幻滅するのも早かったことを忘れてはならない。その原因は、日本の中国に対する領土的野心の顕在化で、一九〇七年には日本批判が決定的になった。たとえば、日本人とも親交があった中国の劉師培《リウシーペイ》は、日本は朝鮮の敵であるばかりでなく、インド、ベトナム、中国、フィリピンの「公敵」（共通の敵）であると批判した。

また、一九〇五年から五年間のあいだに、ベトナムから二〇〇人を超える人が清国私費留学生を偽装して日本に渡ってきたが、そのなかには、フランスからの独立を求める民族解放運動家がまぎれていた。これを東遊《ドンズー》運動と称しているが、日本政府は、一九〇七年の日仏協約にのっとったフランス政府の要請を入れて、ファン・ボイ・チャウ（一八六七〜一九四〇）やクォン・デらを国外に退去させた。

18

◉ファン・ボイ・チャウ（潘佩珠）　クォン・デとベトナム維新会を結成し、援助を求めて一九〇五年に来日した。国外退去ののち、一九一二年、広東《カントン》でベトナム光復会を結成する。

日露戦争から学ばなかった日本

アメリカのイェール大学で日本中世史などを教えていた朝河貫一《あさかわかんいち》は、アメリカ国民の対日感情の変化を敏感に察し、一九〇八年（明治四一）、日本国民に向けて『日本の禍機《かき》』を発表した。そのなかで朝河は、いまこそ日本が世界的に孤立するか否《いな》かの分岐点であり、日本国民に求められているのは、一等国になったという驕慢《きょうまん》ではなく、「反省心ある愛国心」であると強調した。

しかし、日本人の多くは、日露《にちろ》戦争の教訓に学ぼうとする謙虚さを欠いていた。その代表は陸軍である。日露戦争の公的戦史をまとめるに際して、陸軍は、生産力の未熟さによる弾薬不足などの弱点を隠蔽《いんぺい》し、技術の革新による戦法の変化に目をつぶり、肉弾による白兵戦《はくへいせん》を評価して精神主義を賛美しており、敗戦国ロシアが、軍に対して厳しい戦史を一九一〇年に編纂《へんさん》したことと好対照であった。

こうして陸海軍は、八・八艦隊の建造計画や二個師団増設問題など軍備のさらなる拡張を要求し、陸軍・海軍大臣の任用資格を現役将官に限定する軍部大臣現役武官制を利用して、倒閣工作を公然と行なうようになった。軍部という政治勢力の誕生である。

19

●幻に終わった八・八艦隊
海軍の八・八艦隊構想は、戦艦八隻と巡洋艦八隻からなる世界一強力な艦隊を創設するものだった。戦艦「長門《ながと》」などが建造されたが、ワシントン海軍軍縮条約で幻に終わる。

非戦論と小国主義

非戦論の構図

日露《にちろ》戦争の時期はまた、非戦論がさかんにとなえられたという点でも特筆に値する。当時となえられた非戦論は、その内容や立場に応じて、つぎのように区分できる。

①階級的視点に立つ非戦論——平民社など。

②キリスト教的人道主義やトルストイ主義に立つ非戦論——内村鑑三《うちむらかんぞう》や木下尚江《きのしたなおえ》など。

③いのちの観点に立つ非戦論——田中正造《たなかしょうぞう》など。

④肉親愛に基づく非戦論（厭戦《えんせん》論）——与謝野晶子《よさのあきこ》「君死にたまふこと勿《なか》れ」や大塚楠緒子《おおつかなおこ》「お百度詣《もうで》」など。

⑤その他——宮武外骨《みやたけがいこつ》「未亡人論」や二木《にき》りん子「一軒家」、矢部喜好《やべきよし》の良心的兵役拒否など。

もっとも、これらの「階級」「人道」「いのち」の視点が同一人物のなかで共存しているケースは多いし、「肉親愛」と「いのち」の距離もさほど離れてはいない。

これらのなかで、内村鑑三や田中正造は、日清《にっしん》戦争を肯定したという過去がある。だが、二人は、日清戦争を支持したことの反省のうえに立ち、足尾《あしお》銅山鉱毒事件に代表されるような資本家の横暴、政治や社会の腐敗堕落、そして新約聖書の影響などを理由として、非戦論者になっていく。

内村の「余が非戦論者となりし由来《ゆらい》」（『聖書之研究』一九〇四年〔明治三七〕九月）であげられている四つの理由は、ほとんどそのまま田中正造にも共通する。内村が絶対的非戦論者になったのは一九〇三年に入ってからとされているし、田中正造が静岡県掛川《かけがわ》で非戦論を初めてとなえたのも一九〇三年二月のことであった。

とりわけ、田中正造に特徴的なのは、戦争で犠牲になる兵士のいのちを悼《いた》む心と、日本国内で「無形の玉」にあたっていのちを落とす無数の死者への視座が、同時に存在していたことである。いや、〈戦争に死するものよりは寧《むし》ろ内地に虐政に死するもの多からん〉とさえいう。これも、足尾銅山鉱毒事件による犠牲者を「非命《ひめい》の死者」ととらえた「いのち」の思想の延長線上に成立した反戦思想といえよう。「非命」とは、「天命に非《あら》ず」ということで、天寿をまっとうすることなしに事故や災害などで亡くなることをいう。

こうして正造は、「無戦論」や極端な無抵抗主義をとなえるようになるとともに、日露戦争後には、戦争に勝った国の「権利」として、世界に先駆けて軍備を全廃することを主張したのである。

「君死にたまふこと勿れ」と「未亡人論」

与謝野晶子《よさのあきこ》の「君死にたまふこと勿《なか》れ」は、旅順《リユーシユン》《りよじゆん》攻略戦に従軍している弟の身を案じてうたった詩であるが、何度読み返してもその表現の大胆さに驚かされる。実家の跡継ぎの弟に、戦争などでは「死ぬな」、死んでもらいたくはない、という肉親愛をストレートに表現している。晶子は、無意識のうちに、たくさんの親や兄弟姉妹の声なき声を代弁していた。晶子は、夫の鉄幹《てつかん》（寛《ひろし》）が「血写歌《けつしやか》」（一八九七年〔明治三〇〕）でうたった戦争批判の思いを共有していた。

もっともセンセーショナルな反響を呼んだのは、第二段目の、〈旅順の城はほろぶとも／ほろびずとても何事か〉という部分であった。晶子自身に天皇批判の意図はなかったとされるが、第三段目の、〈すめらみことは戦ひに／おほみづからは出《い》でまさね／かたみに人の血を流し／獣《けもの》の道に死ねよとは／死ぬるを人のほまれとは／大みこゝろの深ければ／もとよりいかで思《おぼ》されむ〉という部分も問題になった。

法制史家の山室信一《やまむろしんいち》は、この部分はトルストイのロシア皇帝批判を下敷きにしたものと指摘しているが、当時の人びとは、そのような成立背景を知るよしもなかった。実際に、雑誌『太陽』の主幹であった大町桂月《おおまちけいげつ》に「乱臣なり、賊子《ぞくし》なり」と指弾されたのをはじめ、たくさんの批判を浴びせられた。

一方、宮武外骨《みやたけがいこつ》の「未亡人論」は、『滑稽《こっけい》新聞』一九〇四年六月七日に発表されたものである。外骨は、戦争未亡人に対す

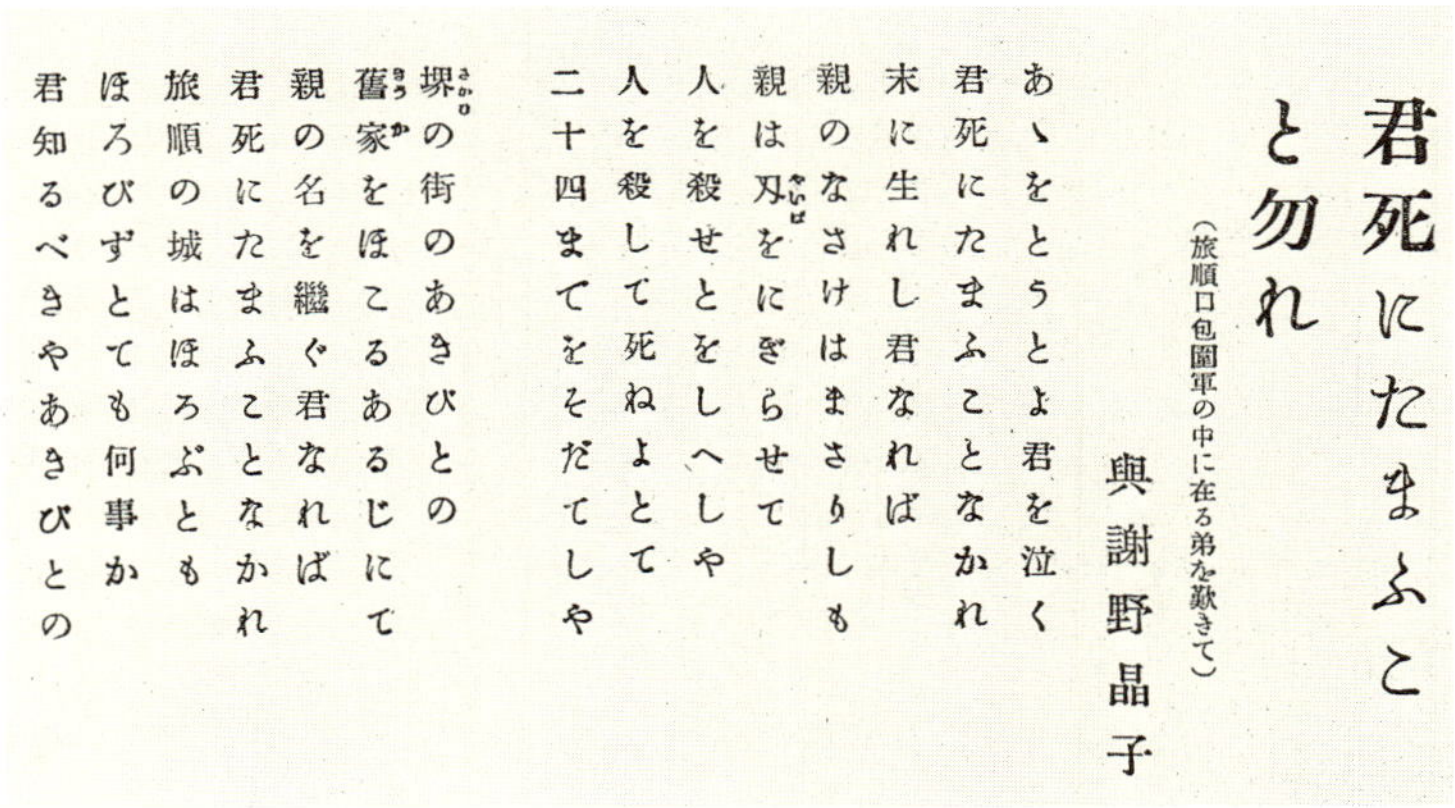
君死にたまふことと勿れ

（旅順口包圍軍の中に在る弟を歎きて）

與謝野晶子

あゝをとうとよ君を泣く
君死にたまふことなかれ
末に生れし君なれば
親のなさけはまさりしも
親は刄《やいば》をにぎらせて
人を殺せとをしへしや
人を殺して死ねよとて
二十四までをそだてしや

堺《さかひ》の街のあきびとの
舊家《きうか》をほこるあるじにて
親の名を繼ぐ君なれば
君死にたまふことなかれ
旅順の城はほろぶとも
ほろびずとても何事か
君知るべきやあきびとの

20

◉「君死にたまふこと勿れ」
実家の跡継ぎでありながら旅順攻略戦に従軍している弟の身を案じて歌ったもの。与謝野晶子は、女性は〈誰も戦争ぎらひ〉と言い切った。

る貞操の強要に「偽善」を見てとり、むしろ人間性の「自然」の観点から再婚を奨励した。こうした主張の根底には、〈全体今の世の中は男にばかり便利よく出来て〉いる、〈ヤレ貞操だ、温和だ従順だと女ばかりを規則の金縛りにして置いて、放蕩《ほうとう》はする、姦通《かんつう》はする、ノサバリ返る〉、女房が死んだからといって坊主頭になり一生独身で過ごすような男はほとんどいない、〈世の中が薄情《はくじょう》な男で充ち満ちて居る今日何も女ばかりが無理に貞操を守る必要が無いではないか〉というように、外骨の、男性中心社会における性の二重基準（ダブル・スタンダード）に対する批判と、女性たちへの限りない同情が存在していた。

これは、当時、戦争未亡人の再婚の是非をめぐって論争があったことや、出征する兵士の妻たちが断髪して「黒髪塚《くろかみづか》」をつくったことなどを意識して書かれたものである。断髪とは、とりもなおさず未亡人のしるしであった。兵士の妻たちは、かりに夫が戦死しても貞操を守りつづけるという決意を断髪という行動で示し、夫が後顧《こうこ》の憂いなく戦えるように願ったのである。

このように、戦争未亡人の貞操問題は、兵士の志気と密接に

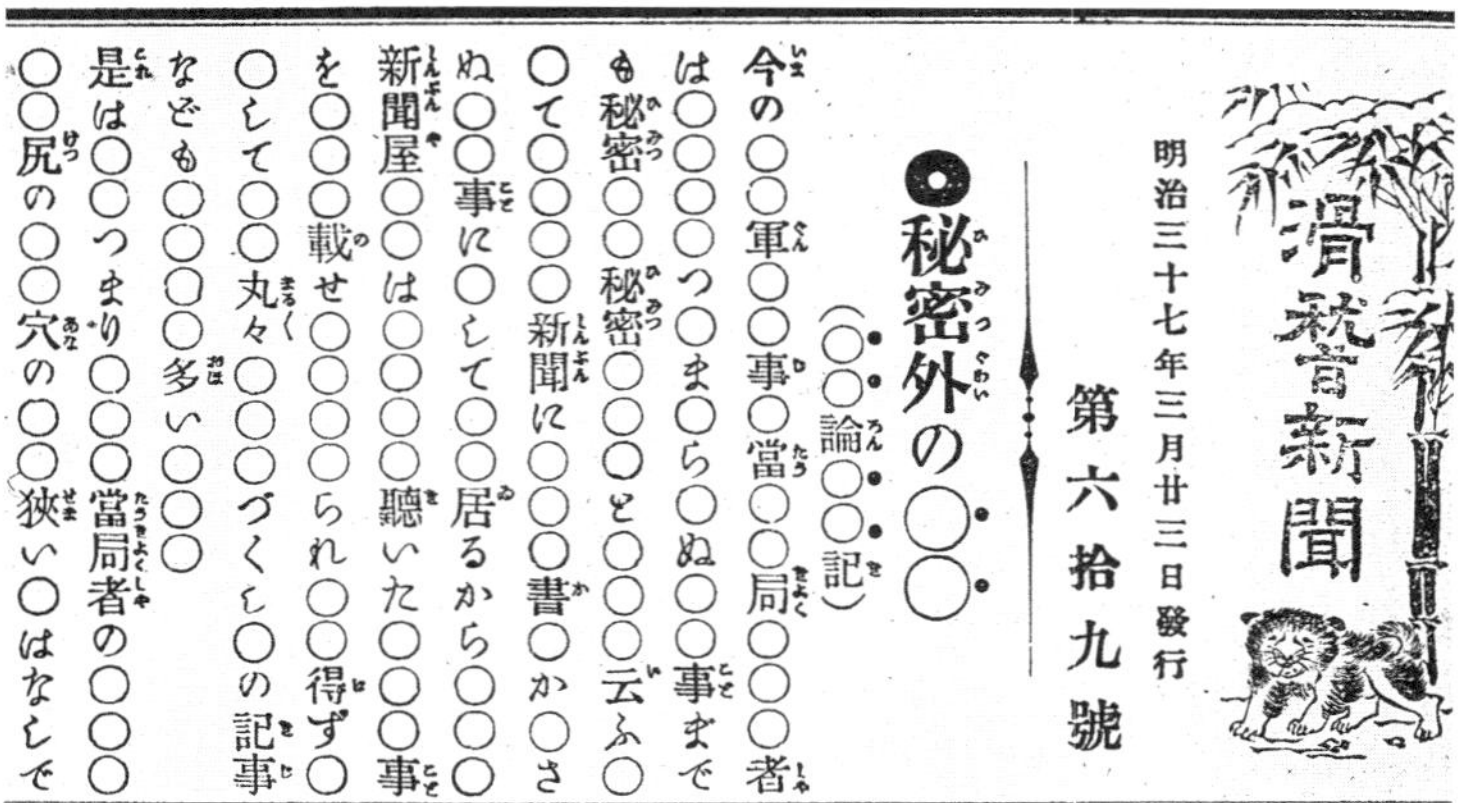
滑稽新聞

明治三十七年三月廿三日發行　第六拾九號

◉秘密外《ひみつぐわい》の○○
（○○論《ろん》○○記《き》）

今《いま》の○○軍《ぐん》○○事《じ》○當《たう》○○局《きよく》○○○者《しや》は○○○つ○ま○ら○ぬ○○○事《こと》までも秘密《ひみつ》○○秘密《ひみつ》○○○と○○○云《い》ふ○○て○○○○新聞《しんぶん》に○○○書《か》○か○さぬ○○事《こと》に○して○○居《ゐ》るから○○○新聞屋《しんぶんや》○○は○○○○聴《き》いた○○○事《こと》を○○○載《の》せ○○○○○られ○○得ず○○して○○丸々《まるく》○○○づくし○の記事《きじ》なども○○○○多《おほ》い○○○是《これ》は○○つまり○○○當局者《たうきよくしや》の○○○○○尻《けつ》の○○○穴《あな》の○○○狭《せま》い○はなしで

21

◉宮武外骨の『滑稽新聞』
歯に衣着《きぬ》せぬ論調は、しばしば内務省の検閲による伏字《ふせじ》や発禁処分の対象になった。これはそれを皮肉った論説。伏字をとばして読むと…。

関連していた。人間性の「自然」を尊重して再婚を奨励した外骨の主張は、戦争未亡人の生と性を国家が囲い込もうとすることへの異議申し立てであり、反戦論に結びつくのである。

「一軒家」

『万朝報《よろずちょうほう》』一九〇四年（明治三七）一一月一二日の紙面に掲載された「一軒家」も注目できる。『万朝報』の第四〇四回懸賞小説募集で二等に入選したもので、千葉県小見川《おみがわ》町の二木《にき》りん子という人の手になるものである（ペンネームは「賤《しず》の女」）。

この小説は、村はずれの一軒家に住む被差別部落民を題材にしている。そこでは、六〇歳を超えた老婆とお秋という嫁が、出征して満州で戦っている勇之助《ゆうのすけ》の無事を祈りながら、留守を守っている。しかし、この一軒家を差別している村人たちは、勇之助が出征するときも旗一本立ててくれず、万歳《ばんざい》のひとこともなかった。戦勝のお祝いも蚊帳《かや》の外であった。それどころか、何度となく一軒家を訪ねては二人を慰める主人公の女性がキリスト教信者であることを理由に、村人たちは彼女を「露《ろ》

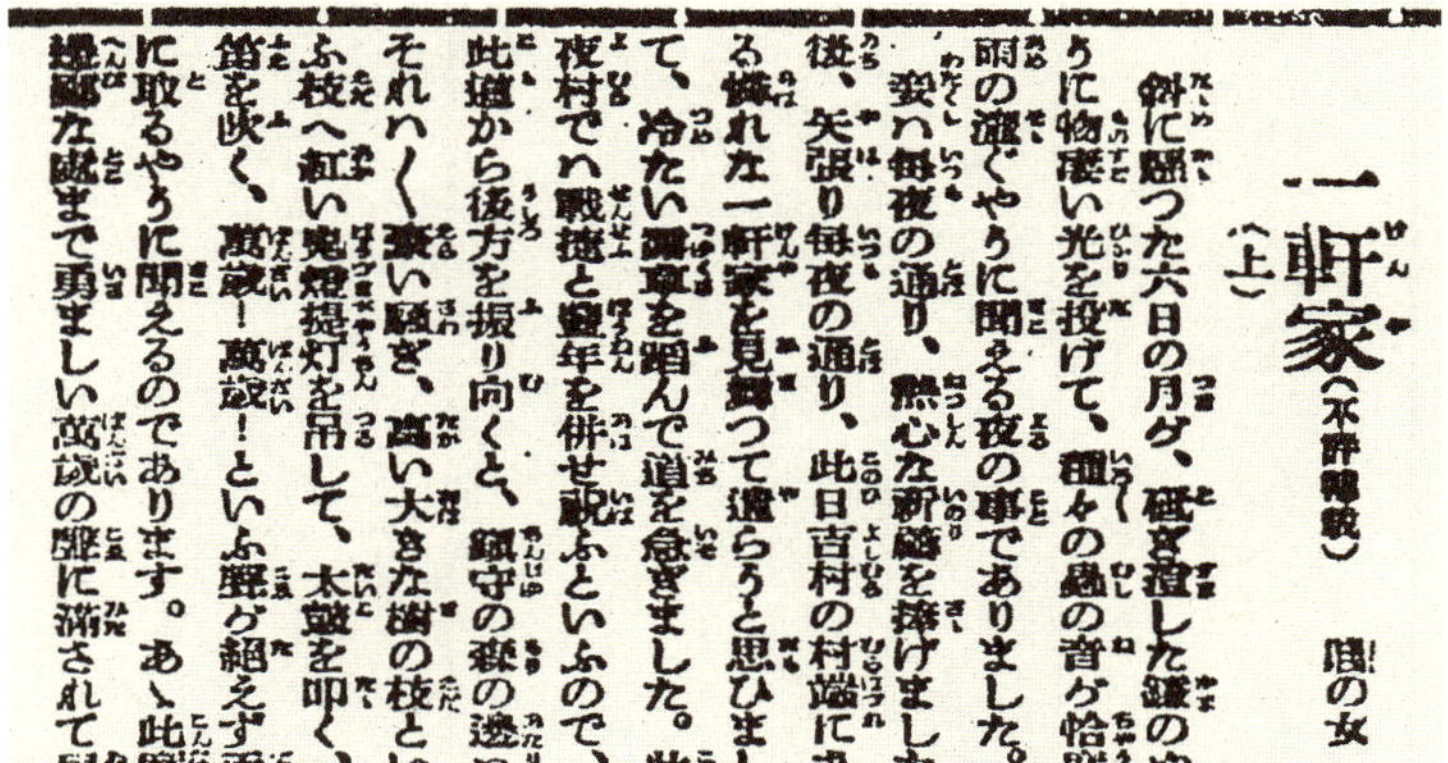
一軒《けん》家（上）（不許転載）　賤の女

斜《ななめ》に懸つた六日の月《つき》が、砥《と》を磨《す》した鎌《かま》のやうに物凄《ものすご》い光《ひかり》を投げて、種々《いろいろ》の虫《むし》の音《ね》が恰度《ちやうど》雨《あめ》の灑《そゝ》ぐやうに聞《きこ》える夜《よる》の事《こと》でありました。妾《わたくし》は毎夜《いつも》の通《とほ》り、熱心《ねつしん》な祈禱《いのり》を捧《さゝ》げました後《のち》、矢張《やは》り毎夜《いつも》の通《とほ》り、此日《このひ》吉村《よしむら》の村端《むらはづれ》にある憐《あは》れな一軒家《けんや》を見舞《みま》つて遣《や》らうと思《おも》ひまして、冷《つめ》たい露草《つゆくさ》を踏《ふ》んで道《みち》を急《いそ》ぎました。此《この》夜《よ》村では戦捷《せんしよう》と豊年《ほうねん》を併《あは》せ祝《いは》ふといふので、此道《このみち》から後方《うしろ》を振《ふ》り向くと、鎮守《ちんじゆ》の森《もり》の辺《あた》りそれはそれは賑《にぎ》やかな騒《さわ》ぎ、高《たか》い大きな樹《き》の枝《えだ》といふ枝へ紅い鬼燈提灯《ほゝづきぢやうちん》を吊《つる》して、太鼓《たいこ》を叩《たゝ》く、笛《ふえ》を吹く、萬歳《ばんざい》！萬歳《ばんざい》！といふ聲《こゑ》が絶《た》えず手《て》に取《と》るやうに聞《きこ》えるのであります。あゝ此《こん》な邊鄙《へんぴ》な處《ところ》まで勇《いさ》ましい萬歳《ばんざい》の聲《こゑ》に滞《みた》されて居

◉「一軒家」
この小説に描かれたような被差別部落出身の兵士は、見送りすらなく、戦勝式も蚊帳の外であったということは、おおむね事実であった。

22

探《たん》」「国賊」と決めつけ、一軒家を焼き打ちしようとする計画を立てる、という内容である。

「一軒家」がもつ反差別思想にいち早く着目した社会思想史家の工藤英一《くどうえいいち》は、島崎藤村《しまざきとうそん》の『破戒《はかい》』をはるかにしのぐものと高く評価した。それだけではなく、被差別部落民の観点から日露《にちろ》戦争中の「挙国一致《きょこくいっち》」のまやかしをあぶりだしているという点で、筆者の二木の反戦思想が見てとれる。

しかも、老婆に、息子が不幸にして死んだところで、お国のためだから仕方がないが、できれば息子に大きな戦功を立ててもらい、息子夫婦が〈世間普通に交際が出来る処を見て〉から死にたいと言わせていることにも注目できる。ここに、差別の屈辱感をバネに戦功をあげることによって厳しい差別からの脱却を図ろうとする、被差別者の心情に対する深い理解と共感がみられるのである。

さらに特筆したいのは、日露戦争時に良心的兵役拒否者が登場していることである。その人物とは、一八八四年に福島県に生まれた矢部喜好《やべきよし》である。矢部は、一九〇三年に受洗《じゅせん》してキリスト教に入信した。矢部が入信したのはセブンスデー・アドベンチストという教派だが、その中心的な教義「殺すなかれ」を矢部は忠実に守った。一九〇五年二月、矢部は補充兵として召集されるが、これを拒否したために軽禁錮《きんこ》二か月の刑を受け若松《わかまつ》監獄に入獄する。出獄後の五月に看護卒補充兵として入営したが、戦争終了後に除隊となった。

現在知られている範囲で、矢部は日本における良心的兵役拒否者の第一号であった。だが、彼の家族は、周囲から「国賊」視されて、外出もままならず、息をひそめてひっそりと暮らすことを余儀なくされたのである。

平民社の非戦論

平民社《へいみんしゃ》は、『万朝報《よろずちょうほう》』を退社した幸徳秋水《こうとくしゅうすい》・堺利彦《さかいとしひこ》らによって、一九〇三年（明治三六）一一月一五日に結成され、機関紙として週刊『平民新聞』を発行した。『平民新聞』は初号だけでも八〇〇〇部発行したというから、彼らの主張を受容するすそ野はそれなりに広かったといえる。

彼らの非戦論の根底には、「甘んじて国賊たらん」という覚悟があった。それは、戦争中だからといって、「国賊」というレッテルを貼《は》られることを恐れ、言いたいことも言わずにみずから口をつぐんでしまうような風潮に対する反逆でもあった。

幸徳はつぎのように述べている。〈戦争は常に政治家、資本家の為《た》めに戦はるゝのみ、領土や市場や常に政治家、資本家の為めに開かるゝのみ、多数国民、多数労働者、多数貧者の与《あずか》り知る所にあらざる也《なり》〉（「社会党の戦争観」第四一号）

戦争は誰のためのものなのか。それは、国家を支配している資本家や政治家の利益のために起こされるものなのだと、戦争の階級的性格を明確に指摘したのである。

そうした戦争観をもっていたがゆえに、彼らは戦争の犠牲になる兵士や平民に対して、限りない同情を寄せていた。資本家

23

●平民社と社員たち
「平民新聞」という大きな看板の前に、第三〇号の発行予告が見える。一九〇五年一月二九日の第六四号で廃刊。

や政治家のための戦争で犠牲になるのは、いつも平民階級の子弟である。平和を撹乱《かくらん》した人びとは戦場にも行かずに安穏と生活し、その責任を負わされ戦場に送られ、殺し殺される兵士たち。幸徳が、日露《にちろ》開戦直後の『平民新聞』第一四号に発表した「兵士を送る」には、以上のような理不尽さに対する批判と、それを制度の変革によって解決しようとする社会主義者の姿勢が表白されていた。

こうした視点から臆《おく》することなく非戦論を展開していた『平民新聞』は、出征兵士の遺家族の悲《ひ》惨《さん》な状況を熱心に報道した。たとえば、「子を殺して召集に応ぜんとす」（第一六号）という記事は熊本からのレポートであるが、鹿本《かもと》郡のある村で、召集令状が届いた直後に妻を亡くし、二人の子供を抱えた男が、役所に扶助を願い出たもののすげなく断わられてしまい、このまま子供を残して出征すれば決心が鈍るとして、子供を殺してしまったという話である。事実とすれば、これも田中正《たなかしょう》造《ぞう》がいう内地の「虐政」の犠牲者であった。実際に、戦死した兵士の家族が全滅した例が何件もあったのである。

平民社同人は、たび重なる発行停止などの弾圧にも屈せず、「反戦」「平和」という「永遠の真理」に殉じようとする姿勢を堅持していた。戦争が起こる前ならまだしも、戦争が始まったからには非戦論をとなえるのはやめて「挙国一致《きょこくいっち》」に努めるべきだという批判も、一顧《いっこ》だにしなかった。そして、ロシアの社会主義者に対して、国境を超えた階級的連帯を呼びかけた。それを象徴するのが、第二インターナショナルの第六回大会で、日本代表の片山潜《かたやません》とロシアのプレハーノフが壇上で交わした固い握手であった。

小国主義の系譜

日露《にちろ》戦争中の平民社の活動で注目すべきもうひとつの点は、軍事大国化を否定した小国主義を主張していたことである。その象徴が、安部《あべ》磯雄《いそお》の『地上の理想国　瑞西《スイス》』である。

小国主義とは、スイス・オランダ・デンマークなどの小国を理想とし、軍備拡張・対外侵略を通じた大国化路線を否定し、民衆生活の安定と地方自治の確立、教育・社会福祉の充実、科学技術の発展などを通して小国自立をめざす思想のことである。帝国日本の歴史過程にあってはきわめて微弱な主張であったが、この地下水脈は途切れることなく続いていた。

自由民権期の中江兆民《なかえちょうみん》や植木《うえき》枝《え》盛《もり》の小国主義はわりあいに有名であるが、明治二〇年代から活躍した国粋主義者三宅雪嶺《みやけせつれい》の『真善美《しんぜんび》日本人』のなかにも、小国主義思想を見てとることができる。

また、日露戦争の開戦直前には、群馬県安中《あんなか》教会牧師の柏木義円《かしわぎぎえん》が、「柔和なる人、柔和なる国」のなかで「小日本主義」を主張した。柏木はそこで、日本とロシアが開戦に至るのは、日本が「大日本主義」をとっているためであり、「柔和なる小日本主義」からみれば、開戦の理由は見当たらない。自分は、〈我《わが》国民と人類との真個《しんこ》の光栄と幸福の為《た》め、柔和なる小日本主義を唱へて止《や》まんものである〉と書いた。スイスを理想とする柏木の「小日本主義」は、のちの『東洋経済新報』の「小日本

24

◉柏木義円（一八六〇～一九三八）
『上毛《じょうもう》教会月報』を通して、柏木は平和主義・非戦主義を一貫して主張しつづけた。その存在は、日本のキリスト教界の良心であった。

主義」を先取りしたものであった。

同じころ、幸徳秋水《こうとくしゅうすい》も、週刊『平民新聞』第一〇号（一九〇四年（明治三七）一月一七日）に、「小日本なる哉《かな》」という短文を発表している。そこで幸徳は、軍備を廃絶し、警察や裁判所などをなくしても人間の〈相互補助の精神〉により秩序が維持される理想社会を実現するために、まず日本の国是《こくぜ》を〈小国を以《もっ》て甘んずる事〉に一決せよ、と主張した。ロシアのアナーキスト、クロポトキンの「相互扶助論」を下敷きにした論であったが、日本も、スイスやデンマークなどの小国の仲間となり、互いに協議して「平和の主張者」とならなければならないと強調したのである。

『地上の理想国　瑞西』

安部磯雄《あべいそお》が『地上の理想国　瑞西《スイス》』を刊行したのは、日露《にちろ》戦争たけなわの一九〇四年（明治三七）五月二八日のことであった。四六判一五二ページで、定価は一五銭であった。

総論、第一編政治、第二編教育、第三編社会問題、結論、という構成をみてもわかるように、安部は、スイスが「理想国」たる所以《ゆえん》を、政治的民主主義のみならず、教育や社会保障の充実ぶりにみていた。

まず政治であるが、安部は、スイスの民主主義の本質を、「直

●『地上の理想国　瑞西』の新聞広告
週刊『平民新聞』第二九号に掲載された。この号には、「瑞西と日本」と題する安部の小文も掲載されている。

25

接立法権と建議権」に見てとった。現在の言葉に置き換えれば、「レファレンダム」（国民投票制度）と「イニシアチブ」（国民発案制度）である。こういった制度を州（カントン）政にも国政にも応用しているスイスは、アメリカよりも民主主義が徹底していると安部は評価した。そのうえで、スイスの連邦制の仕組み、中央政府と州政府との関係を詳しく説明し、スイスの地方分権がいかに徹底しているかを指摘したのである。

軍備に関しては、永世中立を宣言し、列国もそれを承認しているにもかかわらず、なぜ軍備を棄《す》てることができないのか、とやや批判的な言及をしている。それでも帝国主義国のように領土拡張を夢見る必要がない点で、〈ああ自由の小天地！　国民に幸福を与え自由平等を与う、これを外にして国家生存の目的果たして何処《いずこ》にあるか。ああ国家の栄誉何ものぞ、領土の拡張何ものぞ。世界の列国はよろしくこの一小理想国の前に拝跪《はいき》し、羞死《しゅうし》すべきである〉と評価するのである。

本書の本領は、むしろスイスにおける教育制度や社会保障制度の紹介にあった。安部は、スイスにおいて初等教育が無償であることや、実業教育がさかんに行なわれていること、それに古い歴史を有する大学教育の充実ぶりを紹介する。労働者保護に関しては、一八七七年にすでに工場法が制定され、女性と子供の保護規定がしっかりしていることを指摘する。たとえば、産前産後各八週間の休暇制度や、休業中も一定の賃金が保障されていること、一四歳以下の児童労働が完全に禁止されていること、などである。

さらに、労働者紹介所や失業保険制度、孤児院や養老院、救貧院などの施設について紹介し、スイスが〈人類多数の幸福の実現〉という理想を実現している国であることを強調する。そして、〈日本程瑞西に類似せる国が他にあるであろうか〉と繰り返し、〈四大国の間に介立せる我日本は軍神としてよりも寧《むし》ろ天使として東洋の平和を来《きた》すべき天職を有しているのではないか〉と結論づけた。

それにしても、非戦論といい、戦争の最中にこれだけの本を出版できたことといい、率直に驚きを禁じえない。安部のこの著作は、初版が二〇〇〇部印刷され、刊行した一九〇四年中に一九三二冊販売されたという。

非戦論の世界史的背景

日露《にちろ》戦争中にもかかわらず、平民社が非戦論や小国主義を堂々と主張できたことは、日清《にっしん》戦争と比較しても、その後の歴史をみても稀有《けう》なことであった。

日清戦争のときに反戦論を主張したのは、北村透谷《きたむらとうこく》が主筆を務めていたキリスト教の日本平和会の『平和』など、ごく一部にすぎなかった。キリスト教徒の多くは、植村正久《うえむらまさひさ》や本多庸一《ほんだよういつ》に代表されるように、むしろ積極的に戦争に協力していた。その背景に、教育勅語の発布を契機として一八九三年（明治二六）に巻きおこった「教育と宗教」論争の影響で、天皇をいただく国家と国家主義への妥協を余儀なくされたという事情がある。また、当時のキリスト教が本質的に内包していた「文明」への使命感のために、「文明」対「野蛮」という図式で喧伝《けんでん》された日清戦争に反対しづらかったことも考えられる。

そこから平民社の非戦論を、社会主義者たちの弾圧を恐れぬ精神の現われと高く評価することも可能であるが、それは正しくもあり、一面で間違いでもある。なぜなら、日露戦争の性格を考えてみればわかる。日露戦争は、日本にとって、文明国クラブ入会のための「卒業試験」であった。そのためには、ロシア以上に、日本が文明的であることを欧米列強に証明する必要があった。言論の自由の保障は、文明国のたいせつな条件のひとつである。そのために、日本政府には、いかに戦争に反対する言論といえども、むやみに弾圧することはできないという世界的な制約があった。

外国の眼を気にする必要がなければ、平民社の非戦論に対する弾圧は、もっとエスカレートしていた可能性が高い。日露戦争の勝利によって文明国クラブの正会員になった日本において、その後、逆に言論の自由や反戦論が抑圧されていくのは、そのためなのである。

だが、非戦論者をとるにたらないものとする認識は、戦局の推移に一喜一憂していた一般国民に共通のものであった。帝国意識に包摂《ほうせつ》されつつあった民衆には、戦争の最中に、階級的連帯の名目でたやすく国境（国家）を超え、敵国の人間と握手をしてしまう社会主義者の感覚が理解できなかった。その結果、民衆から孤立した平民社は、資金面でもゆきづまり、一九〇五年一〇月九日に解散を余儀なくされる。

26

◉石川啄木《いしかわたくぼく》（一八八六～一九一二）　足尾《あしお》鉱毒被害民に同情を寄せていた啄木であったが、日露《にちろ》戦争当時は、平民社の非戦論の無力さを痛烈に批判していた。

戦場の兵士たち——兵士にとっての戦争

初めて人を殺す

人は、初めて人を殺すとき、どのようなことを考えるものなのだろうか。

日清《にっしん》戦争に従軍した伊東連之助《いとうれんのすけ》は、双台溝《シュアンタイゴウ》で五、六〇名の清国兵に遭遇し、戦闘となった。〈予は生来《せいらい》初めて斬り味を試みたることとして、初めの一回は気味悪しき様なりしも、両三回にて非常に上達し二回目の斬首《ざんしゅ》の如《ごと》きは秋水一下首身忽《しゅうすいいっかしゅしんたちま》ち所を異にし、首は三尺余の前方に飛び去り〉という。そして、人を斬るのは「胆力如何《たんりょくいかん》」であることがわかったと述べている。

義和団《ぎわだん》戦争に従軍した藤村俊太郎《ふじむらしゅんたろう》は、馬前に迫ってきた敵に拳銃を向け、いよいよ引き金を引くというときに、〈ああ、自分はいま人間を撃つのだ〉となんともいえない妙な気分になったと回想している。そのため、微妙に照準がくるったというが、最初に殺した敵の顔は、六〇年たってもありありと眼底に浮かんでくるという。

やはり、いくら敵とはいえ、人を殺すことには心理的抵抗があったようである。伊東のように「胆力如何」というのは、おそらくあとからつけた理由で、実際に突撃を敢行し敵味方入り乱れての乱戦になった場合には、記憶の空白が生じて人を殺したときの気持ちをはっきりと覚えていることは少なかったであろうと推察できる。しかし、何人も殺しているうちに感覚が麻痺《まひ》し、やがては

「八人殺した」だの「一三人殺した」だのと、自慢するようになっていくのである。

死体に関する感覚も同様で、日清戦争に従軍した某兵士は、〈平常ならば死人を見て気味悪き思いあるも、今はすでに死人を見ることあたかも路傍に犬猫の死体を見ると均《ひと》し〉と書いている。

戦争とは、殺すか殺されるかの、いのちのやりとりをする世界である。人のいのちがあまりにも簡単に喪《うしな》われていく状況下に置かれた兵士たちは、いつしかいのちに対する無感動・無感覚に支配されるようになっていった。いや、軍隊という存在そのものが、いのちに対して「無感動にさせるシステム」にほかならなかったのである。

死ぬことへの恐れ

だが、自分だけは死にたくないと思うのは人情である。日露戦争に従軍した熊本県の済々黌《せいせいこう》出身の武井《たけい》得多《とくた》工兵中尉は、済々黌の職員や生徒に宛《あ》てて、正直に心情を吐露している。〈戦争は命さえほしくなければ是程《これほど》呑気《のんき》なものは無之候《これなくそうろう》。然《しか》しながらいのちはほしきものにて候。実際にて候〉

残された家族の思いも同様であった。久保《くぼ》欣一《きんいち》という兵士がいた。栃木県安蘇《あそ》郡田沼《たぬま》町出身で、近衛《このえ》後備混成旅団騎兵第一中隊の所属であった。久保は、従軍七周年を記念して一九一〇年（明治四三）に『従軍日誌』という本をまとめているが、これは戦記物の隠れた名作といっていい。

そのなかに久保は、「主《ぬし》に送る」と題した妻からの手紙を掲載している。

安んぜよ夫よ我夫よ
今日は妾《わらわ》もすぐる日の
かよわき腕にあらざるよ
後顧の憂更《さ》らになし
一笑以《もっ》て排す可《べ》き
有りせば案じ給うなよ
剣の林たまのあめ
瓦となりて還るより
妾は泣かじと誓いたり
アア我が夫よ我夫よ

○

何故《なぜ》に妾は人と生れたる
　人てふ者は何故《なにゆえ》に
義理にからまる者なるか
　国の為めとは謂《い》いながら
恋しき主は満州の
　雪と風とに身を晒《さ》らし

務《つとめ》は重し身は軽し
主の膝下《しっか》にはんべりし
専心家務の任を負い
百難千苦あるとても
いとも可愛き幼な児の
皇国の為めに潔よく
縦横無尽に働けよ
玉と砕けて散ればとて
さわさりながらさりながら

27

●出征兵士の留守家族
宮城県伊具《いぐ》郡の農家の様子。一九〇二年の大凶作で飢饉《ききん》に苦しむ東北地方の農民に、日露戦争による増税が追い打ちをかけ、餓死者も出た。

明日をも知らぬ戦《いく》さの身
●●●●●●●●●●●●●●
●●●●●●●●

最後の二行は、なぜか黒く塗りつぶされているのだが、戦場の夫の身を案じる妻の心情が赤裸々《せきらら》につづられている。

そんな久保も、妻子のことを考えると〈死ぬのが厭《いや》になる〉が、〈毎日毎日、斥候《せっこう》また斥候。衝突また衝突。戦友は戦死しまた負傷す。僕等が万一の僥倖《ぎょうこう》を、凱旋《がいせん》に望みしは画餅《がへい》なり。／戦争は遼遠だ。早晩吾人《そうばんごじん》も負傷し、戦死するのだ。／ただこの生命を自然に任すより方法はない。寸時《すんじ》も長く、一事《いちじ》も多く、国家の要に当る可《べ》き理屈は知り、責任は悟れど、そんな理屈を謂《い》っては意志が薄弱になる。／アア弾丸も来れ、刃も来れ。／僕は自然に命を任せると今、覚悟した〉というように、自分の生死を自分で決めることのできない戦場にあっては、国家のためという「理屈」で自分を納得させようと思っても難しく、ただ〈自然に命を任せる〉しかないと考えるのであった。

28

◉**傷痍軍人の帰還**
日露戦争で負傷した軍人の帰還を歓迎する熊本の様子。彼らは、熊本駅に到着したあと、人力車や担架などで予備病院に向かった。

突撃の前夜

一九〇四年（明治三七）一〇月二九日、明日は決戦、突撃という日、森俊藏《もりとしぞう》が指揮する中隊の兵士たちは、少しの酒に酩酊《めいてい》し、声を張り上げて歌った。森の観察眼は、日記に〈酩酊〉と書いたあとに〈（故意？）〉と付け加えている。桜井忠温《さくらいただよし》は自分の骨箱をつくった。熊沢宗一《くまざわそういち》は、留守を守っている実家の住所氏名、軍刀と騎銃の番号を書いたものと、頭髪と爪《つめ》を中隊に提出した。

また、旅順《リューシュン》《りょじゅん》攻撃に参加することになった福井県大野郡羽生《はにう》村出身の富田《とみた》惣三郎《そうざぶろう》は、村の有力者に宛《あ》てて、〈戦死者扶助料として支給金、一、二等卒四百七十円、上等兵五百十円、伍長六百十円、軍曹六百九十円、曹長七百二十円、一時金として支給にあいなり候。／御面倒に候えども、私実家へちょっと御報知くだされたく〉と書き送った。戦死が最後の親孝行と考えていたのであろうか。

それほど激しい戦争であったから、自傷者も続出した。旅順攻撃にあたった第三軍の鶴田《つるた》禎次郎《ていじろう》二等軍医は、『日露戦役従軍日誌』のなかで、〈今回の戦闘自傷者の多き驚くべし〉と書き、二〇三高地の第三回総攻撃を敢行した一一月二六日から一二月五日までの野戦病院への入院者一四〇〇名のうち、自傷者は九〇名内外にのぼると指摘している。

自傷者の多さは司令部も認識していた。森俊藏は、留守第一一師団長波多《はた》野毅《のたけし》の名で発せられた一二月一日付の極秘内報を記録しているが、そのなかにも〈みずから傷つけたるもの約三十名に達せりと云う〉と書かれてあった。なんとか生きて帰りたいという思いが、このような行為に走らせたのである。向田邦子《むこうだくにこ》の祖父の話を裏付ける史料である。

兵士の楽しみ

戦地における兵士たちの楽しみは、なんといっても食事と家族などからの手紙、それに慰問品などであった。生と死のはざまに置かれた境遇がしからしめるのか、とにかく、食べることに対するこだわりは強く、たいていの兵士の従軍日誌には食事の内容や配給品が細かに書きとめられている。

第二軍所属の松内冷洋《まつうちれいよう》が記録する一九〇五年（明治三八）一月一日の配給品は、日本酒、みりん、玉子、磚茶《せんちゃ》（中国茶の一種）、鮭缶、牛缶、鰹、田づくり、鶏肉、白菜、鰹節、生味噌、梅干し、梨、みかん、栗おこし、銀杏《ぎんなん》豆、餅《もち》であった。正月とはいえ、戦地とは思えないほどの豪華さである。

しかし、いうまでもないことだが、食事にも厳然たる階級差があり、将校は兵卒よりはるかによいものを食していた。たとえば、兵卒がなかなか口にできない日本酒も、中尉であった森俊藏《もりとしぞう》は、出発から七月三一日までの七一日間で、わずか一日飲まなかっただけであった。

一方、生の肉や野菜不足を嘆く声もたくさんあった。宿営地の関係で補給が十分に届かない場合は、一個の梅干しと塩鮭を二、三人で分け合

29

●豊富な缶詰の種類
缶詰産業の発展により、日露戦争では、牛肉の大和煮《やまとに》のほか、鮭や鰹の味付け、野菜や果物の缶詰も供された。

って食べた。一日六合が基準の主食の白米が三合に減らされ、副食物も醬油エキスや粉味噌だけという日が続いたとき、久保欣一《くぼきんいち》は、〈明日の命も計り難い身の、食を減ぜらるるとは、実に惨の惨なる者だ。これ生きながらの餓鬼道《がきどう》だ。而《しか》してまたここは修羅道《しゅらどう》だ〉と愚痴《ぐち》をこぼしている。

手紙と慰問袋

故郷からの手紙は、兵士たちの誰もが待ち望んでいた。近代史研究者の大江志乃夫《おおえしのぶ》は、『兵士たちの日露《にちろ》戦争』で、兵士たちの手紙にもっとも多く使われている言葉が「留守宅」と父、母などであることを指摘している。留守宅の安否を確認し、自分も元気でいることを知らせるために、兵士たちは、時間があればせっせと返事を書いた。軍事郵便は切手を貼《は》らなくても出すことができた。しかし、内容を検閲するため、開封のまま大隊に差し出せ、という命令が出されることもあった。

たいへん几帳面《きちょうめん》な性格であった森俊藏《もりとしぞう》は、妻とやりとりした手紙の回数や入浴回数をきっちりと記録している。従軍五九四日のあいだに、妻からの手紙が六九回、妻への手紙が五七回である。日本からの手紙類は、たいてい二週間前後で落手でき

◉**慰問袋をつくる女性たち**
愛国婦人会などが中心になって、戦地の兵士に慰問袋が送られた。兵士にとって慰問袋を開けるのは、故郷を思い出す瞬間であった。

た。だが、福井県大野郡羽生村《はにうう》の広島又兵衛《ひろしままたべえ》が書いているように、〈留守中はすでに学ばざる女どものみにて書状を読む者これない〉ような、読み書きのできない人たちもまだ存在しており、その場合には、他人に代読してもらった。

慰問袋が届くと、兵士たちは大騒ぎであった。家族などからの慰問袋と違って、婦人会などからの慰問袋は、人数に応じて配分された。数が少ない場合には抽選で配分した。慰問袋の中には、必ず寄贈者の名前を書いた紙片が入っていた。わざわざ年齢まで記されていたが、その多くは一六歳前後で、三〇歳とか五〇歳という年齢のものはなかったという。〈高砂屋内《たかさごやうち》花吉とか尾上楼鶴松《おのえろう》とかいう様なのに接したものは大騒ぎだが、多分は夫人方の悪戯《いたずら》だろう〉と、佐賀県出身の渋川玄耳《しぶかわげんじ》は書いている。女性たちのせめてもの心遣いであったろうか。

「千人結び」と招魂祭

兵士も将校も、たくさんのお守りを持っていた。多門二郎《たもんじろう》は、お守り袋からはみでるほどだったので、ふだん身につけるのは父にもらった三島明神《みしまみようじん》のお守り一枚で、あとは行李《こうり》にしまっていた。

日露《にちろ》戦争のときに初めてみられたものに、「千人結び《せんにんむす》」がある。郷里から「千人結び」が届けられた久保欣一《くぼきんいち》は、〈折角《せつかく》、千人女の人が心を込めて結んで呉《く》れた物だ。迷信と笑われても構わない、早《さつ》速《そく》腹巻きにした〉。ところが、多門の大隊では、あるとき敵の夜襲に遭遇し、全体の約半数が死傷するという大損害をこうむった。前々日届いたばかりの〈千人の女の髪の毛で編んだ〉弾丸除《たまよ》けを喜んで身につけていた兵士も戦死してしまった。多門も負傷している。

福井県羽生《はにう》村出身の兵士の手紙を分析した大江志乃夫《おおえしのぶ》は、「神仏のおかげ」という言葉が多いことに注目して、その死生観に天皇や国家の入り込む余地がほとんどなかったことを強調している。ましてや、死んだら靖国《やすくに》神社に祀《まつ》られて神になるという考えは、兵卒レベルにはほとんどなかった。

戦場で行なわれた招魂祭《しょうこんさい》も、最初に神式の儀式を行なったあとに、仏式の儀式を行なうというスタイルが一般的であった。これは日清《にっしん》戦争のときからそうであった。一九〇五年（明治三八）四月二日、茂沢祐作《もざわゆうさく》が所属する師団が張家楼子《ジャンジャーロウズ》で行なった招魂祭では、ムカデを弓で退治しようとしている藤《ふじ》原秀郷《わらのひでさと》、胸に「死為護国」と書いた大きな赤鬼など、各隊が競争して作製した飾り物が近くの丘の上に据えられた。

儀式が終了すると、相撲《すもう》や競馬、演劇や手品、仮装行列などに興じた。看護服を着て薄化粧した女装の兵士が、茶菓や酒肴《しゅこう》のサービスをする。兵士が女装して接待をする光景は、戦場ではよくみられたことである。終了後の宴会とあわせ、招魂祭は戦場における一大娯楽であった。

30

◉街頭での「千人針」
白地の布に赤い糸で一人一針ずつ結び目をつくった。当初は「千人結び」といわれた。寅《とら》年の女性は年の数だけ結ぶことができた。

兵士たちの生と性

兵士のセクシュアリティ

いわゆる「従軍慰安婦」（日本軍慰安婦）の軍隊慰安所が設置されたのは、陸軍では一九三二年（昭和七）の上海《シャンハイ》事変の直後といわれる。その主要な目的は性病対策と戦地での強姦《ごうかん》防止にあった。日本軍は、「従軍慰安婦」によって兵士たちのセクシュアリティを管理しようと試みたのである。

それでは、軍隊慰安所が存在しなかったと考えられる日清《にっしん》・日露《にちろ》戦争では、日本軍は、兵士たちのセクシュアリティをどのように管理しようとしたのであろうか。また、兵士たちは、セクシュアリティをどのようにして充足しようとしていたのであろうか。

性病の問題は、日清戦争の時点から軍首脳部の頭を悩ませていた。そこで、威海《ウェイハイウェイ》衛占領軍は中国側地方官と協議して、私娼に厳重な検黴《けんばい》（性病の検査）を行なうことにしたという。その前例をあげて、石黒忠悳《いしぐろただのり》野戦衛生長官は、台湾においても〈厳に検黴の法を設けて公娼を許可する〉しか方法はないと、大本営に献策した。

日露戦争では、日本軍が公認した娼妓屋《しょうぎ》が中国にあったようである。福井県大野郡羽生《はにう》村出身で、みずからを「土方兵《どかたへい》」と自嘲《じちょう》する土田四郎平《つちだしろへい》は、奉天《フォンティエン》《ほうてん》で〈日本軍政署から許しの娼妓屋〉を確認している。〈一回上等で三円、中等で二円、下等一円でありますけれども、高利給のおかたは繁盛《はんじょう》でありますけれども、私らの身分ではてが届きません。鉄嶺《ティエリン》にもあい変らずありました〉と記録していた。鉄嶺で日本軍の兵站部《へいたん》が、一地区を定めて私娼を公認し、憲兵に取り締まらせて、軍医による検黴が行なわれていたことは、軍医部長藤田《ふじた》嗣章《つぐあき》の記録にも明らかである。営口《インコウ》でも、軍政署が検黴の実施を義務づける取締条例を定めて、厳重に監督していた。

京都連隊の歩兵大佐丸山豊《まるやまゆたか》は、つぎのように書いている。

〈三月八日、水、晴、於大連《ダーリエン》《だいれん》。宿舎前の公園を散歩しなお支那《しな》街に至り、淫売婦《いんばいふ》の巣窟《そうくつ》を巡察した。何処《どこ》を見ても不潔極まる家屋らしきバラックに戸を〆切《しめき》り、大の男一人が張番《はりばん》して買手を一人ずつ潜入さしている。兵隊君等は此処《ここ》をせんどとばかりに手に見せ金を握って戸外に蒐集《しゅうしゅう》し、憲兵これを制すれども聞かばこそ、やっとのことで追い散らせばまたもや何時《いつ》となく菌集《きんしゅう》し、あたかも蝿《はえ》の臭味を襲撃するが如く、ひたすら順番の御到来を待ちつつあり〉

このように、日露戦争のときには、日本軍が公認した娼妓屋がいくつか存在し、憲兵の監視のもとで時間を決めての利用が許可されていた。そして、許可のない店への出入りは原則的に制限されていたと考えられる。ここまでくれば、アジア太平洋戦争時の軍隊慰安所まであと一歩である。いや、軍が一定期間、民間のものを軍利用として指定したものも軍隊慰安所と考えるならば、それは日露戦争時にすでに存在したといえる。

しかし、土田が嘆いているように、利用できるのはおもに将校や下士官程度であったようである。兵卒たちはもっぱら公認されていない店の私娼を相手にしていたようだが、兵士の外出は制限され、かつ市街のあちこちで憲兵が監視していたために、自由にはいかなかった。

　この点を、羽生村出身の輜重輸《しちょうゆ》卒《そつ》浅井《あさい》喜二《よしじ》は、〈ちょっと不自由は例の色の道〉と、正直に書き送っている。そして、〈せんだって東京へ裸体美人の写真送付方に付き金二円送りましたのが、金は着きましたが、物品は到着しなかった。いかにも残念であった〉と、詐欺にあったことを記している。

美人絵葉書

　浅井《あさい》が欲しがった「裸体美人の写真」を含め、日露《にちろ》戦争に従軍した兵士たちにもてはやされたのが美人絵葉書であった。済々黌《せいせいこう》出身の澤友彦《さわともひこ》は、井《い》芹經平《せりつねひら》黌長に宛《あ》てた手紙で、〈陣中の慰み物が三つあり。酒と煙草《たばこ》と「美人画はがき」〉と書き、自分は酒も煙草もやらないのに、内地から一枚も〈美人画はがき〉が送られてこない、そんな自分を哀れと思うならば、〈第一等のものを一枚〉ぜひとも送ってくれと懇願している。

　日本からの慰問袋の中には、決まって美人絵葉書が入っていた。それを兵士たちは、〈よだれたらたら〉に品評し、分配したり交換したりするのである。長岡出身の茂《も》沢祐作《ざわゆうさく》は、戦友に送られてきた新潟芸者の「名花《めいか》三妓《さんぎ》」のうちの一枚をもらいうけた。〈戦地へ来ている兵士間には（その実将校も）婦人の写真

31

◉美人絵葉書
日露戦争前後、日本では絵葉書が流行した。戦地に送られたのは、有名な芸妓などの写真のほか、なまめかしいものも多かった。

や妙な画が〈曲線の美を賞するのか〉非常に持てはやされるのである〉と日記に書いている。
茂沢が指摘するように、将校たちも同様であった。森俊藏《もりとしぞう》は、一九〇四年（明治三七）一二月二四日の日記に、少佐昇進のお祝いとして〈前田（少将）閣下より美人の写真、上田主計正（経理部長）より写真及絵、同所にて写真班長清水歩兵大尉より局部の写真、参謀部にて美人の写真〉などをもらったと書いている。まるで〈物貰《ものもらい》〉のようだと自嘲《じちょう》しているが、軍隊内では自慢の美人絵葉書を贈答する慣習もあったようである。

なかには、かなり卑猥《ひわい》なものもあった。そのため、当時の新聞には、〈卑猥なる絵葉書、その他の出版物〉の摘発事件がしばしば報道されており、一九〇四年度だけで八一〇件にものぼったという。久保欣一《くぼきんいち》も、脚気《かっけ》で後送され、再度宇品《うじな》から出航するときに、商人が大きな風呂敷を背負って宿舎まで葉書や薬などを売りにきて、なかには春画《しゅんが》を押しつける者がいたと憤慨して述べている。もっとも、春画には「弾丸除《たまよ》け」の意味があったという説もある。

美人絵葉書のルーツについてはよくわからない。日清《にっしん》戦争中に、美人の写真入り巻《まき》煙草が配布されたという記録がある。それは「京阪の美姫《びき》」を集めたもので、第一軍司令部付きの陸軍通訳官西《にし》島函南《じまかんなん》は、それで画帳をつくり、同人たちと集まっては〈高下を品評〉したという。兵士たちのあいだでブームになった美人絵葉書のルーツは、案外このようなところにあるのかもしれない。

義和団《ぎわだん》戦争に従軍した藤村俊太郎《ふじむらしゅんたろう》も、砲撃を受けて倒れた下士官の持ち物が散乱し、そのなかに二人の〈支那美人〉が描かれた巻物《まきもの》が風にはためいているのを見て、とっさに〈これがエロ絵でなくてよかった〉と思ったそうである。猥褻《わいせつ》な絵などを所持することは、すでに義和団戦争のころには一般化していたと考えられる。

日露戦争に従軍した兵士たちは、買春《かいしゅん》でというよりは、もっぱら美人絵葉書などでみずからの性欲をコントロールしていたのではなかろうか。

戦時中の強姦事件

そうだとしたら、戦地における強姦《ごうかん》事件はまったく発生しなかったのであろうか。『九州日報』の特派員田岡嶺雲《たおかれいうん》は、〈我軍規の厳を以《もっ》てするも、二十七八年役当時に於て猶《なお》いまはしき強姦掠奪《りゃくだつ》は、至る処に密《ひそ》かに行はれたりといふにあらずや〉と指摘している。このような記述から推察すると、日清戦争のときに強姦事件が頻発《ひんぱつ》したことは、広く知れ渡った暗黙の事実であったと考えられる。しかし、それは軍夫《ぐんぷ》に多かったともいわれており、一般の兵士がどうであったかはわからない。

日露《にちろ》戦争においては、私が見た範囲では、従軍兵士の日記などから強姦事件発生の事実を確認することはできなかった。公式記録である陸軍省編『明治三十七八年戦役統計』によれば、強姦によって陸軍検察官の検察処分を受けたのは、現行二名、非現行三二名、強姦未遂が非現行四名、強姦幇助《ほうじょ》が非現行三名であった。強姦を行なった三四名はすべて兵卒である。軍法会議にかけられたのが、強盗・強姦罪の二名をあわせて一九名になる。いずれも清国におけるもので、強盗・強姦罪の二名が有期徒刑《とけい》、一六名が軽懲役《けいちょうえき》、一名が重禁錮《きんこ》五年以上に処された。

しかし、咸錫憲《ハムソクホン》の自伝『死ぬまでこの歩みで』によれば、日露戦争のとき、平安北道《ピョンアンブクト》龍川《リョンチョン》郡龍岩浦《リョンアンポ》にいるロシア兵を追い払うため、咸錫憲が住む獅子島《サジャド》南端に上陸した日本軍兵士たちが、あるとき村の女性を探しにやってきたという。若い女性はみな恐れをなして逃げまわり、村はずれの一軒家に逃げ込むと、日本軍の兵士数人が女性たちに襲いかかった。そのとき咸錫憲の父親が太い丸太棒を振り下ろすと、日本兵たちはびっくりして逃げ去ったという。まだ幼かったにもかかわらず咸錫憲が記憶しているのは、よほど鮮烈な印象を残した出来事だったのだろう。

したがって、公式統計の数字は氷山の一角にすぎず、実態はもっと多かったと推測できる。これがのちのシベリア干渉戦争の段階になると、将校も含めた日本軍の軍紀の退廃は、あからさまになってくるのである。

●咸錫憲（一九〇一～八九）
「韓国のガンディー」。軍事政権に対する民主化闘争の指導者のひとり。一九七〇年に『シアレソリ（民の声）』を創刊。シアル革命を追求。

32

脚気患者

衛生に関しては、日清《にっしん》戦争の教訓がかなり生かされたが、それでも脚気《かっけ》患者が多数発生した。軍医の溝上定男《みぞかみさだお》の日記には、一九〇四年（明治三七）一〇月一三日に初めて脚気患者が発生し、三名を入院させたことが記され、翌年の二月二四日まで連日のように脚気患者数が記載されている。一二月一二日から二月二四日までのほぼ二か月のあいだに、脚気で入院したものは八五名の多きにのぼった。そのため、三月二七日から、白米四合と碾《ひき》割り麦二合の混合食に変更している。久保欣一《くぼきんいち》も広島開助《ひろしまかいすけ》も脚気で日本に後送されている。結局、脚気で入院した軍人は、一一万七九一人にのぼった。その割合は、出征軍人の一割以上に及んだ。

ビタミンの欠乏が脚気の主要な原因であることは、早くから指摘され、海軍はすでに麦との混合食に変更していた。しかし、陸軍では白米信仰が根強く、軍医部長であった森林太郎《もりりんたろう》（鷗外《おうがい》）らも脚気栄養原因説に立って白米食を奨励していたために、混合食への切り替えが遅れ、結果として脚気患者の続出を防ぐことができなかったのである。

脚気以外にも、赤痢《せきり》やコレラ、腸チフスなどへの注意も怠ることができなかった。森俊藏《もりとしぞう》は、兵士たちに、予防のため征露丸《せいろがん》（現在の正露丸）を毎日服用するよう指示を欠かさなかった。それでも森の連隊では、負傷入院者一九三名に対して病気入院者が一〇五三名と、五倍以上にのぼった。

いのちの値段

一九〇五年（明治三八）六月一日、総司令官大山巌《おおやまいわお》は、訓示のなかで生死不明者が四〇一二名に達することを指摘した。鴨緑江《アムノクカン》軍司令官川村景明《かわむらかげあき》は、死傷者収容の業務が敏活綿密に行なわれなかったことが一因であると述べた。それこそ、森俊藏《としぞう》が批判してやまなかったところである。なかには、行軍中に遅れてしまい、そのまま戻らなかった兵もいただろう。逃亡者も多かったという。

そういった生死不明者は、戦死扱いとされた。のちに、石光真清《いしみつまきよ》は、長春《チャンチュン》の街角で、戦死者名簿に名を連ねているかつての部下の某軍曹にばったり出会った。聞けば、負傷して気絶しているところをロシアの赤十字隊に救助され、戦後脱走して蒙古《もうこ》（現在のモンゴル）に入り、雑貨商を営んでいたそうである。生死不明者のなかには、日本に帰るに帰れず、大陸に残ってひっそりと暮らした人が何人もいたことだろう。

軍隊ほど階級差が歴然としている社会はない。日清《にっしん》戦争でもそうであったが、殊勲《しゅくん》を立てた従軍者に与えられる金鵄《きんし》勲章のランクも、将校と兵卒では大きな違いがあった。将校では、金鵄勲章さえもらえれば最低でも三〇〇円以上の年金が保障された。殊勲甲の将官では一〇〇〇円になった。ところが、兵卒は、殊勲甲に該当する功労をあげても、一〇〇円の年金しかもらえなかった。

さらに、戦死者に対する特別賜金《しきん》も格差が厳然としていた。将官は五〇〇〇円から六〇〇〇円、佐官《さかん》は二五〇〇円から四〇〇〇円、尉官《いかん》は一一〇〇円から一八〇〇円であったのに対して、兵卒は、上等兵が五二〇円、一等卒が四七〇円、二等卒が四四〇円であった。同様に寡婦《かふ》扶助料にも大きな差があった。兵卒のいのちは、かように軽かったのである。

日露《にちろ》戦争では、日清戦争で軍夫《ぐんぷ》が担った任務を輜重輸卒《しちょうゆそつ》が担当した。二五万人以上が「軍服を着せられた雑役夫」として戦地に動員された。当時、「輜重輸卒が兵隊ならば、電信柱に花が咲く」とうたわれ、あざけり笑われた存在であった。中国人も「日本兵苦力《クーリー》」と呼んでさげすんでいたという。

最後に、軍馬について触れておきたい。軍馬といっても、現在の競走馬を想像してはならない。それよりもひとまわり小さい日本産の農耕用に使われていた馬であり、全体で一四万四〇五一頭が動員された。中国産などを含めると二二万頭以上にのぼる。その大半が輜重用の軍馬であり、八万頭以上を数える。埼玉県比企《ひき》郡松山《まつやま》町では、一九〇四年二月から〇五年七月まで、八回にわたって徴発馬の検査会が行なわれている。軍馬の徴発は戦時下の日常風景となっていた。大量の軍馬の徴発により、農耕に困難をきたしたことはいうまでもない。

一九〇四年四月一三日、泥濘《ぬかるみ》のなかを砲車の後《あと》を押しながら行軍した多門二郎《たもんじろう》は、〈軍馬程、気の毒なものは動物中にあるまい〉として、つぎのように書いている。〈鞭《むち》で打たれ拍車で突かれ、呼吸を迫《せま》らして砲車を曳《ひ》いている。しかして斃《たお》れるとそのまま道に棄《す》てられる。今日は斃れて路上、もしくは路傍にそのまま死んでいる馬を五匹見た〉。桜井忠温《さくらいただよし》も、〈戦勝の幾分は実に軍馬の功績に帰せねばならぬ〉と指摘していた。最終的に、二割を超える軍馬が犠牲になった。

日露戦後に馬匹法《ばひつほう》が制定され、陸軍もオーストラリアから輸入した馬を農村に払い下げたりした。そして、一九〇六年五月に勅令で馬匹局が設置され、外国馬に劣る日本馬の品種改良に取り組んでいくのである。

33

●軍馬の輸送
軍馬が重要な役割を果たした日露戦争では、多数の農耕馬が徴発された。写真は日本鉄道東北線長町《ながまち》駅の風景。

戦争と民衆生活

子供たちと戦争

日清《にっしん》戦争は、子供たちの生活世界を大きく変えていった。学校では戦争ごっこが大流行した。なかには、校長先生はじめ先生たちが、組織的に行なわせた例もあった。授業では先生が戦争の話を熱心に行ない、唱歌の時間にはさまざまな軍歌を歌わせられた。また、軍用列車の送迎に駆り出され、日の丸の小旗を持たされて整列させられた。これまで、たまに天皇の巡幸などに小学生が駆り出される例はあったが、戦争はそれを日常茶飯事にした。

社会主義者山川均《やまかわひとし》は、一八八〇年〈明治一三〉に岡山県倉敷《くらしき》に生まれた。戦争は、高等小学校を卒業する前の年に起こった。〈戦争がはじまっていらい、唱歌の時間には、「敵は幾万ありとても」や、「海ゆかばみづくかばね」や、「撃てやこらせや清《しん》国を、清は御国《みくに》の敵なるぞ」や、「あなうれし喜ばし、この

34

●戦争ごっこ　日清戦争のころから、子供たちのあいだで戦争ごっこが流行した。北条時宗《ほうじょうときむね》や加藤清正《かとうきよまさ》を気どる男の子が多かった。

勝ちいくさ」のようなものばかり歌わせられていた。そして私は、わが軍が天に代《かわ》って清国を膺懲《ようちょう》していることに、このうえもない民族の誇りを感じていた〉

のちに『東京朝日新聞』などでジャーナリストとして活躍する生方敏郎《うぶかたとしろう》は、一八八二年に群馬県沼田《ぬまた》に生まれた。当時、高等小学校の二年生であった。生方も、〈戦争が始まると間もなく、絵にも唄にも支那《しな》人に対する憎悪が反映してきた。私が学校で教えられた最初の日清戦争の唄は、／討てや膺《こら》せや清国を、清は皇国《みくに》の仇《あだ》なるぞ、東洋平和の仇なるぞ、討ちて正しき国とせよ。／というので〉あったと回想している。生方は、駄菓子屋にお菓子の景品として清国兵の頭の張りぼてが登場したことも記憶している。

東京神田《かんだ》に一八八五年に生まれた小学生の中勘助《なかかんすけ》は、授業のなかで何かといえば〈大和魂とちゃんちゃん坊主〉を繰り返す先生の姿を、苦々しく不愉快に見ていた。それまで、先生は、授業中に関羽《かんう》や劉邦《りゅうほう》など中国の英雄の話をさかんにしていたのである。そこで、中少年は、たまらずに先生に質問した。日本人に〈大和魂〉があるなら、清国人にも〈支那魂〉があるのではないか、と。先生から返ってきた答えは、こうだった。〈□□さんは大和魂がない〉

こうして子供たちは、早くもいっぱしの「軍国少年」「愛国少女」になっていった。『万朝報《よろずちょうほう》』には、在留している清国人が、日本の子供を恐れているという記事が掲載されている。このように戦争熱と愛国心にとらえられた子供たちを、一八九五年四月二三日のロシア・フランス・ドイツによる三国干渉が直撃した。

平塚明《ひらつかはる》（のちの平塚らいてう、一八八六年生まれ）は、学校で担任の二階堂《にかいどう》先生が黒板に大きく書いた「臥薪嘗胆《がしんしょうたん》」の四文字を、目の底に鮮明に焼きつけた。生方少年は、〈誠にこましゃくれた話だが、私たち小学生徒でも先生やお父さんと一緒になって、泣くほどまでに遼東還附《かんぷ》を口惜しがった〉。一八八七年に横浜に生まれた荒畑勝三《あらはたかつぞう》（寒村《かんそん》）少年は、〈私の燃えやすい心がこのような風潮に刺戟《しげき》されて、熱烈な忠君愛国主義に傾いたことはいうまでもない。私は大きくなったら海軍の軍人となって、憎《に》っくきロシアに必ず報復してやると決心を堅めた〉と回想している。

ロシアに対する敵愾心《てきがいしん》が、子供たちの心にまで植えつけられていったのである。それと同時に、日清・日露《にちろ》戦争が、「末は博士か大臣か」といわれた男の子の将来像に、「大将」＝軍人をプラスする契機となったことも忘れてはならない。

戦争と遊戯

日露《にちろ》戦争のあとに、児童遊戯研究会が『日露戦争を応用したる児童遊戯』という本を出版している。仁川《インチヨン》の海戦から始まって、南山《ナンシャン》の激戦、黄海《ホアンハイ》《こうかい》海戦、遼陽《リヤオヤン》・沙河《シャーフー》会戦や旅順《リユーシユン》《りよじゅん》攻撃など、代表的な戦闘のそれぞれをテーマに、図解入りで遊戯の仕方を説明した本である。たとえば、南山会戦は一種の障害物競走であり、鉄条網を模した網をくぐり、「鹿柴《ろくさい》」（樹木、枝などの妨害物）のかわりの梯子《はしご》をまたぎ、麻糸に鈴をつけて地雷に模したものなどに触れずに走る、という趣向であった。

また、負傷した敵の敗兵が太子河《タイズフー》を渡って退却するところを擬したのが、遼陽会戦である。それは、目を負傷した〈目隠しをした〉人が足を負傷した人を背負って、グランドに描かれた二本の線のあいだを背負われた人の指示どおりに進むという遊戯であった。線を踏みはずしたら溺《でき》死《し》として失格である。

児童遊戯研究会は、日露戦勝は〈第二国民〉である子供が一日たりとも忘れてはならないことだから、戦場の状態を遊戯にして奮闘のさまを追想し、〈他日三軍を叱咤《しった》するの勇を培《つちか》い、以《もっ》て国威を宣揚するの武を養うこと〉が〈適法の教育策〉であると強調していた。

もっとも、戦争ごっこが流行したのは、日本の子供たちだけではなかったようである。咸錫憲《ハムソクホン》は、日露戦争のとき、村の子供たちが日本とロシアに分かれて戦争ごっこをしたことを記憶している。それを「日本ごっこ」と称していたという。咸錫憲は、誰ひとりとして〈オレは韓国《ハングク》だ〉という子供がいなかったことを、悲しみのうちに回想している。

35

◉華族女学校の運動会
永田《ながた》町の華族女学校の運動会にも戦争色が反映され、重傷者を担架に乗せて野戦病院に収容する担架競走などが行なわれた。

戦争と地域社会

戦争は、子供たちの遊びだけではなく、民衆の生活そのものを大きく変えていった。たとえば静岡県榛原《はいばら》郡吉田村片岡《かたおか》は、最寄りの駅から一二キロメートルも離れた交通不便な農村であったが、日露《にちろ》戦争を契機にそれまで新聞とはまったく縁がなかった家々でも、進んで新聞をとるようになったという。

徴兵者に対する送別・慰労・慰霊儀式などは、すでに一八八七年（明治二〇）前後に一般化していた。日清《にっしん》戦争の際には、応召者の家族に対する生活保護のために義《ぎ》捐金《えんきん》を集める例が、多くの町村でみられた。一九〇一年二月には、奥村五百子《おくむらいおこ》を中心に愛国婦人会が結成され、兵士に対する慰問活動やその家族に対する支援活動などが、組織的に取り組まれるようになった。

また、日清戦争後には、義会《ぎかい》などと称された援護組織に加え、在郷軍人の組織化がみられるようになる。軍事思想の普及と入営前教育などを目的としたそれは、一九〇二年から〇三年にかけて急速に拡大

36

●飴を売って献金する子供たち
日清戦争のころから、子供たちのなかにも、わずかな小遣いをためて献金するなどの戦争協力がみられるようになり、新聞に美談としてさかんに取り上げられた。

していった。その結果、日露戦争では、歓送迎の行事はさらに盛大なものになり、各地に凱旋門《がいせんもん》が建てられた。幻燈会《げんとうかい》も催されている。毛布の献納運動や献金運動も熱心に行なわれた。

だが、政府が、下士兵卒家族の扶助は、第一に親戚知己、第二に「隣保《りんぽ》相扶《そうふ》の誼《よしみ》」によるものとしたために、自発的に拠出することが主眼であった義捐金も、戸別に割り当てる強制的な色合いを帯びるようになった。そのため、払えない家も続出した。

一戸あたりの租税負担額は、一九〇三年の一八・四円から、一九〇五年には二三・三円に増加した。増加分のほとんどは国税の負担増である。それだけでなく、町村や各種団体には軍事公債が割り当てられた。それを消化することは、たいへんな苦労であった。東京府稲城《いなぎ》村の平尾《ひらお》地区では、五〇〇円分の公債を、五〇円ずつ八人と二五円ずつ四人の合計一二人で負担したという。五〇円といえば、二年分の税金に該当するほどの金額であった。

そのために、町村では戦時生活規制が自主的に取り組まれ、各種の申し合わせがなされた。節約や勤倹《きんけん》貯蓄、禁酒禁煙、祝い事の廃止などを申し合わせる例が一般的であったが、静岡県富士《ふじ》郡では、それらに加え、物産増殖、軍事援護、物品贈答禁止、葬祭飲食禁止、衣服新調禁止、新暦採用などの生活規約標準を策定した。日露戦争の最中にみられたこのような自主的運動が、戦後に政府によって取り込まれ、地方改良運動の「町村是《ちょうそんぜ》」の制定や、一九〇八年一〇月一三日の戊申詔書《ぼしんしょうしょ》の発布へとつながっていく。

遺骨問題

戦傷者を迎える行事や戦没者の慰霊式も連隊管区や自治体単位で行なわれ、戦没者の名を刻んだ慰霊碑があちらこちらに建てられた。田中正造《たなかしょうぞう》は、一九一一年（明治四四）九月の日記に、〈村落到《いた》る処《ところ》戦死者の記念碑の建ててあるを見る毎《ごと》に、涙ならざるなし〉と書いている。

近代史研究者の飯塚一幸《いいづかかずゆき》が紹介している兵庫県福知山《ふくちやま》連隊区の合葬式では、斎場《さいじょう》に紅白の旗が立てられ、最初に神葬式が執り行なわれたあと、神饌《しんせん》を撤去して仏式の法会《ほうえ》が催されている。黒住《くろずみ》教・金光《こんこう》教・天理《てんり》教関係者も列席したという。また、花火を打ち上げたり楽隊が登場する葬儀もみられた。戦地における招魂祭《しょうこんさい》もたいへんにぎやかであったように、現在の私たちとは「慰霊」に対する考え方が異なっていたのである。

しかしながら、遺骨や遺髪の取り扱いは、じつにいい加減であった。日清《にっしん》・日露《にちろ》の戦争では、戦場における戦死者の火葬にあたって、将校は個別に行なったが、下士兵卒は一括して火葬することが認められていた。遺髪や爪《つめ》なども一か所にまとめおかれることがしばしばであった。だから、遺族のもとに届けられたのは、誰のものともわからない遺骨や遺髪であることが多かった。それも、空き缶の中に入れられたり、油紙や風呂敷に包まれていたりしたという。テレビドラマや映画で見るような白木《しらき》の箱が登場するのは、日露戦争後半からのことである。

石光真清《いしみつまきよ》は、『望郷の歌』のなかで、奉天《フォンティエ》《ほうてん》の旅館に訪ねてきた三〇歳ほどの女性水野福子《みずのふくこ》のことを書き残している。水野の夫は、群馬県高崎《たかさき》近郊で農業を営む水野八次郎《はちじろう》といい、日露戦争に従軍して戦死した。一九〇五年（明治三八）五月に遺骨が帰ってきたので盛大に葬式を挙げたが、六月にまた夫の遺骨が帰ってきた。そこで、村役場に抗議に行ったら、ひと月後に返ってきた回答はどちらも夫の遺骨だというものだった。自分の夫が〈犬や猫の死体と同じように始末された〉と思うと悔しくてならず、〈ようし、そんなことをするんなら、もう私はお国のお世話にはならない〉と決意し、夫の遺骨を探すために、家財を全部売り払って単身で満州に飛び出してきたというのである。

水野福子は、まもなく石光の前から姿を消し、その後どうなったかはわからない。しかし、彼女は、兵卒の遺骨をぞんざいに扱った国に身をもって抗議し、自分の意志で生きようとした女性であったといえる。

37

◉石光真清（一八六八〜一九四二）陸軍士官学校卒。ハルビンやシベリアで防諜活動に従事。軍人でありながら、民衆と同じ目線で話し考えることができた稀有《けう》な人物。

「徴兵逃れ」

熱心に戦争協力を行なった地域社会の人びとであったが、一方では「徴兵逃れ」の風習も根強かった。民俗学者の喜多村理子《きたむらりこ》は、鳥取県を中心とする「徴兵逃れ」の伝統を、聞き取りも駆使しながら掘り起こし、「シクダラさん」や「宮籠《みやごも》り」などの興味深い信仰や行事を紹介している。

「シクダラさん」とは、日野郡旧二部《にぶ》村大字福岡にある上代《かみだい》神社の祭神のお使いとされる狐のことで、病気平癒、とりわけ婦人病に効き目があるだけでなく、「兵隊逃れ」にも御利益《ごりやく》があるということで、数多くの女性や若者、その家族などが参拝に訪れたという。病気と生殖と戦争。いずれもいのちにかかわるものである。

また、「宮籠り」とは、氏神《うじがみ》や大山《だいせん》の大神山《おおがみやま》神社、それに上代神社などの近くで、集落の青年会を中心に、徴兵逃れの祈願のために酒肴《しゅこう》を持ち寄り、一昼夜を過ごすというもので、一軒からひとり出るようにという割り当てもあったそうである。

喜多村は、満州事変のみならず日中戦争が始まるまでは、徴兵を嫌う言動が地域社会のなかでなかば公然とみられたと指摘している。各地で熱心に行なわれた戦勝祈願祭に参加した応召者の家族や親類は、じつは「弾丸除《たまよ》け」や「無事生還」をも祈願していたのである。

「貧国強兵」

兵卒の供給源であった農村では、寄生地主《きせいじぬし》制が確立し、小作人の割合が一九〇七年（明治四〇）には二八・六パーセントにものぼった。一九一〇年には、小作地率が四五・六パーセント、田だけでは五〇パーセントを超えている。

一九〇八年から五年間の実納小作料は、全国平均で、一毛作田が五四パーセント、二毛作田が五七パーセントにものぼった。小作人たちは、小作料のことを「年貢米」や「掟米《おきて》」と称していたという。小作料だけでなく、「込米《こみまい》」という一俵につき一、二升の割り増し米を徴収されることも慣例となっていた。

また、年ごとの豊凶に応じて地主が一方的に減免率を決めるのが通例であり、それに不服を申し立てると小作地の取り上げという制裁が待っていた。日《に》露《ろ》戦争後の農村は、圧倒的に地主有利な関係のもとに置かれていたのである。

アララギ派の歌人でもある長塚節《ながつかたかし》が『土』に描いた小作人勘次とおつぎ一家の悲惨《ひさん》な状況は、多くの小作人に共通するものであった。女工や都市下層民の存在などにも目をやると、「富国強兵」とは名ばかりで、まさに「貧国強兵」というのが帝国日本の実態であった。

38

◉「憐れむべきやせ馬」
でっぷりと太った軍人を乗せて、いまにも潰《つぶ》れそうなやせ馬(国民)。大きな銃には、「海軍拡張」と「師団増設」と書かれている。(『東京パック』一九一〇年七月一日号)

コラム1　戦争と看護婦

看護婦（師）という職業も戦争と密接に関連している。本格的な看護婦養成が始まったのは、一八八七年（明治二〇）に日本赤十字社が創設されてからである。

日清《にっしん》戦争の開戦とともに、広島予備病院に看護婦二一名を含む救護班が派遣されたが、軍の上層部に軍隊内の風紀が乱れるなどの懸念が強かったため、責任者の石黒忠悳《いしぐろただのり》は、人選基準に「なるべく年をとり、しかも美貌《びぼう》でない者」という一項を入れた。日露《にちろ》戦争では、看護婦は患者輸送船に乗船して治療にあたったが、戦地に送られたのは男性の看護人だけであった。実際に戦地に派遣されるようになるのは、第一次世界大戦中の青島《チンダオ》出兵やシベリア出兵からであるが、まだその数も少なかった。

一九一九年（大正八）から陸軍看護婦が採用され、満州事変から日中戦争の時期に本格的に戦地に派遣されるようになる。従軍看護婦の誕生である。看護婦は日清戦争後から叙勲対象になり、戦病死者は靖国《やすくに》神社に祀《まつ》られた。看護婦として従軍することが、国家に対する「女子の忠」とされたのである。

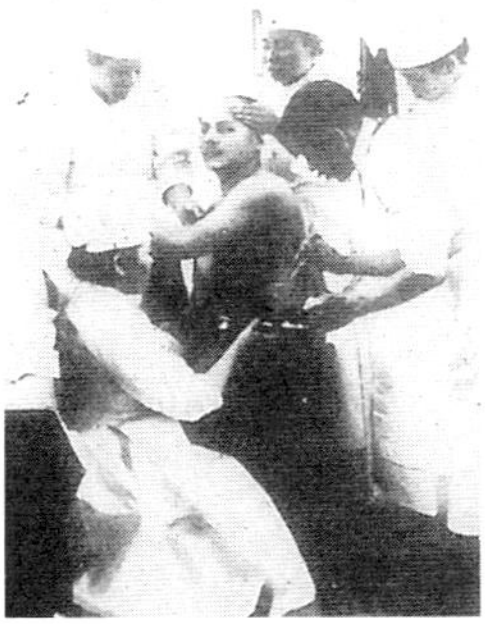

◉松山俘虜収容所にて　日露戦争で捕虜になったロシア兵を収容した松山俘虜《まつやまふりょ》収容所では、手術や治療にかいがいしく働く日赤看護婦の活躍がみられた。

第二章

「いのち」とデモクラシー

1

川岸きよの米騒動

一九一八年（大正七）七月二三日、富山県下新川郡《しもにいかわ》魚津《うおづ》町の大町《おおまち》海岸は、朝から水浴びをする子供たちでにぎわっていた。夏休みが始まったのである。

午前九時過ぎになると、五〇人近くの漁師の主婦たちが、悲壮な表情で十二《じゅうに》銀行の倉庫近くに集まってきた。女たちは、袖《そで》のない上着に短い腰巻き、前掛け姿であった。子供を背負った主婦もいた。そのなかに、当時二三歳であった川岸《かわぎし》きよの姿も見えた。

沖合いには、北海道の根室《ねむろ》に米を運ぶ定期船伊吹丸《いぶきまる》が碇泊《ていはく》していた。仲仕《なかし》たちが十二銀行の倉庫から米を担ぎ出し、艀《はしけ》とのあいだを忙しく往復している。

そのとき、女たちが口々に、「あんたらが米を他国に出すから米が高くなる」「生活が苦しいのはあんたらも同じやろが」と叫び、仲仕が積み込もうとする米俵に取りすがった。リーダー格の井口《いぐち》ツタや板井《いたい》ツギらは、倉庫近くで回漕《かいそう》店の番頭と交渉していた。女たちの必死の行動が実を結び、この日の仲仕の作業は中止された。

政府のシベリア出兵宣言を契機に、米の投機的な買い占めや売り惜しみが激増し、米価は急撃に上昇した。魚津では、一月に一升二五銭だった米価が、七月になると三五銭になった。七、八月はただでさえ「鍋割月《なべわりつき》」といわれていたように、生活に困窮するのが常の地方である。しかもこの夏はとくに不漁で、仕事もなく、日雇い仕事に出ても一日二〇銭にしかならなかった。

●盛り上がる普通選挙運動
普通選挙期成同盟会が、一九一九年三月一日に東京・日比谷《ひびや》公園で開いた国民大会。普選獲得による国民の政治参加は、デモクラシーの大きな鍵だった。前ページ図版川岸きよの夫は、このあたりの漁師と同じように、不漁の夏場は北海道に出稼ぎに行っていた。きよは、子供ひとりとの二人暮らしであったために、子供がたくさんいる家庭よりはまだましであったが、それでも米が買えず、おからばかりを食べていのちをつないでいた。

一九一八年の夏、全国をゆるがした米騒動は、いのちと暮らしの問題を直接的契機にこうして始まり、最終的に、青森・秋田・沖縄の三県を除く一道三府四〇県で発生し、参加者の数も当局の調査で約七〇万人に及んだ。騒動は、劣悪な労働環境のもとにあった炭鉱や鉱山にも飛び火した。

中学生であった板沢金次郎《いたさわきんじろう》の回想によれば、当時彼が耳にした女たちの井戸端会議の話題は、松井須磨子《まついすまこ》から日本中の大ストライキ、ロシア革命まで、広範囲にわたっていたという。毎年、梅雨時から夏にかけてやってくる演歌師は魚津の夏の夜の人気者であったが、演歌師が歌う悪がしこい商人を罰する奸商征伐《かんしょうせいばつ》や無能政府批判、低所得者層の生活難などの歌詞に共感するだけの体験と生活実感、それなりの社会知識を彼女たちは有していたのである。

騒動のあと、川岸きよは、夫と一緒に子供を連れて千島《ちしま》や根室に出稼ぎ漁業に行った。働きずくめの生活のなかで、八人の子供（うち二人は死亡）を一人前に育てることばかりを考え、明治・大正・昭和・平成と激動の時代を生きた。そんな川岸きよが亡くなったのは一九九五年（平成七）のこと、一〇一歳の大往生であった。

以下、本章では、民衆のいのちと暮らしの視点から、明治後期から昭和初期にかけてのデモクラシーの問題を押さえてみたい。

足尾銅山鉱毒事件――もうひとつの「近代」

公害問題の原点

日露《にちろ》戦争で国民の目が外を向いている一九〇四年（明治三七）、栃木県の渡良瀬川《わたらせがわ》下流に位置する下都賀《しもつが》郡谷中《やなか》村は、廃村に追い込まれようとしていた。ここに広大な遊水池をつくるためである。では、なぜ遊水池が必要になったのであろうか。政府や栃木県は、利根《とね》川の洪水を防止するために、利根川と渡良瀬川の合流地点に遊水池をつくり、渡良瀬川からの流入を一時的に抑制する必要があるからと説明した。一見もっともな理由のようにみえるが、その背後には、長年にわたって国民の耳目《じもく》を集めてきた鉱毒問題の存在があった。政府は、ロシアとの緊張が高まっていたのを利用して、鉱毒問題に最終的な決着をつけようと考え、治水問題へのすりかえを図ったのである。

戦前の足尾《あしお》銅山鉱毒事件、戦後のチッソ水俣《みなまた》病事件など、公害問題は、ある意味で近現代日本を象徴するものといえる。問題の本質は、被害の発生を予防できなかったことではない。被害が発生したにもかかわらず、それを放置した結果、さらに被害を深刻化させた点にある。近代日本の企業の体質として、利益至上主義や効率万能主義が指摘されて久しいが、それを規制できなかったのは、資本家のモラルの問題もさることながら、むしろ政治に責任があると思われる。戦前から一貫する業界と癒着《ゆちゃく》した日本政治の体質は、いのちよりも利益を優先させてきた。

鉱山から発生する公害（鉱害）問題は、足尾銅山のそれも含めて、すでに近世社会からみられる。しかし、採掘技術の未熟さや、身分秩序や農本思想など近世権力の本質にかかわる規定性ゆえに、領主は被害農漁民の苦情を尊重して採掘の停止や閉山を命じることが多かった。そのため、被害の範囲はさほどの広がりを見せなかった。

　厳密にいえば、近代日本の最初の公害問題は、一八八三年の東京深川《ふかがわ》の浅野セメント工場のセメント粉塵《ふんじん》問題であったが、代表的なのはやはり鉱害問題であり、明治から大正にかけては、足尾銅山だけではなく、四国の別子《べっし》銅山や、秋田の小坂《こさか》鉱山、静岡の久根《くね》鉱山、それに岐阜の神岡《かみおか》鉱山や熊本の五木《いつき》銅山などでも鉱害（煙害）問題が発生している。

　しかし、被害の規模や深刻さからいっても、足尾銅山鉱毒事件は、近代日本における「公害問題の原点」であった。

2

●繁栄する足尾銅山
「東洋一」の銅山と称され、教科書にも登場した。写真は一八九五年頃のもの。煙に含まれた亜硫酸ガスが山々の樹木を枯らし、すでに山肌がむきだしになっている。

鉱毒問題の発生

足尾《あしお》銅山が発見されたのは、慶長《けいちょう》一五年（一六一〇）のこととされている。実際にはそれよりも早かったと考えられているが、元和《げんな》二年（一六一六）に開業し、幕府の直轄《ちょっかつ》鉱山となり、同六年からは、足尾全体が日《にっ》光東照宮《こうとうしょうぐう》の神領になった。

足尾銅山の最盛期は、延宝《えんぽう》四年から貞享《じょうきょう》四年（一六七六～八七）にかけてで、一年間に三五、六万から四〇万貫《かん》（約一三〇〇～一五〇〇トン）の産出量があった。その多くは貿易や鋳銭《ちゅうせん》、瓦などに利用された。しかし、その後は産出量が低下する一方であった。

そんな足尾銅山も、一八七七年（明治一〇）に古河市兵衛《ふるかわいちべえ》の所有となり、八一年の鷹《たか》の巣《す》、八四年の横間歩《よこまぶ》の優良な鉱脈の発見によって、産銅量も急激に増加していった。

足尾銅山から産出された銅ほどに、「強兵富国」政策を象徴するものはなかった。電線、銅貨、さ

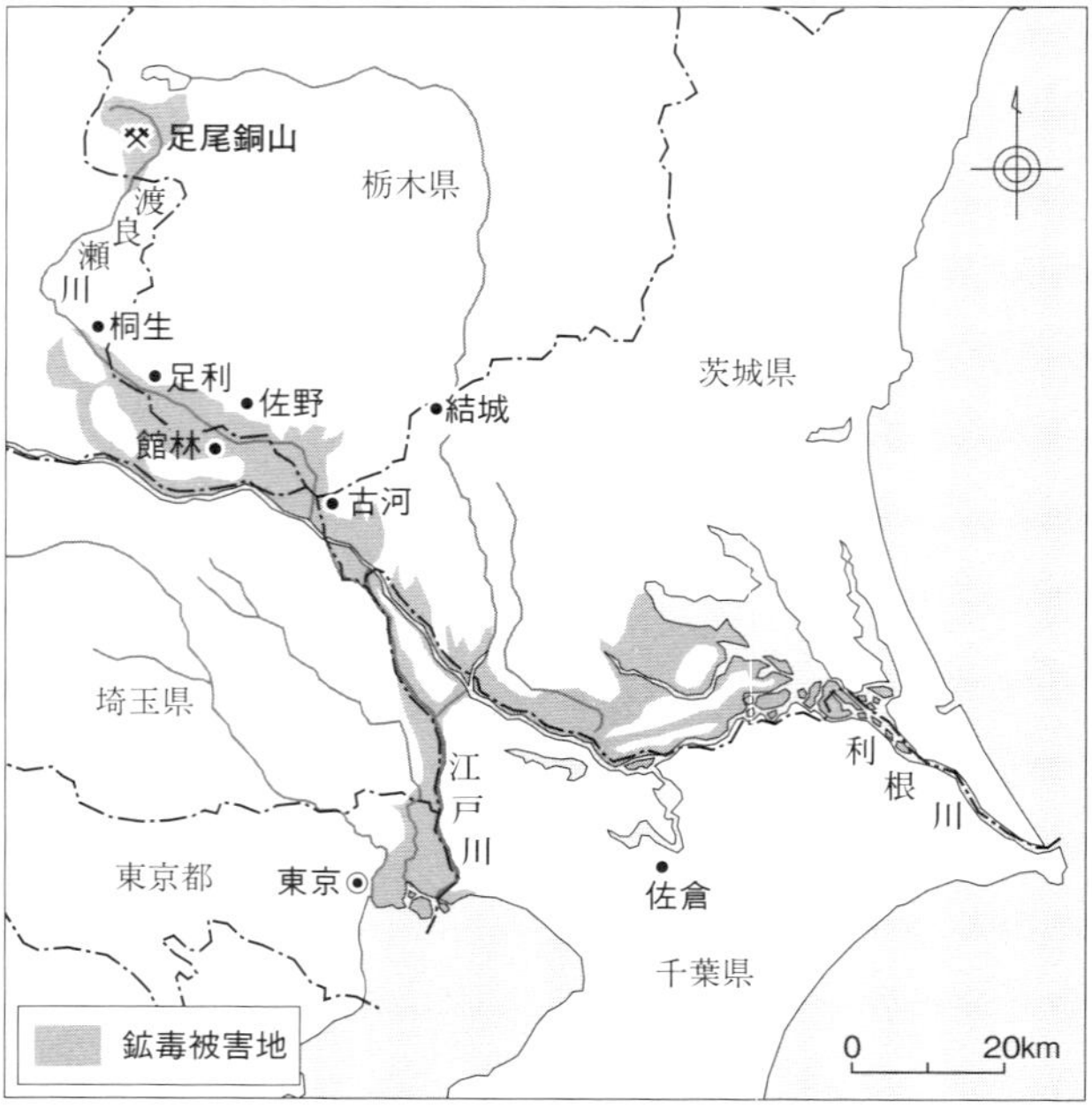

●足尾銅山の鉱毒被害
一八九九年時点で、関東地方の一府五県、四六七・一三三㎢に被害が及んだ。東京湾のあさりや海苔にも影響が出た。

らには軍需品などの原材料として、また外貨を獲得する輸出品として、銅は日本の近代化の支柱であった。足尾銅山を主力とする古河の生産額は、一八九〇年代初めには全国産銅の三分の一を占め、一八九三年時点では二七五万六〇〇〇円余、シェアは四〇パーセントに近かった。

その足尾銅山から流出する鉱毒の被害が顕在化したのは、一八八四年暮れから八五年夏にかけてのことであった。まず、足尾銅山周辺の山林樹木の枯死《こし》が報じられ、次いで渡良瀬川《わたらせがわ》の鮎の大量死が報じられた。ちょうど、足尾銅山で良質の鉱脈が発見され、生産が飛躍的に増大した時期である。しかし、渡良瀬川沿岸の住民が反対運動に立ち上がったのは、五年後の一八九〇年八月の洪水によって、土地や農作物に甚大な被害を受けてからであった。

永久示談契約

衆議院議員田中正造《たなかしようぞう》は、一八九一年（明治二四）一二月一八日の国会で初めて鉱毒問題をとりあげ、政府の責任を追及した。それに対して陸奥宗光《むつむねみつ》農商務大臣は、被害の原因は判明しないと言いつつも、鉱毒予防のためにドイツから最新の「粉鉱採集器《ふんこうさいしゆうき》」を取り寄せ、一三台設置すると答弁した。「粉鉱採集器」とは、じつは増産のための機械であった。それまで水と一緒に流していた粉鉱に含まれる銅分を回収し、選別する機械であった。それを鉱毒予防のための機械であるかのように偽りながら、古河《ふるかわ》は被害民とのあいだに示談交渉を進め、日清《につしん》戦争の最中には「永久示談」を強要したのである。だが、この最新の「粉鉱採集器」も回収率はせいぜい三〇パーセント程度にすぎず、残りは水と一緒に渡良瀬川《わたらせがわ》に流され、その鉱分の量は一日六トンにも達したとされる。以後、鉱毒被害が激化するのも当然であった。陸奥の次男潤吉《じゅんきち》は、古河市兵衛《いちべえ》の養子になっていた。

示談契約によって被害農民が獲得した金は微々たるもので、一反《たん》あたりにすると一四銭八厘にすぎなかったという。鉱毒以前の反あたり平均収量は五、六俵で、反あたり一五円の収入があった。

被害農民たちが、このような悪条件の示談契約に応じた理由は、地域の有力者である郡長や県会議員が仲裁の斡旋《あっせん》をしたために断わりにくかったという事情に加え、極端な生活苦のなか、「粉鉱採集器」の設置により将来鉱毒被害がなくなるのであれば、いまのうちに示談金をもらっておいたほうが得策だと考えたためと、永島與八《ながしまよはち》は『鉱毒事件の真相と田中正造翁』のなかで指摘している。

しかしながら、一八九六年九月の渡良瀬川大洪水により鉱毒被害が一府五県に拡大・深刻化したことによって、被害民たちも操業停止要求で一本化し、群馬県邑楽《おうら》郡渡瀬《わたらせ》村（現在の館林《たてばやし》市）の雲龍寺《うんりゅうじ》に鉱毒停止事務所を設置して反対運動を展開していった。

「押出し」

反対運動の主要な方法は、「押出し《おしだ》」と呼ばれた。被害民たちが、政府や議会に請願するために、何千人という規模で大挙して上京する運動である。

「押出し」という運動のスタイルには、随所に一揆《いっき》の作法が踏襲《とうしゅう》されている。近代的な請願権の行使ではあったが、多数参集し、集団の無言の圧力を利用して訴え出る方式は、まぎれもなく「強訴《ごうそ》」

の伝統であった。また、県を飛び越して直接国に、さらには天皇に訴えようとする発想は、「越訴《おっそ》」そのものであった。打ちこわしをほのめかしつつの参加強制があったことも報じられているし、寺の鐘を合図に行動する方式や蓑笠《みのかさ》姿といういでたちも同様である。

しかし、「押出し」を組織していく過程で、演説会が多用されたことや、志気を高めるために『鉱《こう》毒悲歌《どくひか》』をはじめとする歌が活用されたことなどは、近代の民衆運動ならではの特色である。歌だけではない。老婆たちは、鉱毒犠牲者を悼《いた》む念仏を唱えて村々を経巡《へめぐ》り、東京に出てきては古河《ふるかわ》の屋敷前で念仏和讃《ねんぶつわさん》行動をとった。「押出し」の途中で警察の検問にひっかかった農民のひとりは、川崎大師《かわさきだいし》にお参りに行くといってすりぬけている。かと思えば、幻燈《げんとう》や写真を用いて鉱毒被害の現状をなまなましく伝えるなど、ありとあらゆる方法を駆使した、伝統文化も新しい文化も総動員しての一大民衆運動であった。

さらに注目すべき点は、被害民が独自に被害の実態を克明に調査し、その結果をもとに議会への請願やマスコミへの働きかけを行なったことである。調査を指示したのは田中正造《たなかしょうぞう》であったが、被害民たちの寝食を忘れた取り組みがなければ実現しなかった。それによって、被害地の出生率の極端な低下と死者の急増という衝撃的な事実が判明した。

一八九九年（明治三二）一二月五日までの調査結果では、四県三四字《あざ》

3

◉旧古河邸
古河財閥の威光を示すかのような煉瓦造りの邸宅と庭園は、コンドルの設計により、一九一七年に建設された。東京都北区。

の人口一万八四七三人中、出生が二一九一人、死亡が三二五五人で、死者の数が一〇六四人も上まわっていた。当時の日本全国の出生者対死亡者の比率はおおよそ三対二であったから、鉱毒被害地ではその比率が逆転していたことになる。被害民たちは鉱毒がいのちをも危機にさらしている事実を明らかにしたのである。正造はそれを「非命《ひめい》の死者」と表現し、具体的な調査結果をもとに国会で政府を追及した。

川俣事件

たび重なる「押出し」と世論の昂揚《こうよう》に押され、第二次松方正義《まつかたまさよし》内閣は、古河《ふるかわ》に対して鉱毒予防工事命令を出し、予防工事を実施させた。だが、工事の手抜きと技術力の限界のために、鉱毒の流出や亜硫酸ガスの放出を抑えることはできなかった。被害民たちは、「非命の死者」の「仇討《あだうち》」として、四回目の「押出し」に出発した。その数は、「一万二〇〇〇人」（被害者側）とも「二五〇〇余名」（警察側）ともいわれている。一九〇〇年（明治三三）二月一三日のことであった。

ところが、あらかじめ利根《とね》川北岸の川俣《かわまた》に待機していた三〇〇余名の憲兵・警官隊によって、被害民たちは大弾圧を受けた。被害民たちの集会に潜り込んだ館林《たてばやし》警察署のスパイによって、被害民側の動静は逐一《ちくいち》報告されていたのである。このとき、警官たちは「土百姓《どびゃくしょう》」という掛け声をかけて襲いかかり、被害民たちに殴る蹴《け》るの暴行をほしいままにしたあとで、「勝ちどき」をあ

●血染めの下衣
第四回「押出し」に参加した被害民たちは大弾圧を受けた。写真は、負傷した犬伏《いぬぶし》町の山崎銈次郎《やまざきけいじろう》のシャツ。首まわりが濃く染まっている。

げたという。そのうえ、弾圧を受けた側の被害民一〇〇余名が「兇徒聚《きようとしゆう》衆罪《しゆうざい》」の名目で逮捕され、六八名が予審にまわされ、五一名が起訴、公判にかけられることになった。

こうして、足尾鉱毒反対運動の指導者たちは一網打尽《いちもうだじん》にされた。今日では、川俣事件は、運動を壊滅させようと考えた権力側の謀略によってでっちあげられたことが判明している。

田中正造《たなかしようぞう》は、一九〇〇年三月一七日に「亡国に至るを知らざればこれ即ち亡国の儀につき質問書」を提出し、有名な「亡国演説」を国会で行なった。民を殺すことは国家を殺すことである。法をないがしろにすることは国家をないがしろにすることである。みな自分で国を壊していることになる。財を濫用《らんよう》し、民を殺し、法を乱して滅びない国はない。これをどのように考えるか、と正造は政府に迫った。ところが、山県有朋《やまがたありとも》首相の答弁書は、「質問の趣旨が理解できないので回答せず」という、ただそれだけであった。

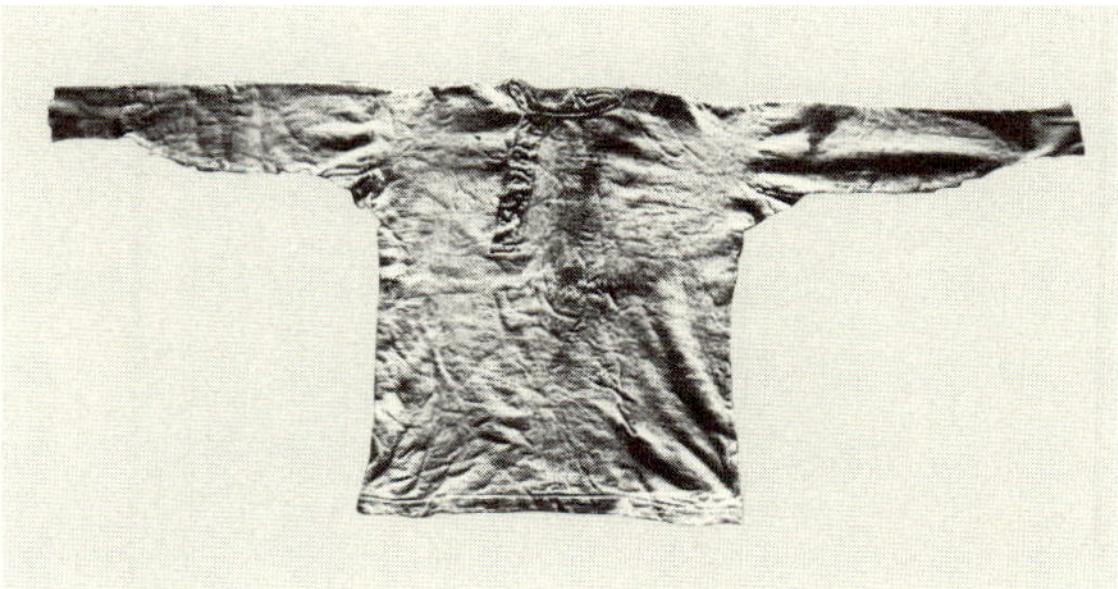

4

天皇への直訴

一八九九年（明治三二）三月六日、田中正造《たなかしようぞう》は、第二次山県有朋《やまがたありとも》内閣が提出した議員歳費を八〇〇円から二〇〇〇円に値上げする法案への反対演説を行なった。この法案は、地租を二・五パーセントから三・三パーセントに増徴する法案に賛成してもらうための見返りという性格をもっていた。正造は、今日のような不景気に際して、〈賄《わい》賂《ろ》的〉な値上げを行なっては〈人民に対して相済《あいす》ま〉ぬといい、歳費の多寡《たか》で〈議員の品格〉が左右されるのではないと指摘した。四月一九日、正造は歳費全額を辞退する届けを衆議院議長宛《あて》に提出した。

こうして、政治というものにますます失望の念を深めていった正造は、議員を辞職したのち、一九〇一年一二月一〇日に明治天皇への直訴《じきそ》を敢行したのである。

正造の直訴によって、世論は沸騰し、被害民救済運動は大きな盛り上がりを見せた。女性や宗教関係者のみならず、学生の運動も活発に行なわれた。一二月二七日におよそ一〇〇〇名前後の学生たちが参加して鉱毒地の視察を行なったあとで、有志は学生鉱毒救済会を結成し、被害民救済のための路傍《ろぼう》演説や義捐金《ぎえんきん》の募金活動を熱心に実施した。

こうした学生たちの運動に対して、文部省や府知事は学校長などに圧力をかけて禁止する命令を出させたが、学生たちはそれにひるまず、翌年一月二六日に第二回目の鉱毒地視察旅行を実行した。二月に入っても連続して演説会などを開催し、三月の春休みには早稲田大学の学生高木《たかぎ》来喜《きよし》・佐藤《さとう》千纏《ちまき》ら三人が幻燈《げんとう》機を担いで関西地方に赴

5

6

●田中正造と妻の田中カツ
政治と運動で家を顧みなかった正造（一八四一～一九一三）にかわり、カツ（一八四九～一九三六）は留守宅を守ったばかりか、被害民の施療や実態調査にも携わった。

き、被害民救援のための講演活動を展開した。私は、学生鉱毒救済会の運動を、日本における学生（社会）運動の第一号と位置づけている。

女性たちが果たした役割も評価されるべきである。被害地の女性たちは、正造の指示もあり、被害激甚地に設置された施療院で活動するかたわら、母乳欠乏の実態や乳幼児の健康調査などを実施した。さらに、直訴後の運動では、女性たちも運動の表舞台に立つようになる。

一九〇二年二月一九日には、女性たちの「押出し」が行なわれ、約七〇名が参加した。群馬県海老瀬《えびせ》村で警官隊に押しとどめられ、上京できたのは一七名であったが、女性たちは各新聞社を訪問して被害の実情を説明し、衆議院・貴族院議長、首相官邸などを訪ねては何度となく面会を求めた。その後も女性たちはしばしば上京し、野宿《のじゆく》をしながらも、鉱毒被害の根絶を願って行動していった。

足尾《あしお》鉱毒反対運動は、幕末維新期の「世直《よなお》し」、自由民権期の民衆運動に次いで、明治中・後期を代表する民衆運動であった。自分たちの手で、いのちと暮らしを守ろうと立ち上がった運動というだけではなく、女性たちも運動の主体として参加したことが、それまでの民衆運動とは決定的に異なる特徴といえる。

谷中廃村

田中正造《たなかしようぞう》は、日露《にちろ》戦争の最中の一九〇四年（明治三七）七月末、谷中《やなか》村の買収に反対する運動を組織するために、単身で谷中村に入っていった。

栃木県は、洪水で決壊した堤防を修繕せずに放置したまま、村民たちが自力でつくったささやかな急水留《きゅうすいどめ》も破壊して、追い出しにかかった。

こうして、一九〇六年七月、隣の藤岡《ふじおか》町と合併するかたちで谷中村は廃村になった。煙害で廃村に追い込まれた松木《まつぎ》村とあわせて、足尾《あしお》銅山鉱毒事件は、渡良《わたら》瀬《せ》川《がわ》の最上流と最下流の二つの村を破壊したのである。

それでもまだ、買収に抵抗して一六戸（堤外も含めると一九戸）の人びとが、谷中の地に踏みとどまって生活を続けていた。栃木県の手によって家屋が強制破壊されても、残留民は粗末な仮小屋をつくって住みつづけ、谷中を去ろうとはしなかった。正造は、そんな残留民とともに、一九一三年九月四日に亡くなるまで闘いつづけたのである。

鉱毒の流出はその後も相次ぎ、深刻な被害をもたらしたが、被害民の声は圧殺され、公然と表明できるようになるには、戦後を待たなければならなかった。

7

●強制破壊後の谷中残留民の仮小屋
一九〇七年の強制破壊の様子は、荒畑寒村《あらはたかんそん》『谷中村滅亡史』に詳しい。権力の暴力に対して、残留民は無抵抗を貫いた。写真は渡辺長助《わたなべちょうすけ》宅。

「いのち」の思想家田中正造

谷《や》中《なか》村に入ってから後の研究を、田中正造《たなかしょうぞう》は「谷中学」と表現し、みずからを「谷中学初級生」と位置づけた。それでは、彼の「谷中学」は、どのような思想的地平を切り開いたのであろうか。

正造には、〈山や川の寿命は万億年の寿命〉だが、人間の寿命は〈一瞬間〉にすぎないという地球史レベルの確信があった。だから、人は万物の霊長でなくてもよい、〈万物の奴隷でもよし、万物の奉公人でもよし〉といい、〈万事万物の中にいる〉人間は、自然との調和・共生をめざさなければならないとした。自然を害して得られる利益は〈人造の利益〉にすぎない、〈真の文明は山を荒らさず、川を荒らさず、村を破らず、人を殺さざるべし〉というのである。

正造が追求した「真の文明」とは、同時に、他人よりもより多く、よりよいものを所有しようという欲望を否定するところに成立するものであった。人間は「物質富豪の奴隷」であってはならないのであった。日清《にっしん》戦争前の初期議会期にこそ大日本

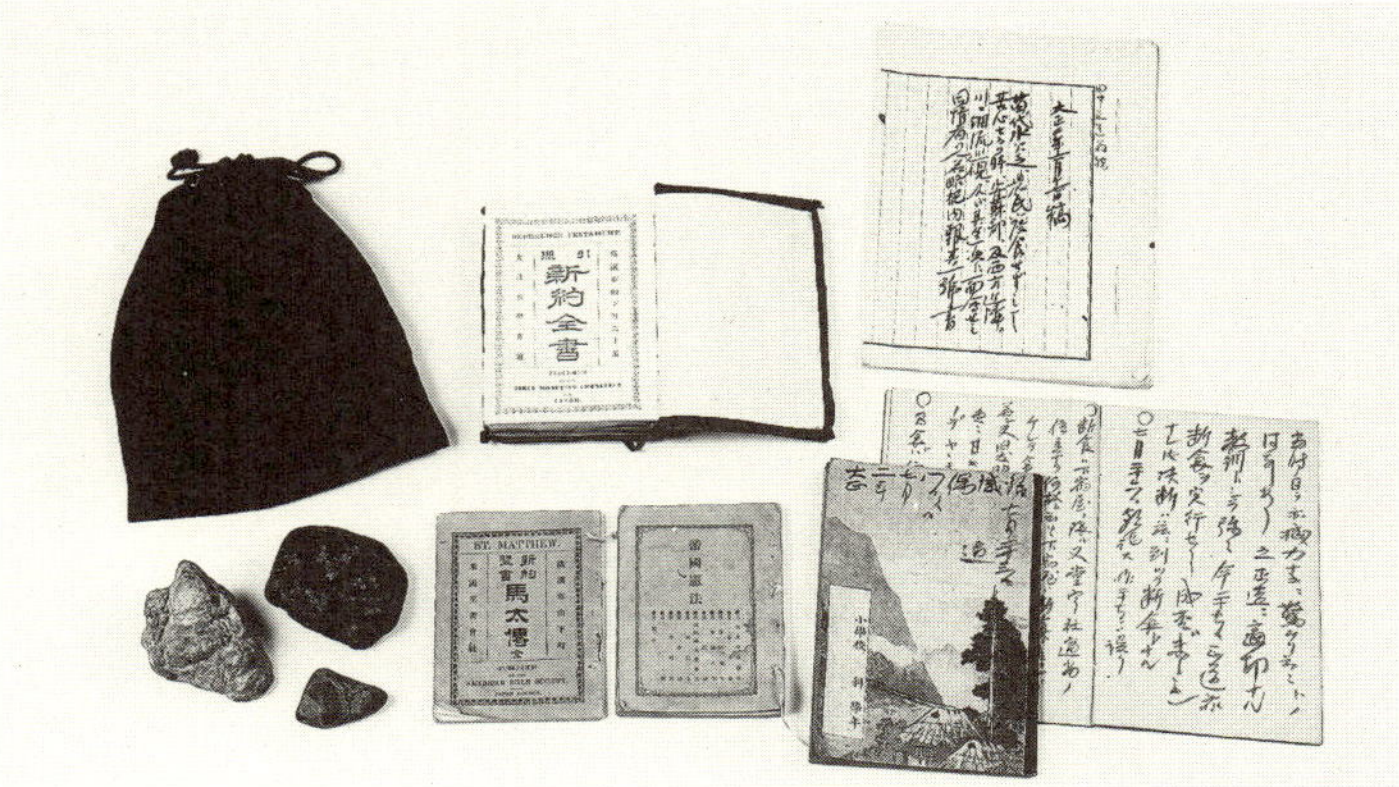

8

●田中正造の遺品
「無所有」の生き方を理想とし、財産のすべてを公共のために投げ出した正造が最後に持っていたのは、わずかにこれだけだった。

帝国憲法第二十七条に規定された所有権を武器に政府を追及したが、やがて「所有」よりも「生存」を優先させる文明のありようを理想とするようになっていく。

正造が亡くなったとき、いつも持ち歩いていた信玄袋《しんげんぶくろ》の中に残されていたのは、新約全書、大日本帝国憲法とマタイ伝を綴《つづ》りあわせた合本、日記帳三冊、河川調査の草稿、鼻紙数枚と川海苔《かわのり》、それに小石が三個のみであった。

〈人の死を見る、犬猫の死を見るよりも冷《ひやや》かなり〉。そうした時代状況のなかで、正造は「国益」に押しつぶされていった「いのち」に寄り添う視点から、利益中心の近代文明を告発しつづけたのである。いのちを包みはぐくむ環境を重視し、地域社会における「公共協力相愛の生活」を基軸に、新たな公共性を民衆世界のなかにつくりあげようとしていた田中正造は、まぎれもなく現在の日本国憲法の先駆者であり、二一世紀を生きる私たちの光明でありつづけている。

私たちは、チッソ水俣《みなまた》病事件のような悲劇を二度と繰り返さないためにも、田中正造に学び、足尾銅山鉱毒事件の教訓を後世に語り継いでいく責任があるだろう。

大逆事件と新思想の芽生え

藤村操の投身自殺

日清《にっしん》戦争後、若者たちのなかに少しずつ思想的な変化が現われはじめた。人生の意味に煩悶《はんもん》する若者たち、恋愛を通していのちを輝かせようとする若者たち、そして何をやってもいいからとにかく偉くなりたい成功したいと願う若者たちが登場してくる。それをみごとに象徴しているのが、一九〇二年（明治三五）一〇月に創刊された『成功』という雑誌であった。

表紙に「立志独立　成功之友」という文字が躍るこの雑誌は、毎号、「成功の秘訣」と題する当時の名士の成功談をずらりと並べる編集も効を奏して、多くの青少年に受け入れられていった。のちに高群逸枝《たかむれいつえ》と結婚する橋本憲三《はしもとけんぞう》も、まだ熊本県球磨《くま》地方の小学生であったが、早くも『成功』を愛読していた。

煩悶する若者の代表格は、藤村操《ふじむらみさお》である。第一高等学校の一年生で、夏目《なつめ》漱石《そうせき》が教えたこともある藤村が、一九〇三年五月二二日に、日光華厳《にっこうけごん》の滝に身を投げて自殺したのである。この事件は、たいへんなセンセーションを巻きおこした。

たんに投身自殺したからだけではない。自殺する前に、藤村が、樹の幹を削って「巌頭之感《がんとうのかん》」と題する辞世《じせい》を刻んでいたことが関心を呼んだのである。そこには、人生の真相を明らかにしようと

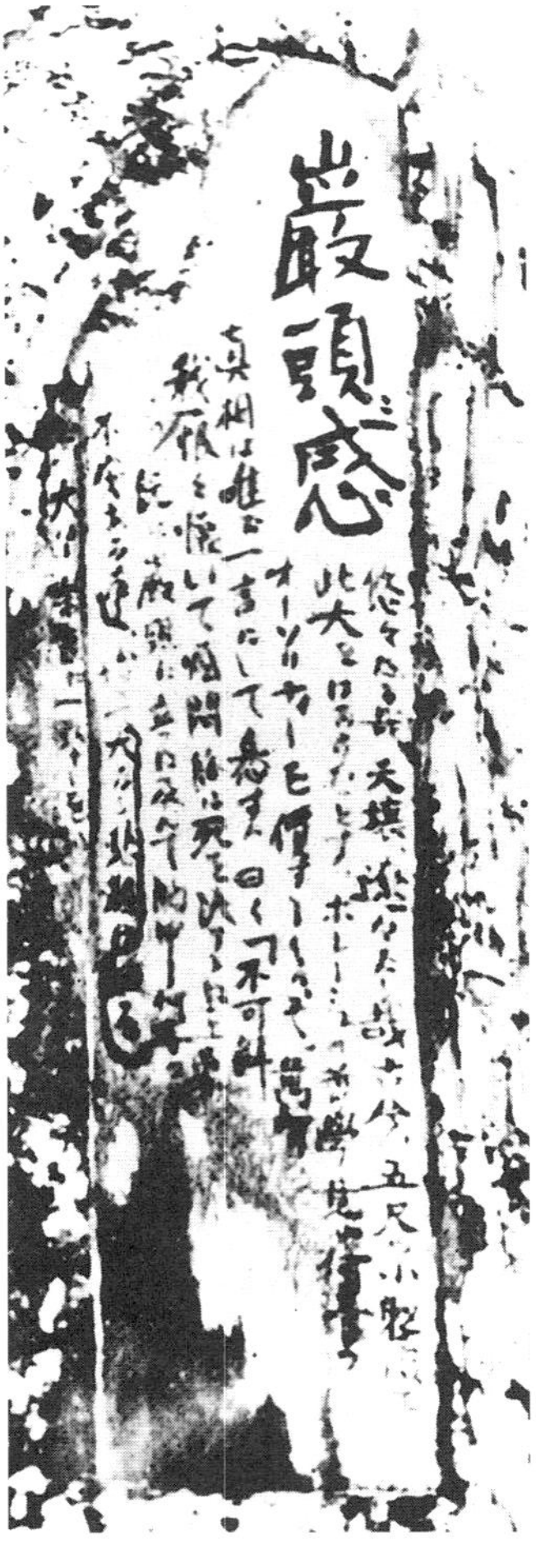

9

◉藤村操の「巌頭之感」
藤村が日光華厳の滝上の樹木の幹に残した遺言。「ホレーショの哲学」云々《うんぬん》の文章は、『ハムレット』からの引用か。

思ってこれまでさまざまな哲学書を読んできたが、結局わかったのは「不可解」の一文字である、自分はその憾《うら》みを抱いて自殺すると書かれていた。

恋愛問題が自殺の原因であったという説もあるが、それにしても藤村の自殺が若者たちに与えた影響はたいへんなものであった。一九〇七年七月までの四年間に、華厳の滝で自殺を企てた人は一八五名にも及んだ。地元の人たちは、定期的に巡回するなど警備を厳重にして、自殺を思いとどまるよう説得にあたったが、それでも四〇人が自殺したのである。

また、藤村の同級生たちのショックも大きく、彼と同じクラスの一七名が、進級試験に落第している。一九〇六年二月に自殺した岡山の山陽女学校の松岡千代《まつおかちよ》も哲学書を好んで読んでいたことから、学校は女学生に哲学書を読むことを禁止したという。

社会矛盾への着目

そのようななかで、日清《にっしん》戦争後に浮上したさまざまな社会問題に注目し、正義感を燃えたぎらせながら、社会矛盾の解決のために奮闘した若者も存在していた。社会矛盾に目を向ける契機になったのは、ほとんどが足尾《あしお》銅山鉱毒問題であった。そして、その多くは、社会主義思想に接近していった。いわば、徳富蘇峰《とくとみそほう》のいう「力の福音《ふくいん》」に与《くみ》せずに、大西祝《おおにしはじめ》の「平等の福音」を重視したのである。その代表格は、熊本県八代《やつしろ》出身の松岡荒村《まつおかこうそん》であった。

南北朝《なんぼくちょう》動乱時代の南朝方の忠臣を祖先にもつ松岡は、京都の同志社時代から、洛陽《らくよう》教会を中心に貧児問題などに取り組んでいたが、田中正造《たなかしょうぞう》の直訴に大きく心を揺さぶられ、鉱毒問題に関心をもつようになる。そして荒村は、〈かよわき者、さちなき者のために一身を犠牲にし尽さざるべからず〉という生き方を選んでいった。その後、同志社時代の恩師であった安部磯雄《あべいそお》を慕って早稲田大学に移り、白柳秀湖《しらやなぎしゅうこ》や山口孤剣《やまぐちこけん》などと一緒に社会主義運動に従事するようになるが、徴兵検査のために帰省した八代で肺結核を悪化させ、ついに帰らぬ人となってしまう。わずか二五歳であった。

彼の著作を友人たちがまとめて出版した『荒村遺稿《こうそんいこう》』は、即日発売禁止になった。その理由は、「国歌としての君が代」という文章にあったとされる。「君が代」は、歌詞もメロディーラインも陰鬱《いんうつ》で、「永久」を歌うにはふさわしくなく、歌っていても元気がわいてこない、だからいっそのこと新しい国歌をつくるべきであると主張したこの文章は、戦前におけるもっとも鋭い「君が代」批判であった。

普選運動と初期社会主義

普通選挙運動は、実質的には一八九七年（明治三〇）七月、信州松本で中村太八郎《なかむらたはちろう》や木下尚江《きのしたなおえ》を中心に普通選挙期成同盟会が組織されたことに始まる。一八九九年一〇月二日に、東京で普通選挙期成同盟会が結成され、一九〇〇年になると社会主義者や労働運動家も積極的に関与するようになる。いわば、普選問題を軸とした自由主義者と社会主義者との提携が実現したのである。

同盟会は、①選挙人の年齢を満二五歳から二〇歳に、②満一年以上という居住制限を完全撤廃、③納税資格の完全撤廃、④被選挙権を三〇歳から二五歳に、という要求を掲げ、議会に対する請願運動を組織すると同時に、民衆への啓蒙《けいもう》運動にも力を入れ、普選運動は大きな盛り上がりを見せた。

一九〇一年五月一八日、日本における初めての社会主義政党である社会民主党が、安部磯雄《あべいそお》・片山潜《かたやません》・河上清《かわかみきよし》・木下尚江・幸徳秋水《こうとくしゅうすい》・西川光二郎《にしかわこうじろう》の六名により結成された。社会民主党は、翌一九日に届け出たが、二〇日には結社禁止となった。

このように、日清戦争後には、いのちと暮らしを守る鉱毒反対運動、経済的平等を求める社会主義運動、政治的平等を求める普通選挙運動が成立し、普選運動を軸として、それらの目標を政治的民主主義の獲得を通して実現するという方針で共同戦線を展開していたのである。問題の焦点は、まさにこの政治的民主主義の実現＝「民権」の完成にあった。

このことは、社会民主党が禁止された理由からも判断できる。これまでの研究によれば、禁止の理由は「行動綱領」のなかのつぎの三項目であった。

（二十三）重大なる問題に関しては一般人民をして直接に投票せしむるの方法を設けること。
（二十五）貴族院を廃止すること。
（二十六）軍備を縮小すること。

意外なことに、禁止理由は国民投票制（レファレンダム）と貴族院廃止と軍備縮小にあった。すなわち、生産手段の公有であるとか、財富の分配の公平であるとかいう社会主義的な綱領よりも、民主主義的な綱領のほうを政府は危険視したのである。政治的民主主義の徹底が天皇制の否定につながることを権力は恐れたのであった。

こうして烽火《のろし》があげられた社会主義運動を、大正期以後の社会主義と区別して初期社会主義と呼んでいる。

天皇制と共存する社会主義

初期社会主義を代表する思想家は、高知出身の幸徳秋水《こうとくしゅうすい》であった。痩《や》せた小男であった幸徳は、中江兆民《なかえちょうみん》の家に書生として住み込み、その思想の影響を強く受けていた。秋水という号も兆民からもらったものである。そして、『中央新聞』や『万朝報《よろずちょうほう》』の看板

10

◉社会民主党の六人の創設者
左から安部磯雄、河上清、幸徳秋水、木下尚江、片山潜、西川光二郎。その宣言書を掲載した新聞各紙は、みな発売禁止になった。

記者として活躍するなかで、徐々に社会主義思想に接近していった。荒畑寒村《あらはたかんそん》にいわせれば、漢文調の名文家であった幸徳の文章は、社会主義者の「精神的霊火《れいか》」であった。田中正造《たなかしょうぞう》の天皇への直訴状を執筆したのも幸徳である。

幸徳は、まず、『廿世紀之《にじつせいきの》怪物《かいぶつ》帝国主義』(一九〇一年〔明治三四〕)を刊行し、帝国主義は愛国心を縦糸とし、軍国主義を横糸として織りなした政策であって、少数の欲望のために多数の福利を奪うものであると批判した。次いで、『社会主義神髄《しんずい》』(一九〇三年)を著わし、ここで「科学的社会主義」の立場に立つことを宣言して、マルクスのいわゆる歴史発展段階説を初めて紹介した。そして、社会主義には、①物質的生産機関、すなわち土地と資本の公有、②生産の公共的経営、③社会的収入の分配、④各人の消費にあてる財産の私有、という四つの要件が必要であると述べた。これは、アメリカのイリー著『社会主義と社会改良』を下敷きにしていた。

しかし、この時点での幸徳は、社会主義革命の方法として、ドイツ社会民主党をモデルとした、普通選挙の実現を通して政権を奪取するという平和的革命を考えていた。革命の主体は「中等民族」であって、労働者階級ではなかった。それどころか、社会主義は天皇制と共存すると主張していた。

幸徳は言う。社会主義とは社会人民全体の平和と進歩と幸福を目的とするものであって、決して君主ひとりのために図るものではない。だから、〈朕《ちん》は即《すなわ》ち国家なりと妄言《もうげん》〉したフランスのルイ一四世のような〈極端な個人主義者〉は社会主義の敵であるが、日本でいえば〈仁徳《にんとく》天皇の大御心《おおみこころ》〉のようなものは〈全く社会主義と一致契合するもので、決して矛盾する所ではない〉、自分は、社会主義に反対する者こそ、かえって「国体」と矛盾する者ではないかとさえ思っている、と。

〈仁徳天皇の大御心〉とは、あるとき仁徳天皇が山の上から下々の世界を見下ろしたところ、民家の竈《かまど》から煙が昇っていないことに気づき、食べるものにも事欠いて苦しんでいる民を憐《あわ》れみ、それから三年間は年貢を取らなかったという、神話のなかの話である。このエピソードを、それまでの仁徳天皇の苛酷《かこく》な収奪を証明するものと解釈した福沢諭吉《ふくざわゆきち》との懸隔《けんかく》は大きかった。

幸徳が革命の方法と考えていた普通選挙を求める運動は、一九〇二年後半から〇三年にかけて空前の盛り上がりを見せる。

日本社会党第二回大会

議会政策論の代表といえば田添鉄二《たぞえてつじ》である。一九〇七年（明治四〇）二月の日本社会党第二回大会における路線闘争で、直接行動論を掲げる幸徳秋水《こうとくしゅうすい》を真っ向から批判した人物であるにもかかわらず、田添の名前は、幸徳や堺利彦《さかいとしひこ》、片山潜《かたやません》らの陰に隠れて、歴史の表舞台にはほとんど出てこない。

幸徳は、アメリカでロシアのアナーキストの影響を強く受け、帰国後の一九〇七年二月五日の日刊『平民新聞』（第一五号）に、「余が思想の変化（普通選挙について）」を寄稿し、そのなかで〈社会主義運動の手段

●田添鉄二（一八七五〜一九〇八）熊本県出身。社会主義者としてのデビューは遅かったが、わずか三、四年のあいだに『近世社会主義史』などの理論的論稿を多数発表した。

方針に関する意見〉が数年前に比べると〈別人〉のように変わってしまったことを率直に告白した。それは、普通選挙や議会政策ではほんとうの社会的革命を成し遂げることは到底できない、社会主義の目的を達するには、〈団結せる労働者の直接行動《ヂレクト・アクション》に依《よ》る〉ほかはない、ということであった。

折しも足尾《あしお》銅山で労働者の暴動が発生し、軍隊が出動して鎮圧にあたっていた。それに力を得た幸徳は、第二回大会の演説のなかで、田中正造《たなかしょうぞう》の議会における闘いを例に、議会政策の無力さをふたたび強調したのである。

それに対して、田添は同じく日刊『平民新聞』に「議会政策論」を発表して、つぎのように批判した。社会主義運動の道は決して一直線ではなく、どの国も議会政策や直接行動、労働者教育などを併用しているのが実態である。どの政策に比重をおいて運動を進めるかは、ひとえに〈社会生活状態〉の相違や〈国民性格〉の相違にかかっている。労働者階級の要求は〈政権の略取〉ではなく〈パンの略取〉にあると幸徳は主張するが、〈パンの略取〉を目的にするだけでは、日本の労働者たちは若干の賃上げや労働条件の改善を獲得しただけで満足してしまい、労働者全体の階級的な解放を実現するところまでは進まない。だから、経済的覚醒《かくせい》と同時に、政治的な階級意識の覚醒が必要不可欠なのである。そのためには、これまで維持してきた議会政策にこれからも地道に取り組んでいくのが一番である。直接行動に走るのは犠牲が大きすぎる。日本には〈日本社会の実体が要求する日本式の活動〉があって当然である、と。

ところが、革命の大道は一〇〇〇人中九九九人の労働者が妻子とともに歩むことができるような

〈平凡道〉でなければならないと考えていた田添の議会政策論は、社会党員の支持を得ることができなかった。結局、日本社会党第二回大会は、直接行動と議会政策を折衷《せっちゅう》した評議会案が二八票を得て決着した。幸徳案は二二票を獲得したが、田添の案はわずかに二票しか賛成を得られなかった。

『世界婦人』

日本社会党は、第二回大会直後の一九〇七年（明治四〇）二月二二日、結社禁止に追い込まれた。社会主義陣営も、分裂を余儀なくされた。血気盛んな若い大杉栄《おおすぎさかえ》や荒畑寒村《あらはたかんそん》、山川均《やまかわひとし》らは、赤旗《あかはた》事件を起こして逮捕され、獄につながれた。

このような状況のなかで、社会主義の旗幟《きし》を鮮明にして活動したのが、福田英子《ふくだひでこ》を中心とする『世界婦人』のグループであった。いみじくも、女性史研究者の村上信彦《むらかみのぶひこ》によって〈人生を二度持ったようなもの〉と評された福田英子は、かつては景山英子《かげやまひでこ》として自由民権運動に参加し、大阪事件にかかわって逮捕・投獄された経験を有していた。

その後、社会主義思想に接近した福田は、一九〇七年一月一日に『世界婦人』を創刊した。影の主役といわれた石川三四郎《いしかわさんしろう》をはじめ、小野《おの》吉《よし》勝《かつ》、遠藤友四郎《えんどうゆうしろう》、神川松子《かみかわまつこ》らが協力したが、石川三四郎の入獄や第二次桂太郎《かつらたろう》内閣の成立に伴う弾圧の強化などが原因で、一九〇九年七月五

11

◉福田英子（一八六五〜一九二七）
岡山県出身。岸田俊子《きしだとしこ》とともに、数少ない女性民権運動家のひとりであった。のちに、社会主義に接近する。田中正造《たなかしょうぞう》の谷中《やなか》村の闘いも支えた。

日、三八号を発刊して廃刊に追い込まれる。

現在ではあまり注目されることのないこの『世界婦人』を見ていくと、その後の女性解放運動が解決を迫られた思想的課題の大部分が、すでに提起されていたことに気づかされる。女性にとっての敵は男性か社会か、女性としての解放か人としての解放か、性差別の撤廃が先か階級差別の撤廃が先か、などの問題である。

また、のちに婦選獲得同盟《ふせんかくとくどうめい》が提起した「政治と台所」「政治の粛正」という観点も萌芽的にみられ、政治は志士仁人《ししじんじん》がやるものではなく、生活者としての感覚を重視すべきものであるという政治観の変革の兆しも見てとれる。基本的には、社会主義革命が実現して階級差別が撤廃されれば、性差別はおのずと解消されるという楽観主義的色彩が強かったが、これは多かれ少なかれ初期社会主義者に共通する傾向であった。

主宰していた福田英子の奮闘ぶりはすさまじかった。三人の子供を抱え、一家の主人＝主婦として生活を支え、その一方で世界婦人社の経営者として広告とりなどに奔走しなければならない毎日であった。生活苦と経営難がつきまとって離れなかった。子供に十分かまってやることもできないために、時に気弱になって、女は家庭を大切にするのが〈天然に動かすべからざる使命〉ではないかと書いたりもしていたが、福田をつき動かしていたのは、自分は人生の「失敗婦人」であるとの痛覚と、無自覚な同性への憤り、そして女性にそういう状態を強《し》いている男性の専横への怒りであった。それが、二年半余も『世界婦人』を継続させたエネルギーであった。

大逆事件

一九一〇年（明治四三）五月二五日、信州で天皇を爆殺するための爆弾を製造し、ひそかに爆破実験を繰り返していた宮下太吉《みやしたたきち》が逮捕された。それを契機に、八月にかけて全国の社会主義者がいっせいに検挙される。国家権力のフレームアップによる大逆事件《たいぎゃくじけん》の始まりである。

首謀者は、管野《かんの》スガ・宮下太吉・古河力作《ふるかわりきさく》・新村忠雄《にいむらただお》の四人であったが、当時管野スガと事実婚の関係にあった幸徳秋水《こうとくしゅうすい》も検挙された。大逆罪は、現在の最高裁判所にあたる大審院《だいしんいん》で、秘密裁判という形で審議される。公判は一二月一〇日より始まった。そして、翌一九一一年一月一八日、二四人に対して死刑判決が下された。その後、一二人が無期懲役に減刑され、結局、二四日に幸徳ら一一人が、二五日に管野スガが絞首刑に処された。

天皇爆殺計画に幸徳が関与していなかったことは、宮下太吉が明言していた。幸徳は、年老いた母親のことが心配で、この計画に参加しなかったといわれている。しかし、これを機会に社会主義者を徹底的に弾圧してしまおうとする権力意志が、社会主義者の巨魁《きょかい》であった幸徳を見逃すはずもなかった。

どこから情報を仕入れたのか定かでないが、田中正造《たなかしょうぞう》は、死刑を前にして管野スガが泰然自若《たいぜんじじゃく》として臆《おく》する気配を見せなか

12

◉**幸徳秋水と管野スガ**（一八八一〜一九一一）
大阪出身の管野は、『牟婁《むろ》新報』（和歌山）に入社後、荒畑寒村《あらはたかんそん》と結婚。別居後は幸徳（一八七一〜一九一一）と内縁関係になった。

ったことを高く評価していた。

管野は、「死出《しで》の道艸《みちくさ》」という文章のなかで、〈今回の事件は無政府主義者の陰謀というよりも、寧《むし》ろ検事の手によって作られた陰謀という方が適当である〉と指摘し、それでも、〈私は、我々の今回の犠牲は決して無益でない。必ず何らかの意義ある事を確信しているのである。故《ゆえ》に私は絞首台上最後の瞬間までも、己《おの》れの死の如何《いか》に貴重なるかという自尊の念と、とにもかくにも主義の犠牲になったという美しい慰安の念に包まれて、些《いささ》かの不安・煩悶《はんもん》なく、大往生が遂《と》げられるであろうと信じている〉と述べていた。

そんな管野も、一月二二日に、堺利彦《さかいとしひこ》や大杉栄《おおすぎさかえ》たちが面会に来たとき、最後の最後になって大杉の妻であった堀保子《ほりやすこ》の手を握りしめ、ワッと泣き出したのであった。

大逆事件の直後、大胆にも幸徳らを弁護する講演を行なったのが、徳富蘆花《とくとみろか》である。蘆花は、一九一一年二月一日に第一高等学校で「謀叛論《むほんろん》」と題して講演したが、そのなかで、〈暴力は感心ができぬ〉が、幸徳たちは〈乱臣賊子〉ではない、むしろ〈彼らは有為の志士である〉〈その行為はたとえ狂に近いとも、その志は憐れむべきではないか〉として、政府を痛烈に批判した。

そして、謀叛を恐れてはならぬ、新しいものはつねに謀叛である、生きるためにはつねに謀叛しなければならぬ、と学生たちに呼びかけた。そのため、第一高等学校の校長新渡戸稲造《にとべいなぞう》は文部大臣から譴責《けんせき》処分を受けた。

思想的流動

初期社会主義運動は、一九一〇年（明治四三）の大逆事件《たいぎゃくじけん》により大打撃を受けた。すでに普選運動も沈滞化していた。足尾《あしお》鉱毒反対運動も、日露《にちろ》戦争を利用した世論の沈静化と谷中《やなか》村遊水池化計画への問題のすりかえが効を奏して、ほとんど行なわれなくなっていった。こうして、明治後期における政治的民主主義運動は挫折《ざせつ》し、社会主義にとって「冬の時代」が始まっていったとされている。だが、私たちはむしろ、幸徳秋水《こうとくしゅうすい》らが処刑された一九一一年という年に、次代を担う新思想がつぎつぎに芽生えていたことに注目しなければならない。

社会主義思想が学生のあいだに浸透するのを危険視し、「教育上有害」な図書の閲覧を禁止したり、一九〇八年一〇月一三日には「戊申詔書《ぼしんしょうしょ》」を発布するなど、政府は、国家から離反しようとする国民の思想をなんとか国家の側にとどめておこうとやっきになっていた。パターナリズム（父権主義）や国体観念、忠孝の思想をさかんに強調するようになった。しかし、日露戦争の勝利によって大国の仲間入りを果たしたという一定の達成感ゆえの思想的流動は、社会主義者を弾圧したところで押しとどめようもなかったのである。

夏目漱石《なつめそうせき》は、一九一一年八月に和歌山で行なわれた「現代日本の開化」と題する講演のなかで、〈西洋の開化（即《すなわ》ち一般の開化）は内発的であって、日本の現代の開化は外発的である〉、西洋の近代化は一、二、三、四…と順を追って進んできたが、〈今の日本の開化は地道にのそりのそりと歩くのでなくって、やッと気合を懸けてはぴょいぴょいと飛んで行く〉しかない、という決定的な違いがあることを指摘し、〈ただ出来るだけ神経衰弱に罹《かか》らない程度において、内発的に変化して行くが好《よ》かろう〉と、日本の近代化に対するある種の諦念《ていねん》を表明していた。

個人主義思想をもっと大胆に表白したのは、白樺《しらかば》派の武者小路実篤《むしやのこうじさねあつ》の「個人主義の道徳」（一九一一年三月）であった。また、河上肇《かわかみはじめ》も、西洋は〈天賦《てんぷ》人権、民賦国権〉であるが、日本は〈国賦人権、天賦国権〉の国であると、〈日本独特の国家主義〉を指摘した（一九一一年四月）。日本では、生まれながらに万人が所有しているはずの人権も国家によって与えられ、反対に国権は自然権のように大手を振って歩いていると批判したのである。このように、国家の前に個人という思想が立ち上がってきた。

女性にも同じような動きがみられた。それは、一九一一年九月に『青鞜《せいとう》』が創刊されたことである。創刊号に、与謝野晶子《よさのあきこ》は「山の動く日来る」と題する詩を寄せた。また、平塚らいてうも、「元始《げんし》女性は太陽であった」と題する一文のなかで、つぎのように主張した。〈元始、女性は実に太陽であった。真正の人であった。／今、女性は月である。他に依《よ》って生き、他の光によって輝く病人のような蒼白《あおじろ》い顔の月である。／私共は隠されて仕舞《しま》った我が太陽を今や取戻さねばならぬ〉

新しい時代の足音は、すぐそこまで近づいていたのである。

13

◉雑誌『青鞜』創刊号
『青鞜』は、貞操論争や母性保護論争などの舞台にもなった。創刊号の表紙は、のちに高村光《たかむらこう》太郎《たろう》と結婚する長沼智恵子《ながぬまちえこ》が描いた。

天皇制とデモクラシー

明治の終わりと大正の始まり

一九一二年（明治四五）七月二九日午後一〇時四三分、明治天皇が亡くなった。しかし、正式発表の死亡時刻は、翌三〇日午前〇時四三分とされた。二時間遅らせたのである。

明治天皇の死の受け止め方を論じるときに、決まってもちだされるのが夏目《なつめ》漱石《そうせき》の『こゝろ』である。漱石はそこで、〈明治の精神が天皇に始まって天皇に終ったような気がしました〉と書いた。しかし、日記に見える漱石は冷静で、一九一二年七月二〇日には、明治天皇の病状報道の影響による過剰な「自粛《じしゆく》」を批判し、〈万民の営業直接天子の病気に害を与えざる限りは進行して然《しか》るべし〉と指摘していた。

漱石よりも私が注目したいのは、新井《あらい》奥邃《おうすい》が七月三一日に書いた文章である。新井は、仙台藩の出身で、戊辰《ぼしん》戦争に「朝敵《ちょうてき》」の一員として参加した。その後、森有礼《もりありのり》の引き合いでアメリカに渡り、独自のキリスト教信仰共同体を実践していたトマス・レイク・ハリスのもとで信仰と労働の生活を送り、一八九八年に鞄《かばん》ひとつで帰国した。その後、東京の巣鴨《すがも》に謙和舎《けんわしゃ》をつくり、どの教会にも属さず、布教活動もせず、独特の信仰生活を送った人物である。田中正造《たなかしょうぞう》とも深く交わった。

新井は言う。明治天皇が崩御《ほうぎょ》し、大正天皇が践祚《せんそ》した。このときにあたって、なぜ明治天皇に従って忠をなしたものが、天皇に殉《じゅん》じないのか。とくに明治天皇に爵位《しゃくい》を賜《たま》わった華族連中が天皇に殉じないのはなぜなのか。殉じるということは、なにも身を殺せというのではない。断然、爵位を返上して、まったく新しい生命となって、新天皇に尽くそうという心があるのか、と。

新井は、新時代である大正の始まりに、華族が率先して爵位を返上し、〈万民と相共に平等に一新する〉必要性を強調したのである。それは、華族制度を廃止せよというに等しかった。

天皇機関説

天皇主権を掲げた大日本帝国憲法の制約のなかで、政治的なデモクラシーの拡充を要求していく動きが、一九一二年（大正元）末から一三年にかけて発生した第一次護憲運動を契機に急速に広まっていった。このような動きに理論的根拠を与えたのが、美濃部達吉《みのべたつきち》の「天皇機関説《てんのうきかんせつ》」であり、吉野作造《よしのさくぞう》の「民本主義《みんぽんしゅぎ》」である。

「天皇機関説」とは、国家は法律上の人格を有するひとつの団体であるという国家法人説を根底にもち、法人としての国家が統治権を有し、天皇は国家の最高機関として統治権を行使しているという主張である。

「天皇機関説」は、なにも美濃部が最初の提唱者ではない。憲法を起草した伊藤博文《いとうひろぶみ》もそれに近い考えを有していたし、美濃部の師一木喜徳郎《いちききとくろう》らもそうであった。すぐ発禁になったが、『国体論及び純正社会主義』を書いた北一輝《きたいっき》も、また田中正造《たなかしょうぞう》も、ある意味では美濃部以上に徹底した「天皇機関説」論者であった。そのようななかで、美濃部の果たした役割は、憲法解釈上「密教《みっきょう》」的な位置にあった「天皇機関説」を「顕教《けんぎょう》」の地位にまで高めたことに求められよう。

美濃部は、天皇は憲法をも超越した存在であるという絶対主義的な天皇観を有していた上杉慎吉《うえすぎしんきち》との論争のなかで、つぎのように述べている。国家を人体にたとえれば、君主はその頭脳のような存在であり、「有志百官」は手足や耳目、そして民衆は細胞のようなものである。このような団体としての国家が統治権の主体をなしているのであって、君主がその権利として統治権を保有しているのではない。あくまでも統治権は国家に属する権利であって、君主は国家の最高機関として統治権を行使するだけなのである、と。

美濃部は、このような理論を『憲法講話』（一九一二年）などの著作を通じて展開していった。それは、天皇が統治権を行使することを否定したものではなかったが、統治権の所属と行使の主体を分離し、天皇主権を制限しようとする意図が隠されていた。大きくいえば国家主権論にすぎない「天皇機関説」は、

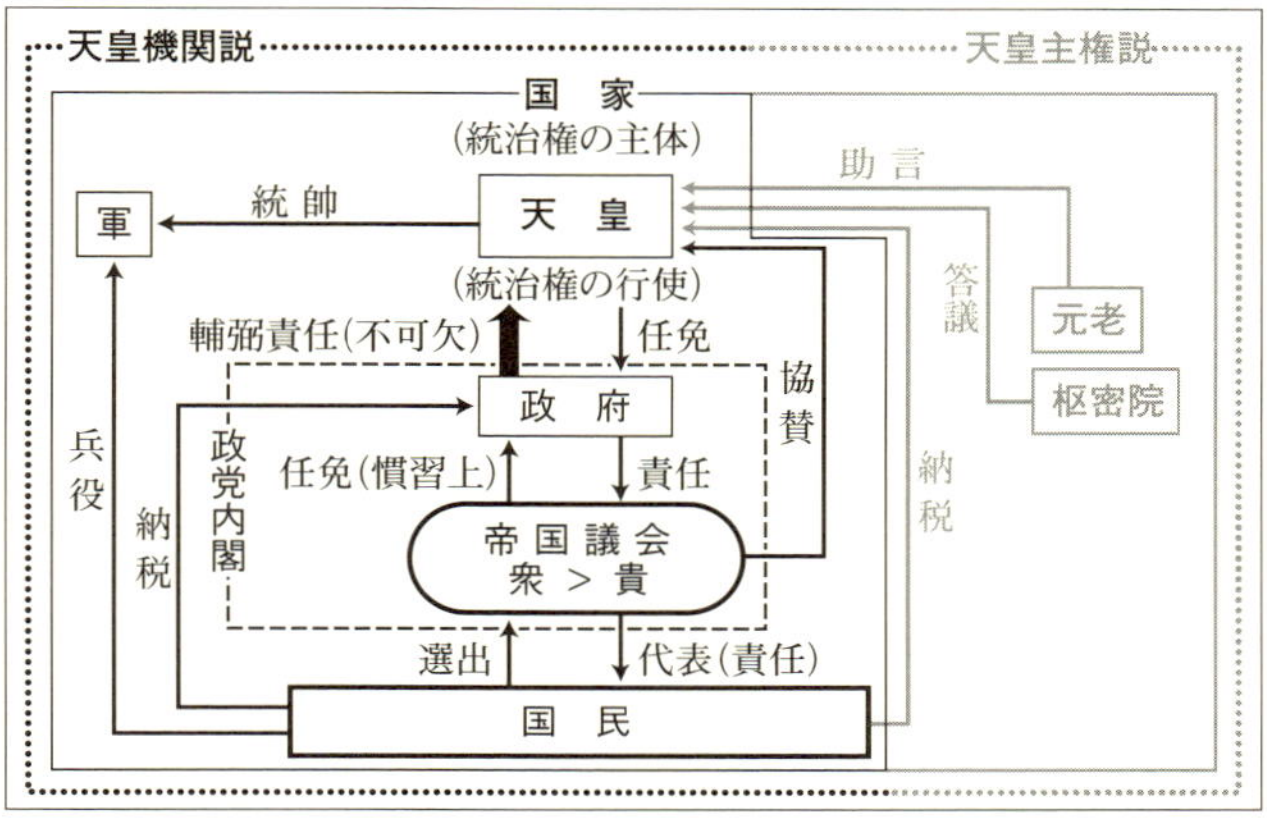

●天皇機関説の考え方
美濃部は、天皇主権説のように統治権が天皇にあるとすれば、納税や国際条約は国家のものではなく、天皇個人のものになると考えた。そこで、統治権の所属と行使主体を分別し、内閣の輔弼《ほひつ》責任を必要不可欠のものとすることで、天皇の無制限な権力行使に枠をはめようとした。

当時圧倒的な支持を受け、大日本帝国憲法下の立憲主義の理論的支柱となっていったが、国家権力の性質をどうみるかという問題を残した。

民本主義

吉野作造《よしのさくぞう》の「民本主義《みんぽんしゅぎ》」は、まさに「日本型デモクラシー論」の極めつけといえるものであった。「民本主義」という言葉は、吉野の専売特許ではなく、『第三帝国』の茅原崋山《かやはらかざん》をはじめ、多くの人が使用していた。もともとは、孟子《もうし》の「民を本《もと》とする」という思想に由来した言葉である。当時、デモクラシーは、「平民主義」「衆民主義」「共主主義」「民衆主義」「主民主義」などとさまざまに訳されていたが、それを「民本主義」という形に定着させたのは吉野の功績である。

吉野は、『中央公論』一九一六年（大正五）一月号に掲載してたいへん有名になった「憲政の本義を説いて其《その》有終の美を済《な》すの道を論ず」という論文で、民本主義をつぎのように規定していた。民本主義とは、主権が君主にあるか人民にあるかということは問わず、ただ主権を行使するにあたっては一般民衆の意向を尊重し、一般民衆の利福のためになされなければならないというものである。つまり、政治は一般民衆のために行なわれなければならず、一般民衆の意向によって行なわれなければな

●**吉野作造**（一八七八〜一九三三）
宮城県出身。東京帝国大学卒業後、中国に渡り袁世凱の子息の家庭教師となった。一九一八年には黎明《れいめい》会を結成してデモクラシー思想の普及に努めた。

らない、これが民本主義の要求する「二大綱領」である、と。

アメリカ大統領リンカーンは、ゲティスバーグにおける有名な演説のなかで、民主主義の原理を「人民の、人民による、人民のための政治」と表現した。それを、吉野は、「人民の」という主権にかかわる問題を棚に上げて、「人民による、人民のための政治」が民本主義の要求するところであると位置づけたのである。

その理論的レベルは、自由民権期に展開された中江兆民《なかえちょうみん》の「君民共治《くんみんきょうち》」論とさほど変わらない。兆民が主張したそれも、天皇の存在は棚に上げて、立法・行政の二権を人民が獲得すれば実質的に「共和政」に近くなるというものであった。ただ、そうした考えが幅広い人びとに受け入れられていったのが、一九一〇年代から二〇年代にかけての時代的特徴であったのである。

このように、一世を風靡《ふうび》した吉野の「民本主義」は、大日本帝国憲法の天皇主権と矛盾衝突しない「デモクラシー」論であった。そのため、山川均《やまかわひとし》や大杉栄《おおすぎさかえ》など、一九一七年頃より息を吹き返した社会主義陣営から鋭く批判された。

しかしながら、近代日本においては、反政府運動であった自由民権運動も初期社会主義段階の幸徳秋水《こうとくしゅうすい》などの主張も、天皇制との共存を自明の前提としていたのである。吉野の民本主義とは、その延長線上に位置する、天皇制のもとでぎりぎりまでデモクラシーの実現を模索したものであった。

以上のように、近代日本においては、デモクラシーの実現の前に、天皇制の存在が大きな障壁として立ちはだかっていた。帝国と天皇制という二重の制約のもとで展開しなければならなかったのが、近代日本のデモクラシー運動であった（「インペリアル・デモクラシー」）。

単純に考えてみても、天皇制のもとでのデモクラシーの可能性は、二つしかない。ひとつは、徹底して天皇を棚上げして政治的な実権を与えない方法である。これは、中江兆民をはじめとして、イギリス流の立憲君主制を理想とした自由民権運動家や福沢《ふくざわ》諭吉《ゆきち》などが主張し、戦後に象徴天皇制という形で実現したものである。

もうひとつは、絶対的な主権者である天皇の前にすべての国民は平等であるという「一君万民《いっくんばんみん》」型デモクラシーである。これは、実現の可能性がほとんどない政治的幻想にすぎなかったが、その実現を阻害している「君側《くんそく》の奸《かん》」を打倒せよとの言説（たとえば尾崎《おざき》行雄《ゆきお》の桂《かつら》内閣弾劾演説）は、多くの民衆を魅《ひ》きつける魔力をもっていた。「仁政《じんせい》」を期待する「有《う》徳《とく》の君主」像も残存していた。

いうまでもなく、デモクラットたちの多くは、第一の可能性を追求し、元老や枢密院などといった天皇制の専制的側面と対決していったのだが、護憲運動が大きな盛り上がりを見せた背景には、二つの可能性の「同床異夢《どうしょういむ》」的な融合があったと考えられる。

そのようななかで、「君主制」の廃止を明確にうたったのがマルクス主義運動である。

マルクス主義運動

一九二二年（大正一一）七月一五日に非合法に結成された日本共産党（委員長堺利彦《さかいとしひこ》）は、機関誌『前衛《ぜんえい》』に掲載された山川均《やまかわひとし》の「無産階級運動の方向転換」に示されたブルジョア的政治主張を前面に掲げる柔軟路線をとった。ところが、発足したばかりの日本共産党は、関東大震災（一九二三年）の影響もあって、一九二四年一月に解散する。

　このようなときに、一九二五年三月の衆議院で、治安維持法《ちあんいじほう》が普通選挙法と抱き合わせで修正可決されたのである。その第一条には、「国体を変革しまたは私有財産制度を否認することを目的として結社を組織しまたは情を知りてこれに加入したる者は十年以下の懲役または禁錮《きんこ》に処す／前項の未遂罪はこれを罰す」と明記されていた。国体＝天皇制と私有財産制度＝資本主義とを否認する運動はもとより、それを支援することすら犯罪になったのである。

　治安維持法は、一九二八年（昭和三）の勅令による「改正」で、「国体」の変革に関して「死刑または無期」刑が追加されることになった。そして、特別高等警察（特高《とっこう》）が治安維持法のお目付役として活躍するようになると、言論・出版や思想・良心の自由は

14

◉治安維持法反対の大集会
一九二五年二月一一日、東京・芝赤羽《しばあかばね》の有馬《ありま》が原《はら》において、日本労働総同盟など三五の団体が開催した反対集会。約三〇〇〇名が参加。大阪でも反対集会が開かれた。

さらに制限されていった。

マルクス主義運動は、それまでの理論的指導者山川均などを批判した福本和夫《ふくもとかずお》が主導権を握るようになり、一九二六年一二月四日に再建大会を開催した。それ以前に、山川らは労働農民党を結成し、福本らに対抗していった。そのほかにも、社会民衆党（委員長安部磯雄《あべいそお》）、日本労農党、日本農民党などが続々と結成され、無産運動は分裂の様相を色濃くしていった。

実際、一九二八年二月二〇日に行なわれた最初の普通選挙では、無産政党から八名が当選したが、丸山眞男《まるやままさお》が〈第一回の普選のとき、私は中学三年でしたが、…選挙中の無産党相互間の罵詈《ばり》は実にひどかった〉と証言しているように、無産政党間の対立は激化する一方だった。

日本共産党は、ソビエト連邦（ソ連）のコミンテルンから送られた指令（二七年テーゼ）に従って、君主制の廃止、皇室や地主が所有する土地の無償没収などの方針を掲げて日本革命の方針を打ち出したが、彼らを待っていたのは政府の容赦ない弾圧であった。一九二八年三月一五日と二九年四月一六日に、共産党員の全国的な大検挙が実施され、指導者の鍋山貞親《なべやまさだちか》や佐野学《さのまなぶ》らをはじめ、あわせて八二三人が起訴された。マルクス主義運動は、早くも壊滅的な状況に追い込まれたのである。

指導層の「転向《てんこう》」をはじめ、さまざまな歴史的教訓を残した昭和初期のマルクス主義運動であったが、基本的にそれは、青年学生を中心とする思想運動という傾向が強かった。大正教養主義（知識人や学生が、哲学や文学など、古今東西の幅広い教養の獲得をめざした風潮）に飽きたらない青年学生が、社会変革をめざしてマルクス主義に熱狂的に飛びついたのである。「改造」の潮流のなかで、それは一種のブームを呈した。
一九二九年にヒットした日本最初の流行歌『東京行進曲』（作詞西条八十《さいじょうやそ》、作曲中山晋平《なかやましんぺい》）の歌詞も、当初、その四番は〈長い髪してマルクス・ボーイ　今日もかかえる「赤い恋」〉という歌い出しであった。「赤い恋」とはソ連のコロンタイの小説で、当時の若者にさかんに読まれたという。もっとも、この部分はビクターの文芸部長が「官憲がうるさそうだから」という理由で西条八十に書き換えを要求し、結果的に〈シネマ見ましょかお茶のみましょか　いっそ小田急で逃げましょか〉になった。

浅草のカジノ・フォーリーやカフェに代表される「エロ・グロ・ナンセンス」の世相のなかで、マルクス主義も、ひとつのファッションだったのである。

15

◉「モガ」
モダンガールの略称。「モボ」と並び一九二〇年代初頭を象徴する都市の風俗。洋装銀座の街を闊歩《かっぽ》した。帽子は必需品。

天皇制の内なる危機

治安維持法《ちあんいじほう》は、マルクス主義者を天皇制にとっての最大の政治的「異端」としてあぶりだし、徹底的に弾圧した。こうして、天皇制の基盤はさらに強化されたようにみえるが、天皇制の真の危機は天皇制そのものの内部にあった。

皇太子裕仁《ひろひと》（のちの昭和天皇）は、一九二一年（大正一〇）のヨーロッパ外遊で目のあたりにしたイギリスやオランダなどの皇室のありように、大きな影響を受けて帰ってきた。帰国後、皇太子は女官《にょかん》制度の改革に取り組むが、女官を宿直制から日勤《にっきん》制に改める理由として牧野《まきの》伸顕《のぶあき》宮内大臣《くないだいじん》に語ったことの背景には、「近代家族」への憧れがあった。これまで、生まれた子供は里子《さとご》に出すのが通例であったが、これからは自分の手もとで育てたい、「家庭的団欒《だんらん》」を女官に気兼ねすることなく楽しみたい、というのである。皇太子には、一夫一婦制への強い意思があった。

天皇家が一夫一婦制を採用することになると、当然跡継ぎの問題が出てくる。一般的に考えても、一夫一婦制の夫妻のあいだには、①男児が生まれる、②女児しか生まれない、③どちらも生まれない、という三つの可能性しか存在しない。①のケースであれば、男系でかつ直系の皇位継承が可能になるが、男児が生まれるかどうかはあくまで偶然でしかない。そのために皇室典範《こうしつてんぱん》には、「庶子《しょし》」の皇位継承について定められていた。つまり、天皇が側室《そくしつ》を置けるようにしていたのである。

実質的には大正天皇も一夫一婦制を実行したが、皇后とのあいだに男児が四人生まれたために、皇位継承の危機は浮上しなかった。ところが、皇太子が結婚した久邇宮《くにのみや》良子《ながこ》とのあいだに生まれたのは、第四子まで女児だったのである。皇室典範制定当時の議論のなかで、女性天皇は真っ先に否定されていた。皮肉にも、皇室の近代化が皇位継承の危機を招いたのである。

一九二九年（昭和四）九月三〇日に第三子が生まれたころから、側近のなかに漠たる不安が生じはじめた。そして、一九三一年三月七日に生まれた第四子も女児だったことから、その不安はピークに達し、周辺はざわめきはじめた。たとえば、一木喜徳郎《いちききとくろう》宮内大臣は、元老西園寺公望《さいおんじきんもち》に、皇室典範を改正して「養子」制度を認めることの可否を諮問した。大森佳一《おおもりけいいち》鳥取県知事は、大塚政次郎《おおつかまさじろう》の産児性別決定についての論文を持参して、河井弥八《かわいやはち》侍従《じじゅう》に渡した。

さらに、「胎中天皇《たいちゅうてんのう》」の皇位継承の可能性について、つまり、皇后のお腹《なか》の中に子供がいるあいだに不幸にして天皇が亡くなった場合の皇位継承についても検討を開始したのである。現在とは異なり、お腹の中にいる子供の性別などわかりようがないのに、それでも「胎中天皇」の皇位継承の検討を真剣に行なっていることは、それだけ危機意識が強かったことの証明である。これは、まぎれもなく天皇制の危機であった。

ところが、一九三三年一二月二三日、明仁《あきひと》親王（現在の今上《きんじょう》天皇）が誕生したことで、皇位継承の危機は脱した。牧野は、〈是迄《これまで》皇位継承問題に付《つい》ては万一の場合を慮《おもん》ぱかり種々の憶測《おくそく》行われ、政治的には別《べつ》して兎角《とかく》の横議《おうぎ》なども提出せられ、人心不安の一大原因をなしつつありたるに、今はすべてのこの種の禍根《かこん》は解決せられたる〉と日記に書いた。牧野の安堵《あんど》感が伝わってくるようである。

こうして、②③のケースにどのように対応するかという問題は先送りされ、現在に至っている。

民衆運動の時代――デモクラシーと民衆意識

日比谷焼打ち事件

一九〇五年（明治三八）九月五日、東京・日比谷《ひびや》公園の周囲には、午前中からたくさんの民衆が集まっていた。午後一時から開催される日露《にちろ》講和条約に反対する国民大会に参加するためである。ところが、日比谷公園のすべての門が、警官隊によって木柵などで厳重に封鎖されていた。正午を過ぎると、道路にあふれ市電の軌道も塞《ふさ》いでいた民衆の憤激は頂点に達し、公園正門の木柵を踏み倒し、「二〇三高地占領」「万歳《ばんざい》」などと叫びながら公園内になだれ込んだ。

中央広場には「弔《ちょう》講和問題国民大会」と大書した大旗が翻り、一発の号砲とともに国民大会が開会された。大竹貫一《おおたけかんいち》らの演説のあとに、「君が代」が演奏され、代表に選出された河野《こうの》廣中《ひろなか》が二か条の決議案を朗読し、一時三五分、万歳の声のなかで閉会した。

参加者たちは、公園の正門から桜田門《さくらだもん》に向かい、皇居前に伏して万歳を三唱した。そして、二時から新富座《しんとみざ》で開催予定の大演説会に向かったが、それとは別に、日吉町《ひよしちょう》の国民新聞社に向かう一行があった。

午後三時、彼らは国民新聞社の建物に向かって投石を始めた。ガラス窓はことごとく割れて散乱し、群衆の一部は建物の中に入って、活字をばらまいたり機材をめちゃくちゃに壊すなどの暴行をはたらいた。三時半頃には、内務大臣官邸に群衆が集まり、「遣《や》れ遣れ」の声とともに投石を開始し、放火した。

夜に入ると、東京市内各所で交番や電車が襲撃・放火され、制止にあたった警官が抜刀して群衆のなかに斬り込み、殺される人も出た。まさに「市街戦の修羅場《しゅらば》」であった。暴力を行使する群衆を、子供や女性を含むたくさんの野次馬《やじうま》が取り巻いて見物していた。群衆は、交番や電車を破壊するごとに万歳を叫び、ときの声をあげた。

政府は六日、東京に戒厳令《かいげんれい》を施行し、軍隊を出動させて治安の維持にあたった。それを「一市民」は、〈戒厳令布《し》かる、市人耳語《じご》して曰《いわ》く巡査の取締に兵隊が出たのでしょうね〉と皮肉った。

このように、民衆は、国民大会の主催者であった講和問題同志連合会の思惑《おもわく》を超えて、派出所や市電、講和条約を支持していた国民新聞社や内務大臣官邸などを襲撃し、焼き打ちするという実力行使に出た。これまでの研究は、これから一九一八年（大正七）の米騒動までを「都市民衆騒擾期《そうじょうき》」と規定している。この間、東京市だけで九回も騒擾が発生している。

まさに民衆運動の時代の開幕であった。

16

●電車を焼き打ちする群衆
各地で交番や電車が焼き打ちされ、九月五日と六日の二日間だけで、一六九の交番（うち警察署二）、電車一五台が焼かれた。京都や神戸でも騒擾が発生した。

民衆の政治不信

「都市民衆騒擾期《そうじょうき》」の起点となった日比谷《ひびや》焼打《やきう》ち事件について、近代史研究者の藤野《ふじの》裕子《ゆうこ》は、騒擾に参加した民衆の意識を分析し、彼らと同志連合会や新聞論調とのズレを指摘して、民衆が単純に同調していたわけではないことを強調している。そして、都市騒擾を〈民主化の初期段階〉と評価することは〈民衆の暴力行使がもった独自性〉をみえなくさせるとして、安易にデモクラシーにひきつけて論じる傾向に警鐘を鳴らしている。

たしかに、『東京朝日新聞』に連載された講和条約に反対する民衆の思想は、さまざまなものを含んでいた。そのなかで注目すべきは、「陛下《へいか》の深慮《しんりょ》」と題する投書で、そこには〈政治に与《あずか》る元老閣臣は勿論《もちろん》諸君の代議士等は皆専《もっぱ》ら自家の名利をのみ計り国家を以《もっ》て自家の欲を充《みた》す具となすのみ〉であるから、天皇は必ずや〈売国的元老閣臣及売国的代議士を要路より一掃し去らんとの深き思召《おぼしめし》〉をもっているはずだと述べられていた。また、〈政党も頼むに足らず〉という意見や、〈由来《ゆらい》政党も不必要なら議会も無用納税も兵役も国債も無論応じる必要がない〉という投書もあった。

ここにみられるのは、元老や内閣だけでなく、政党も含めた政治家全体に対する徹底的な不信であった。元老から国会議員に至るまで、政治家は私利私欲を優先させるだけであるという政治家の「不正」に対する憤りが充満していたのである。

もちろん、こういった政治（家）不信は、国家の戦争に能動的にかかわったがゆえに生まれたものである。国民としての自覚の成長といいかえてもよい。問題は、それが、だからこそ政治をもっとよくしよう、政治を自分たちのものにしようという積極的な政治参加に、すなわち民衆の政治主体としての成長に結びつくかどうかであった。

反キリスト教排外主義

見逃してならないのは、日比谷《ひびや》焼打《やきう》ち事件でキリスト教の教会などに対する攻撃がみられたことである。下谷《したや》区では、下谷、明星恭敬《みょうじょうきょうけい》、稲荷町《いなりまち》教会が襲撃された。本所《ほんじょ》区では、横川《よこかわ》町にあるフランス人宣教師の居宅と天主《てんしゅ》教会堂、それに宣教師が経営する敬愛《けいあい》小学校が焼き打ちにあった。向島《むこうじま》小梅《こうめ》町のアメリカ人宣教師が主宰する大日本同盟基督《キリスト》教会堂と彼の住居も焼き打ちされた。そこには、「ニコライ会堂を焼き払う」という貼《は》り札が残されていた。浅草駒形《あさくさこまがた》町のギリシャ教会も襲撃された。神田駿河台《かんだするがだい》のニコライ堂に押し寄せた群衆は、そこを警護していた軍隊の説得に応じて、護《まも》っているのが警察ではなくて軍人では仕方がないと、帰っていった。

　襲撃されたのは外国人だけではなかった。向島の教会を襲った群衆は、吉田《よしだ》町のキリスト教信者で乾物商の鈴木房次郎《すずきふさじろう》の家も襲ったのである。ところが群衆は、鈴木の家が借家だとわかると、家に火をかけるのをやめ、家財道具を道路に運び出して

17

●創建当時のニコライ堂
東京・神田駿河台に一八九一年に落成した。設計は鹿鳴館《ろくめいかん》も手がけたイギリス人コンドル。日本におけるロシア正教の拠点である。

焼き捨てたという。本人の私有財産ではない借家には火をかけないといった行動には、近世の都市打ちこわし運動にみられたような行動倫理の一端を見てとることもできる。

民衆のなかに、外国人やキリスト教に対する排外主義的行動がみられたことは、その後に大きな影を落としていった。『東京朝日新聞』によれば、一部の宣教師が講和条約に肯定的な説教を行なったことが原因であるとされるが、それだけではないだろう。のちに、朝鮮での三《さん》・一《いち》独立運動や中国での五《ご》・四《し》運動の原因を外国人宣教師の煽動《せんどう》に求めたように、このときも、日露《にちろ》戦争に勝利して大国化しようとする日本の足を、彼らが引っぱろうとしていると見なしたからではなかろうか。

民衆の心を、帝国意識が確実にとらえるようになっていたのである。

さまざまな烽火

ロシア革命や米騒動などを契機とする「デモクラシー状況」は、それまでいのちと人権を抑圧されてきた広範な人びとを、みずからの権利をみずからの手で獲得し擁護していこうとする「自決権」運動に立ち上がらせることになった。

最初に烽火《のろし》をあげたのは女性たちである。それは、平塚らいてう・市川房枝《いちかわふさえ》らが一九二〇年（大正九）に結成した新婦人協会であった。その四つの綱領には、婦人の能力を自由に発達させるためには男女の機会均等が必要不可欠であることや、母性や子供の権利の擁護、家庭の社会的意義を明らかにすることなどがうたわれていた。スウェーデンの社会思想家エレン・ケイの影響を強く受けていた平塚らいてうの思想が色濃く反映されている。

一方、市川は、婦人参政権・公民権の獲得などを中心に、女性の政治的権利の確立を通した男女平等の実現を志向していた。そうした両者の特徴が、花柳病《かりゅうびょう》（性病）男子の結婚制限と、治安警察法《ちあんけいさつほう》第五条（女子の政治結社・政治集会の参加禁止）の改正という二大活動方針にまとめられた。やがて市川は、一九二五年の婦選獲得同盟など、婦人参政権獲得運動に活動の重心を移していった。

寄生地主制《きせいじぬしせい》に苦しんでいた小作人たちは、一九二二年に日本農民組合を結成した。その機関紙は『土地と自由』と題した。そして、「一、我《われ》等《ら》農民は智識を養い技術を研《みが》き徳性を涵養《かんよう》し農村生活を享楽《きょうらく》し農村文化の完成を期す」「一、我等は相愛扶助の力により相信じ相寄り農村生活の向上を期す」「一、我等農民は穏健着実合理合法なる方法を以《もっ》て共同の理想に到達せんことを期す」という綱領を掲げた。折しも、一九一九年に三二一件であった小作争議は、二一年には二一〇八件に急増していた。こののち、日本農民組合は、数々の小作争議を指導していく。

被差別部落民は、一九二二年三月三日に京都市岡崎公会堂で全国水平《すいへい》社《しゃ》の創立大会を開催した。「我々特殊部落民は部落民自身の行動によって絶対の解放を期す」と綱領にあるように、みずからの手で差別からの解放と人間性の回復を獲得しようとして組織された団体である。いばら

18

◉水平社のシンボル、荊冠旗
支部によって、荊冠《けいかん》の形が微妙に違う。差別糾弾闘争は、時に部落外の人びととの反感を買い、被差別部落が襲撃されたりした。

の冠を社旗に定めた水平社は、「吾々《われわれ》がエタであることを誇り得る時が来たのだ」「人の世に熱あれ、人間に光りあれ」と宣言した。

現在の研究水準からみれば、「宣言」が「兄弟よ」と呼びかけられ、「男らしき殉教者」という表現がみられる点に、「男」の視点が前面に押し出されているジェンダー（性差）の問題を指摘することは可能である。だが、それを差し引いても、イギリスのレベラーズ（水平派）にヒントを得たといわれている名称の水平社の結成は、人権の歴史に新紀元を切り開くものであった。

郡築小作争議

住井《すみい》すゑの名作『橋のない川』の第六部に、日本農民組合全国大会で演説した「杉岡《すぎおか》いそ」という女性が登場する。「杉岡いそ」のモデルは、熊本県の郡築《ぐんちく》小作争議で活躍した杉谷《すぎたに》つもであった。つもは、一八八七年（明治二〇）三月一八日に、八代《やつしろ》郡栗木《くりき》村（現在の泉村《いずみむら》）に生まれた。小学校にも行けず、字を書くこともままならなかったという。一九〇七年に杉谷新造《しんぞう》と結婚し、一九〇九年に郡築新地（現在の八代市）に入植した。

郡築新地は干拓地で、総面積が一〇四六ヘクタール余もあった。郡が土地を所有し、入植者を募集していた。しかし、干拓地に入植した農家は三年間無税という従来からの慣行に反して、入植した最初の年から郡に小作料を支払わなければならず、それも六割に近い高率であった。しかも、牡《か》蠣殻《きがら》などの除去や塩抜き、灌漑《かんがい》用水の確保などはすべて農民たちが行なわなければならなかった。

肥料代もかさみ、入植した農民の五割が四年未満で離村している。小作料を払えない農家では、娘を身売りして小作料を払ったという。

つも夫妻は、掘立《ほったて》小屋に住み、五人の子をもうけ、二町二反《たん》の土地を必死に耕作した。だが、手もとに残るのはわずか。そのうえ、夫新造が一九一五年（大正四）一二月に亡くなる。つもは、女手ひとつで、新造の弟に譲った残りの八反歩《たんぶ》の土地を耕しながら子供を育てていった。

一九二三年四月二一日、日本農民組合郡築支部が結成された。組合加入を契機に、小作人たちは、二〇年のあいだに積もり積もった不満を、小作料の五割減額や七割の部分権承認などの要求にとりまとめ、郡役所に提出した。そして争議団を結成して交渉に臨んだ。日本農民組合の杉山元治郎《すぎやまもとじろう》や賀川豊彦《かがわとよひこ》も応援にやってきた。組合の執行委員に選出されていたつもも、四〇〇名近い婦人争議団の代表として、五月七日に郡役所に赴き、郡長との交渉を要求した。このとき、婦人団は、新聞社の支局や八代郡立高等女学校などを訪れている。

そして、つもは、翌年二月二九日から大阪で開かれた日本農民組合第三回大会に、九州連合会の先頭に立って入場し、登壇

19

◉**演説する杉谷つも**（一八八七〜一九四六）
大阪天王寺公会堂で開催された日本農民組合第三回全国大会で、つもは、三月一日に登壇して演説し、人間としての平等を訴えた。

して演説した。つもは、自分たちが娘を売ってまでも納めた小作料で建っている高等女学校に、貧しい自分たちの娘は通うことができないこと、同じ人間としてこの世に生をうけたのに、地主の子供と境遇があまりにも異なっていることの不条理さを訴えた。そのうえで、たくさんの農村女性が運動に参加する必要性を訴えたのである。無学だったつものいのちが、もっとも輝いた瞬間である。

小作農民も人として幸福に生きられる世の実現をめざして争議を闘ったつもであったが、一九二五年一一月、郡築小作争議は、要求がほとんど受け入れられないまま、逆に農民組合の解散という条件で決着をみる。農民側の敗北であった。争議の先頭に立って闘ってきたつもは、一九二七年（昭和二）に郡築を離村し、八代町で小料理屋を始めた。そして、一九三一年には満州に渡り、醤油《しょうゆ》の販売やタクシー業、保険業などを行ないながら、一九四五年の敗戦をハルビンで迎えた。つもだけでなく、農民組合長であった園田末記《そのだすえき》も争議敗北後、ブラジルに移民している。

つもの願いは、日本に帰って、女性の地位向上のために国会議員になることであった。しかし、その願いもかなわず、つもは一九四六年一月八日、ハルビンで五九年の生涯を閉じた。

福岡連隊事件

典型的な階級社会であった軍隊のなかでは、被差別部落民に対する差別事件が頻繁に起こっていた。全国水平社《すいへいしゃ》は、一九二三年（大正一二）三月三日に開催した第二回大会で、すでに「軍隊内差別」の問題を議題としてとりあげていた。

一九二六年一月から五月にかけて、福岡の第二四連隊で差別事件が頻発した。そのため、八月五日に、九州水平社を代表して藤岡正右衛門《ふじおかせいえもん》が福岡連隊側と会見して責任を追及したが、さっぱり要領を得ず、もの別れに終わった。水平社は、中央執行委員長に就任していた松本治一郎《まつもとじいちろう》や本部のオルグ木村京太郎《きむらきょうたろう》らを中心に、差別糾弾闘争に入ることにした。ところが、一一月一二日に、松本や木村ら一〇数名が、福岡連隊を爆破しようとしたという嫌疑で検挙されたのである。翌一九二七年(昭和二)一月三一日に予審が結審し、松本ら一二名は福岡地裁に送られることになった。

この事件は、弁護人のひとりであった布施辰治《ふせたつじ》が、〈爆弾陰謀を協議したという日がわからず、また爆弾さえもない爆弾陰謀事件〉と評したように、完全な捏造《ねつぞう》であった。おそらく、帝国日本の要《かなめ》の位置にある軍隊が、〈差別の伏魔殿《ふくまでん》〉(松本治一郎)であった実態を広く喧伝《けんでん》されることを恐れ、かつ、中学校や青年訓練所における軍事教練への反対運動を組織的に展開しつつあった水平社に、打撃を加えようとして考案されたのだろう。結局、松本らは六月六日に検事側求刑どおりの実刑判決を受け、即時控訴したものの、一九二八年一〇月一〇日に刑が確定した。

この裁判を積極的に支援したグループのなかに、一九二五年五月一日のメーデーに設立された福岡県婦人水平社があった。もともとは部落の処女会《しょじょかい》であったが、水平社運動の昂揚《こうよう》のなかで婦人水平社の結成に至ったのである。その中心的なメンバーに、菊竹《きくたけ》ヨシノとトリの姉妹がいた。

一九〇九年一月二〇日に生まれた妹のトリは、姉が家庭の面倒を見てくれるので活動に専念でき、上京して丹野《たんの》セツや野坂竜《のさかりゅう》、市川房枝《いちかわふさえ》、神近市子《かみちかいちこ》などとも交わって学習を深めた。トリは、福岡県婦人水平社の創立大会で開会の辞を述べ、〈我等《われら》水平社の女性は、男子よりもより多く一般民よりも多く圧迫を受けていた。…我等は今ここに婦人の力を信じて、福岡県婦人水平社を今日のメーデーを期して産み出すのであることを忘れずにいて下さい〉と述べた。

福岡連隊事件を研究した新藤東洋男《しんどうとよお》は、〈男子や女子の不平等や、男子の横暴のあるかぎり、部落の解放も婦人の解放もあり得ない。解放運動には婦人自身が起《た》ちあがらなければならない〉というのが、菊竹トリらの主張であったと指摘している。

福岡連隊事件に影響を受けたものとして、一九二七年一一月一九日に岐阜第六八連隊の歩兵北原泰作《きたはらたいさく》が行なった天皇への直《じき》訴《そ》事件があげられる。北原が直訴状であげている問題も、軍隊内における差別の苛酷《かこく》さであった。

この時期の被差別部落民の差別からの解放を求める論理には、「天皇の赤子《せきし》」としての平等を希求するという、天皇制支配に収斂《しゅうれん》されかねない危うさがひそんでいた。だが、彼らは、一般民衆が差別意識から解放されることを最終的な目的として、軍隊内の差別問題に取り組んだのである。

20

◉福岡県婦人水平社の女性たち
全国の婦人水平社のなかでも中心的存在のひとつであった。前列左から二人目が菊竹トリ。

米騒動

「富山の女一揆」

『東京朝日新聞』の米騒動の初報は、一九一八年（大正七）八月五日である。「二百名の女房連が米価暴騰で大運動を起す」という見出しで、富山県中新川《なかにいかわ》郡西水橋《にしみずはし》町で起こった三日夜の騒動の模様を報道した。実際には、七月上旬から東水橋町で同様の動きがあったとされるが、この報道を皮切りに、西水橋・東水橋・滑川《なめりかわ》町の騒動が連日とりあげられた。

たとえば滑川町では、六日午前零時、〈かかさんども出んか出んか〉という声が響きわたると同時に、三〇〇名余の女性たちが集合して資産家の家に行き、米の廉売《れんばい》を強要した。八日の紙面には、「米の暴騰が生んだ富山の女一揆《いつき》、このままでは餓死する、生か死かの境目だと叫ぶ」という見出しが躍っている。

このように、富山の米騒動を全国紙が詳しく報道したことが、米騒動の全国的拡大に大きな役割を果たしたことは間違いない。内務省地方局の丸山《まるやま》救護課長は、〈私の恐れて居るのはその騒ぎが雷同的に各地に起る事がないか〉と憂慮していたが、不安はまさに的中した。八月九日には、名古屋・京都・大阪・兵庫・高松・愛媛でも騒動が発生、その後西日本を中心に軍隊を出動させて鎮圧にあたらざるをえないほどの激しい騒動となった。

炭鉱や鉱山、工場でも、賃金値上げとともに米価引き下げが要求され、ストライキが発生して、一部は暴動化した。舞鶴《まいづる》では、海軍工廠《こうしょう》の職工二〇〇〇余名が町民とともに精米所などを襲撃している。被差別部落民や朝鮮人労働者も騒動に参加した。

こうして、米騒動の参加者は、当局の不完全な推計でも全国で七〇万人以上に及び、検挙者は八一八五人、そのうち七七〇八人が起訴された。下層民衆がほとんどであったが、とくに被差別部落民がねらい撃ちにされ、検事処分を受けた者のうち一〇・八パーセントを占めた。

軍隊も、八月一一日夜に京都で歩兵騎兵約一七〇名が出動したのを皮切りに、仙台・新潟・東京・名古屋・大阪・広島・山口・福岡・佐賀などで延べ一〇万人以上が出動した。軍隊が出動した京都は、〈宛然《えんぜん》たる戒厳令〉のようであると『東京朝日新聞』は表現している。また、八月一八日の報道によれば、広島県呉《くれ》で群衆と海軍陸戦隊とが衝突し、発砲により四人が死亡している。

米騒動の発祥地となった富山県では、明治初期より「バンドリ騒動」（バンドリとは蓑《みの》のこと）に象徴される米騒動が多発しており、明治三〇年頃からは新川《にいかわ》海岸地帯に頻発するようになっていた。新聞では〈漁師町〉と形容されているが、ひなびた漁村をイメージしてはならない。一九一三年末で、魚津《うおづ》の人口は一万五四四九人、滑川は一万六四二人、水橋も七〇〇〇人前後であった。海岸近くに人口が密集した都市であり、街道沿いには大きな商家や宿屋が軒を並べてにぎわっていた。

都市の漁民は、農業から完全に遮断されていた。漁民の妻たちは、不漁の夏はとくに、出稼ぎに行っている夫にかわって賃仕事をして日銭を稼ぎ、そのお金で米を買って一家を養わなければならない賃労働者だった。そのため、米価高騰のあおりをまともに受ける「都市貧民」的な性格を有していた。こうした漁民の妻たちから騒動が始まったのは、偶然ではなかったのである。

共通するパターン

米騒動には、ある共通するパターンがあった。

たとえば、一九一八年（大正七）八月一〇日夜に岡山県倉敷《くらしき》町で発生した騒動では、午後六時頃、貼《は》り紙に応じた人びとが続々と鶴形山《つるがたやま》の阿智《あち》神社境内に集まってきた。藤原《ふじわら》某が買い占めをしている米穀商に移出禁止の交渉を行なおうと提案すると、一五〇〇から一六〇〇名の一団が一〇時頃に買い占めの巨頭と目されていた根《ね》岸《ぎし》芳太《よした》郎《ろう》宅を襲撃、さらに駅前の米穀商平《ひら》松幸造《まつこうぞう》宅に押し寄せ、戸障子を破壊し、一三俵の米をあたり一面にまき散らした。ふたたび根岸宅に取って返し、帳簿を破り、米麦肥料をばらまいた。さらに、新川町の内藤一二《ないとういちじ》の家を襲い、格子戸を破って米俵を小刀で切り裂いて川に投げ込んだ。

彼らは、午前三時頃に退散したが、襲撃する前に付近一帯の電灯をたたき壊し、真っ暗闇にしてから暴行をはたらいてい

◉岡山精米会社を襲う群衆
一九一八年八月一三日、二万人もの群衆が岡山市内の米穀商をつぎつぎに襲い、打ちこわしや焼き打ちを行なった。

21

た。警官の提灯を見ると、瓦《かわら》や石を投げて抵抗したという。

つぎに、八月一三日夜に発生した大阪府南河内郡《みなみかわち》古市町《ふるいち》（現在の羽曳野市《はびきの》）の事例である。古市町は、「親家《おやけ》」と呼ばれる地主の支配が強く、貝ボタン工場が発展した町である。若者四人が西念寺《さいねんじ》の鐘を二〇回ほど撞《つ》き鳴らすと、それを合図に数十人が集合した。すると、村中が停電して真っ暗になった。一団は、「親家」九軒と仲野《なかの》米店を襲撃した。仲野米店は、かねがね米の計量に不正があるといううわさがあり、一団は杉の丸太で門戸を突き破って侵入した。そして、米俵を引きずり出し、道にまき散らすと、複数の者が、〈米が降ってきた、おもしろい、おもしろい〉と言ってはぴょんぴょん跳ねて喜んだ。それをおよそ二〇〇名の男女が取り囲んで見物していた。一団は、一軒を襲撃し終えると、ときの声をあげながらつぎに移動した。

八月末に一二名が起訴され、懲役八か月から三年の判決を受けたが、被告人のほとんどは町でも最下層の貧民であった。二〇代が六名、三〇代が四名と、二、三〇歳代で大半を占め、すべて農業以外の職業で、四名は貝ボタン工場の職工だった。

被告のなかには、日露《にちろ》戦争に従軍して勲章を受けた在郷軍人の青物商も交じっていた。月に五、六〇円の収入がある自転車商は、〈別に世帯が苦しくて困るというような事はない〉としながらも騒動に参加している。また、〈面白半分にあばれた〉〈何も考えずに人から誘われて参加した〉という人がいる一方で、〈米が高いから騒ぐのも尤《もっと》もじゃと思って出て行った〉〈他所《よそ》にても人が暴れて米が安くなったことを知っていた〉などと、暴力行使を正当と考えている人もいた。

このように、米騒動に共通する一定のパターンとは、まず集合の合図に貼り紙や寺の鐘などが利用されたことである。消防用の半鐘《はんしょう》や太鼓《たいこ》、まれに烽火《のろし》の場合もあった。そして、寺や神社の境内に集合するのである。

米騒動の基本は、集団の圧力による廉売《れんばい》強制にあった。価格は、一升二五銭というのがもっとも多い要求であった。つまり、一升二五銭前後が、民衆の考えていた米の「適正価格」なのである。これは、ほぼ前年同時期の値段であった。それが、米騒動の発生直前には一升五〇銭にまで急騰したのである。

大阪府東成《ひがしなり》郡今宮《いまみや》町の騒動では、一八軒の米商組合の一升五二銭余で販売するという公告に納得しない群衆が、打ちこわしを伴いながら、交渉で四〇銭、三二銭と値下げさせ、ついに二五銭への値下げを獲得している。

門戸や障子を破るという打ちこわしは、廉売要求

●民衆が要求した米一升の値段
白米一升あたりの要求価格は二五銭がもっとも多く、つぎが二〇銭。民衆が考える適正価格は、二〇〜二五銭であった。

要求価格	場　　所
10銭	和歌山県那賀郡粉河町
18銭	兵庫県美嚢郡三木町
20銭	愛知県宝飯郡三谷町、静岡県磐田郡袋井町・富士郡大宮町、和歌山市、東京市浅草区、広島県呉市・蘆品郡府中町・佐伯郡大野村、香川県高松市、高知市（8月16日要求）
20銭または23銭	静岡市
20銭または25銭	愛知県豊橋市、京都府加佐郡余部町、滋賀県甲賀郡長野村、仙台市
20銭または30銭	兵庫県姫路市
22銭	山口県佐波郡八坂村
25銭	名古屋市南区熱田、長野市、京都府綴喜郡八幡町、大阪府東成郡城北村、和歌山県海草郡加太町・伊部郡岸上町、滋賀県蒲生郡八幡町、奈良市、山口県佐波郡中関村、高知市（8月15日要求）、福岡県門司市、宮崎県東臼杵郡延岡町
30銭	京都市
35銭	京都府相楽郡上狛村

古河光貞『所謂米騒動事件の研究』より作成

に応じさせるためのほのめかしであったり、応じない場合の実力行使であったりした。また、襲撃に際しては、電灯を壊す、電線を切断するなどの行動がみられた。それは、京都や広島県矢野村、可部《かべ》町の騒動でもみられた。

米などの略奪の例はきわめて少ない。米や麦を付近にまき散らす行為も、略奪目的でないことの証明である。二五銭を支払って一粒残らず買い取っていくのがふつうであった。

興味深いのは、岡山県妹尾《せのお》町や万寿《まんじゅ》村、山口県八坂《やさか》村、福岡の三池《みいけ》炭鉱の騒動で、酒樽《さかだる》を強要していることである。三池炭鉱の騒動では、坑夫たちが酒樽を破って、酒をあおるだけではなく、顔を洗ったり足に注いだりしている。盆踊りに興じていた人びとがそのまま騒動になだれ込んでいった事例も、滋賀県甲賀《こうが》郡長野村をはじめ何件かみられる。騒動は祭りの延長でもあった。

モラル・エコノミーとしての米騒動

一九一八年（大正七）に発生した米騒動は、ヨーロッパでもよくみられた食糧暴動の典型的なものであった。人びとは、米の値段は一升二五銭が正当であるという「適正価格」をもっており、それよりも高く販売するのは「不正」であると意識していた。「不正」な利益を獲得しようとして米を高く売ったり、買い占めたりしている米商たちの経済活動に、「徳義」（モラル）を要求したのである。そのため、人びとは、「適正価格」での販売を指導できない政府にかわって、集団の圧力をもって「適正価格」での販売を実行させた。それは、権力の代執行《だいしっこう》であり、正当な行動であった。

また、先述した共通パターンが、近世以来の一揆《いっき》や打ちこわしの作法にきわめて類似していることに注目する必要がある。すでに第十三巻で牧原憲夫《まきはらのりお》が指摘しているように、米騒動は、近世以来、民衆のなかに脈々と受け継がれてきたモラル・エコノミーの最後の発動だったのである。

いのちを維持していくことすら危機にさらされた民衆が、生存の要求を掲げて立ち上がったのが米騒動であった。その意味で、米騒動こそは、生存権の擁護という根源的なデモクラシーの要求であったと評価できる。

しかし、米騒動に参加した多くの民衆は、それを憲法に依拠したり、合法的な請願という手段をとって訴える「近代的」な方法よりも、みずからの肉体に内面化していた一揆や打ちこわしの記憶を呼び覚まして、直接行動で表現する方法を選んだ。だからこそ、政府関係者のみならず、普通選挙の実現や政党内閣の樹立をめざしていたデモクラットたちも大きな衝撃を受けたのである。社会主義者も騒動にはほとんど関係していなかった。

普選と暴力

寺内正毅《てらうちまさたけ》内閣は、米騒動の責任をとって、一九一八年（大正七）九月二一日に総辞職し、その後継として政友会《せいゆうかい》の原敬《はらたかし》が内閣を組織した。本格的な政党内閣の成立によって普選要求が高まったが、原はそれにには否定的で、財産制限を直接国税一〇円から三円に引き下げるにとどまった。原の懸念は、暴力を無化して民衆を制度的な主体とするための装置と、民衆の暴力と密接に関連している政治腐敗を抑止するシステムとが、まだできていない点にあったとされている。

そして、一九二五年、ようやく二五歳以上の男子の普通選挙法が成立した。だが、それが、結果的にモラル・エコノミー的な民衆の制裁暴力の発動を抑制する装置として機能していったことは間違いない。それは、米騒動以降、労働争議や小作争議という形の社会運動は活発になっていくが、民衆が集団で暴力を行使する形の民衆運動がほとんど影をひそめていくことに明らかであろう。男性たちには「一票」が与えられ、暴力ではなく選挙権を行使することで意志表示をするのが国民としての義務とされていった。

もちろん、普選の成立を、民衆の暴力の抑圧という側面でのみとらえるのも、一面的にすぎるであろう。それは、政治的平等と政治参加を求めたデモクラシー運動が獲得した制度であり、広範な民衆の意向を代弁する議会政治への道を開くものであった。普選は人びとの「同意」をとりつけ、そのことによって政治支配の正統性を担保するという、政治原理の根本的転換にほかならなかった。

一九二四年の第二次護憲運動を経て、六月一一日に護憲三派内閣である第一次加藤高明《かとうたかあき》内閣が成立し、「憲政の常道」といわれる政党内閣時代が始まる。それは、一九三二年の五・一五事件で犬養《いぬかい》

22

●第一回普通選挙のポスター
一九二八年二月二〇日に実施された第一回普選に際して、買収防止を訴えた選挙革新団のポスター。選挙の不正が懸念されていた。

毅《つよし》内閣が抹殺されるまで継続していった。

だが、底深い政治不信を抱き、米騒動に参加するような民衆、とりわけ下層民衆が、政党内閣を支える制度的な主体として成長するには、おそらくは時間が決定的に不足していた。つまり、制度と主体のズレが、デモクラシーの行方を逆に規定していったのである。

近世以来、日本の民衆は、暴力という最後の手段を武器に、政治の客体と主体とのあいだを自在に行き来してきた。日常的には政治の客体の地位に甘んじていながらも、政治が機能していないために自分たちの生存の基盤が脅かされていると確信したときには、政治の主体として歴史の表面に躍り出たのである。米騒動は、その最後の舞台であった。その意味で、米騒動は、日本民衆史の一大転換点であった。

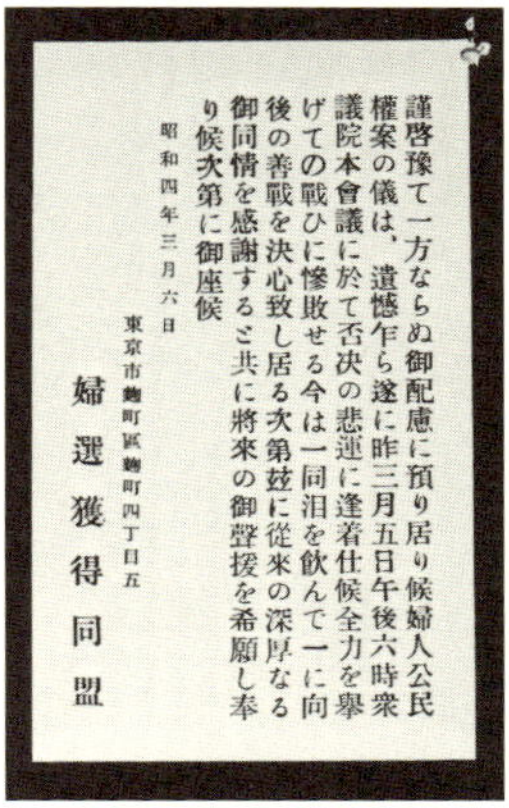
謹啓豫て一方ならぬ御配慮に預り居り候婦人公民権案の儀は、遺憾乍ら遂に昨三月五日午後六時衆議院本會議に於て否決の悲運に逢着仕候全力を擧げての戰ひに慘敗せる今は一同泪を飲んで一に向後の善戰を決心致し居る次第茲に從來の深厚なる御同情を感謝すると共に將來の御聲援を希願し奉り候次第に御座候

昭和四年三月六日

東京市麴町區麴町四丁目五

婦選獲得同盟

23

◉婦選獲得同盟が送った黒枠の葉書

一九二九年三月五日、国会で婦人公民権案が否決されたため、婦選獲得同盟は黒枠の葉書を全議員に送った。

社会の変化と生活改造

農業国から工業国へ

第一次世界大戦から一九二〇年代にかけての日本は、経済のみならず社会全体が大きな変貌を遂げていった。この時期に、現代社会の起点を求めることができる。

第一に、農業国から工業国へという変化である。産業生産額で比較すると、一九一二年(大正元)時点で、農林業が二一・七億円、製造工業が二四・八億円とそれほどの開きはなかったが、一九二六年になると、それぞれ四四・八億円と一〇〇・五億円というように、二倍以上の差が生じる。それは、国家財政に占める地租収入と所得税収入が逆転していったことにも現われている。

製造工業で、この時期の経済発展を牽引《けんいん》したのは、鉄鋼・機械・金属などの重工業と、レーヨンや合成肥料などの化学工業であった。重化学工業の発展を可能にした大きな要因は、発電量の急激な増加である。一九一二年時点で発電所の数は二八、発電量は三七万キロワットであったのが、一九二五年になると、一三一三の発電所が二〇九万キロワットの電力を発電するようになる。

工場の動力も蒸気から電力化が急速に進行し、民家にも電灯が普及していった。一九一二年で全世帯数の約二〇パーセントにしか電気が通じていなかったのが、一九二五年になると約八〇パーセントに普及するようになる。電気のある暮らしがふつうになっていった。

都市型社会の成立

第二に、都市型社会の形成である。工業化の進展は、急速な都市化と並行的な関係にあった。東京・横浜・名古屋・京都・大阪・神戸を「六大都市」というようになったのも、一九二二年（大正一一）のことである。太平洋ベルト地帯と呼ぶように、工場が集中し都市人口も増加していった太平洋側は、「裏日本」に対して「表日本」と呼ばれるようになった。こうして、近世から明治にかけて繁栄した「裏日本」は、「表日本」に対するヒト・カネ・モノ・エネルギーの供給地になっていく。

都市のほとんどの住宅には、ガス・電気・水道が普及した。都心と郊外を結ぶ私鉄が運行を開始し、郊外の文化住宅に住むサラリーマンが私鉄を使って都心の会社に通勤する風景が日常的になった。都市化を象徴する丸ビル（丸の内ビルヂング）が東京丸の内に建てられたのは、一九二三年である。このような都市型社会の形成は、日露《にちろ》戦争後から問題になりはじめていた都市と農村の格差が、より拡大したことを意味していた。

都市型社会の形成は、別の側面からも証明できる。それは出

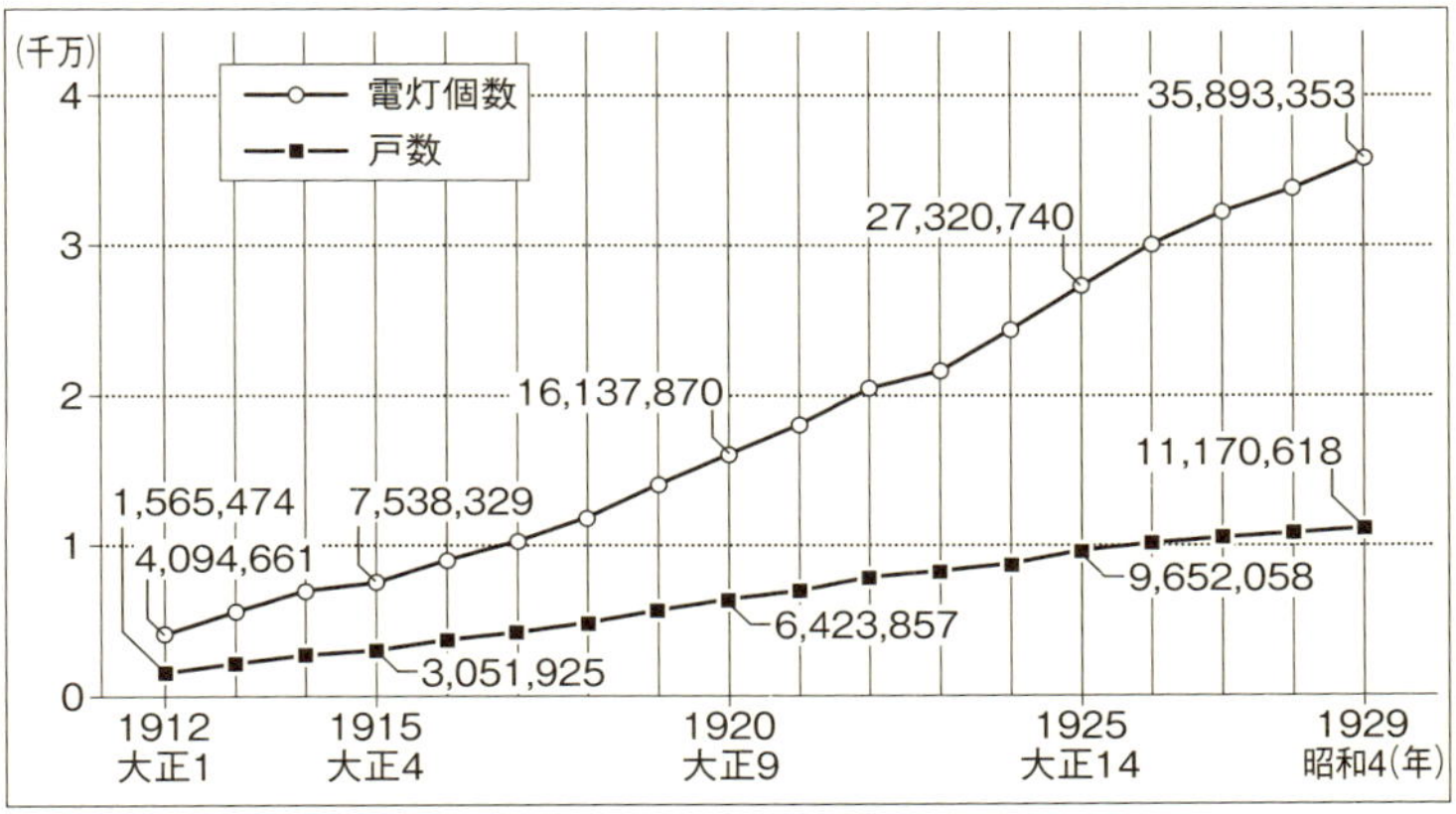

●電灯の普及
大規模水力発電所の相次ぐ建設により、発電量が飛躍的に伸びた大正期には、民家にも急速に電灯が普及していった。

生率の低下である。はっきりとした統計は残っていないが、速水融《はやみあきら》らの推定によれば、一九一六年の合計特殊出生率（女性一人あたりの平均子供出産数）は五・〇前後とされている。しかし、農村を一〇〇とすると、都市の出生率は六〇ほどであり、大都市ではすでに明治末から出生率の低下が始まっていたという。そして、一九二〇年頃をピークに、日本全体の合計特殊出生率が減少に転じていくと指摘している。

当時の日本は、生まれた子供の六、七人に一人は生後一年未満で死亡する社会であり、文明国日本にとって子供の死亡率の高さが大きな問題と認識されていたが、出生率も下がりはじめていた。

文化のスピード化と大衆化

第三に、文化のスピード化と大衆化である。それを象徴しているのが、週刊誌の登場であろう。現在も発行されている『週刊朝日』と『サンデー毎日』は、一九二二年（大正一一）に創刊された。当時の『週刊朝日』は、タブロイド版の薄いものであり、現在のそれとはイメージを異にするが、それでも週刊誌の登場は、人びとの時間感覚を大きく変容させていったことだろう。

文化の大衆化は、大学の「大衆化」にも現われている。一九一八年に制定された大学令によって、それまで大学といえば帝国大学だけであったのが、早稲田や慶應義塾などの私立大学の設立も認可されるようになった。これは、工業化の進展に伴い、企業がより高学歴の人材を大量に欲するようになったからであるが、これにより、一九一八年に九〇〇〇人程度であった大学生が、一九二〇年には二万一九〇〇人、一九三〇年（昭和五）には六万九六〇〇人と急増していった。

だが、震災恐慌、金融恐慌と恐慌が相次いだ不況下の一九二〇年代では、就職したくても職がなかった。いわゆる「大学は出たけれど」の時代である。ちなみに、一九二九年の大学・専門学校卒業生の就職率は、理系で七六パーセント、文系で三八パーセントであった。

一方、出版文化も花開いていった。一九二五年一月に講談社《こうだんしゃ》より創刊された月刊誌『キング』は、発行部数が一〇〇万部を超えるなど、爆発的に大衆に受け入れられた。農村青年の愛読者も多く、まさに文化の大衆化を象徴する雑誌であった。その背景には、出版業の繁栄と、活字文化が女性や子供にも受容されていくようになったことがある。一九一三年に岩波《いわなみ》書店、一九一九年に改造社《かいぞうしゃ》、そして一九二二年には小学館が設立され、円本《えんぽん》（一冊一円の叢《そう》書《しょ》）などがブームになっていく。

また、子供や女性向けの雑誌も相次いで創刊され、人気を博していった。たとえば、『少年倶楽部《くらぶ》』（一九一四年）、鈴木三重吉《すずきみえきち》の『赤い鳥』（一九一八年）、『婦人公論』（一九一六年）、『主婦之友』（一九一七年）などがあげられる。

24

◉職を求める男性
英語で書いた求職公告を持ちながら読書をしている。不況の波は、インテリをも容赦しなかった。写真は、大阪梅田。

このように、第一次世界大戦期から一九二〇年代にかけての工業化と都市化が、現代までつながるライフスタイルや都市景観を成立させたのである。

「安価生活」の提唱

東京・渋谷に常磐松《ときわまつ》女学校を経営していた三角錫子《みすみすずこ》の遺稿をまとめた『婦人生活の創造』が、実業之日本社から一九二一年（大正一〇）に刊行された。そのなかで、三角は、〈デモクラシイの思想を日本の家庭にも入れたい〉と述べている。

三角は、これまで、日本の家庭は〈家長と嫡男だけ権力を持つ家庭〉であったが、これからは世界の大勢とともに、〈家庭をもデモクラチックにし〉ていかねばならないと主張していた。そのために、〈家族会議〉で〈家憲〉を制定し、〈立憲的な家庭〉をつくる努力をしなければならないと述べているが、いちばん重要なのは婦人の覚醒《かくせい》であると強調してやまなかった。

三角は、生活のなかに、そして家庭のなかにまでデモクラシーが浸透しなければ、社会の「改造」はありえないことを見抜いていた。このように、第一次世界大戦から一九二〇年代にかけて、政治や社会の「改造」を求めるデモクラシー思想は、家庭生活をも対象とするようになり、生活の改善、改造が叫ばれていくようになる。

その先陣を切ったのが、医学博士額田豊《ぬかたゆたか》の『安価生活法』（政教社）であった。一九一五年に出版された定価八五銭のこの本は、大衆の人気を得て一九一七年三月二五日には二六版を重ねている。

額田は、日本が〈生活難の点に於《おい》ても日露《にちろ》戦争以来一躍して世界の一等国に上《のぼ》ったようである〉と指摘し、生活難を打開するためにも、人びとに〈生活費を安くし、食費を少なくするの方法〉、彼のいう〈食品経済学〉を教えることが急務であるという。そして、イギリス人の著作になる『三ペンス生活』（当時、三ペンスは一二銭余）にヒントを得て、「十銭生活」を提唱した。

「十銭生活」といっても、ただ食費を切りつめればいいというのではなく、「十銭」でも栄養が十分に補給できるものを中心とした食生活を工夫する必要があるというものであった。〈一日十銭で生活の出来る食品〉として、額田は、白米・麦・小麦粉・大豆・さつまいもなどをあげ、それに加えて舌を楽しませる食品や副食物を取るようにすれば、五人家族ならば一日〈三十銭以内〉で生活が可能であると主張した。

創刊されたばかりの『主婦之友』は、一九一七年九月の第一巻第七号に「物価騰貴難に処する安価生活の実例」を特集し、〈一ヶ月十八円で東京市内に親子三人暮〉〈月収五十円で七人家内の教員

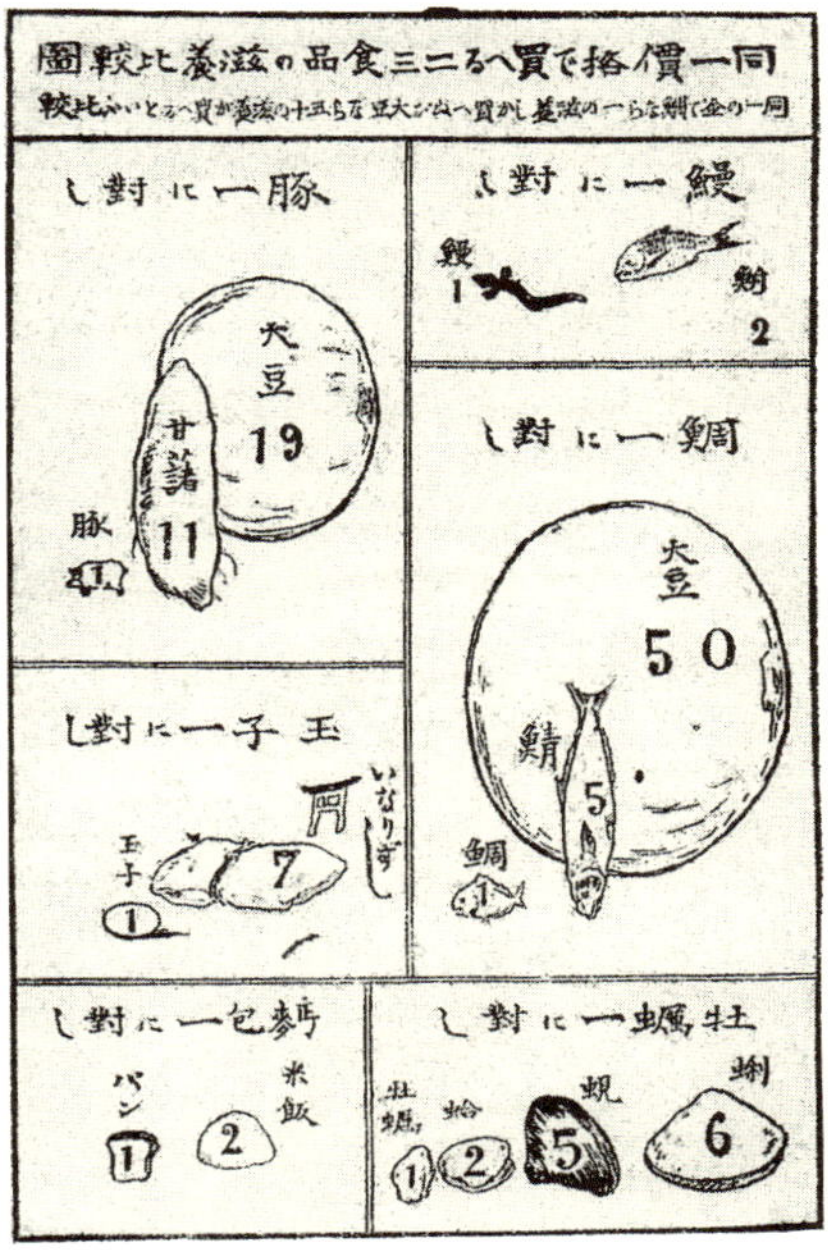

25

◉『安価生活法』の口絵
〈同一の金で鯛《たい》なら一の滋養しか買へぬが、大豆なら五十の滋養が買へる〉と、より安くより豊富な栄養が摂取できることを示している。

の家計〉〈日給四十銭で夫婦暮し者の活計〉などの読者の体験記を掲載している。

統計学者で社会問題研究家の高野《たかの》岩三郎《いわさぶろう》の調査によれば、一九一六年の東京の職工二〇世帯の月収は二三円余、家族は四人弱が平均的であった。食費が四一パーセント強、住宅費も含めると六〇パーセント近くになる職工世帯の現状を前に、家計支出に占める食費の割合が高いほど生活水準は低いという〈エンゲルノ法則〉は偽りではないと指摘している。

北海道帝国大学で経済学を専攻していた森本厚吉《もりもとこうきち》は、『生活問題　生活の経済的研究』（同文館、一九二〇年）や『新生活研究』（文化生活研究会、一九二二年）のなかで、〈旧生活（生存）より進み新生活（生活）に入る〉ことが現在の急務であると強調した。

森本はまた、「衣服の改良」として和服着用の禁止を、「住家の改良」として畳の廃止と椅子の使用、それに居間や食堂中心の間取りにすることを提唱した。なんといっても〈人の生命〉ほど大切なものはなく、〈生命の経済程大切なものがない〉として、幼児死亡率を低くし、かつ戦争や病気以外で亡くなる人（「平和の殺人」）を減らし、〈生命そのものの経済的消費を全うする〉ためにも、産児制限と生活改善の重要性を強調している。

生活改造の掛け声のなかで、どちらかといえば低所得層向けの「簡易生活」や「安価生活」と、もう少し生活に余裕がある階層の「文化生活」という、位相を異にする二つの生活が提唱されていた。いずれも、その成否はもっぱら主婦の才覚にゆだねられたのである。

一方、政府（内務省や文部省など）や政党（政友会）も、奢侈《しゃし》の抑制・暴動の抑止・女性の政治的

全集
日本の歴史
第14巻
「いのち」と帝国日本
月報14（2009年1月）
小学館
東京都千代田区一ツ橋 2-3-1

今月の逸品

幸せな時代を生きた、メディアの寵児《ちょうじ》
小村雪岱《こむらせったい》『青柳《あおやぎ》』
（埼玉県立近代美術館蔵）

マンガ好きをアピールする人が首相となったり、大学がこぞってマンガ・アニメの講座を設ける昨今。ファインアートとイラストレーションの垣根は低くなったように思われるかもしれない。だが、小村雪岱（一八八七〜一九四〇）のような、その垣根がうんと高かった時代に、軽々とそれを超え、いま見てもべらぼうにかっこいいビジュアルを生み出した人をちゃんと位置づけないかぎり、美術史家はその責任を果たすことにならない。

東京美術学校で日本画を学び、卒業後は國華社《こっかしゃ》の木版画制作に携わり、さらに資生堂の宣伝部へ。雪岱は一貫して「商業美術」の世界に身を置き、目を見張る「仕事」を残してきた。とくに「本業」とは別の、敬愛する泉鏡花《いずみきょうか》の小説の装丁には渾身《こんしん》の力を込め、それをきっかけに演劇、映画へも仕事の幅を広げていった。

そんな雪岱が残した仕事のなかで、私がいちばん好きな『青柳』を紹介したい。

雪岱が暮らした日本橋檜物町《ひものちょう》の記憶をもとに、家を俯瞰《ふかん》する。青畳《あおだたみ》の上に、ぽつんと置かれた三味線と鼓《つづみ》。稽古の前なのか、後なのか。小さなモティーフなのに、前後の時間を濃密に反映している。そして、青柳の枝のしなりの、なんと見事なこと。

若いころから耽読《たんどく》した泉鏡花の小説を絵画化することが、彼の究極の目標だったのだろう。この絵の原型は鏡花の『日本橋《にほんばし》』の装丁に用いられているが、のちに雪岱はうんとブラッシュアップして、この肉筆画を残している。

雪岱は昭和一五年、五三歳で死んだ。いまでいうメディアがぱっと花開いた、大正後期から昭和初期に生きた、トランスカルチャーの寵児だと思う。

山下裕二（明治学院大学教授・日本美術史）

今月の

質問　世の中でいちばん苦手なものは？

第14巻「いのち」と帝国日本

小松　裕

（熊本大学教授）

最初に飛行機に乗ったときに、エアポケットに入ったように機体がすーっと下がったんです。あの気持ち悪さといったらなくて、あんな思いをするくらいなら乗るまいと。海外なんてとんでもない！　ぜったいに行きません。これまで数回、決死の覚悟で韓国と台湾へ行ったくらいです（笑）。

実家は銀山《ぎんざん》温泉と西瓜《すいか》で有名な山形県の尾花沢《おばなざわ》市ですが、熊本から帰省するときも電車です。新幹線を乗り継いで行けば一日で着きますし、東京までの五時間でだいたい本が一冊読めます。いま、本を読む時間があまりとれないので、よけいに貴重ですね。

鉄道ならではの楽しみというのもあって、新幹線の新型車両には必ず乗りますね（笑）。山形までずうっと、日本海側を鉄道で帰ったこともあります。

僕は学生たちに、「日本史は教えられないけれど、日本酒なら教えられる」と冗談で言っているのですが、趣味といったら、おいしい日本酒を探して飲むことかなあ。日本酒は日本の文化そのもの。風土によって味がぜんぜん違います。僕は、変なコレクションをしていまして、いままで飲んだ日本酒のラベルを北からずっと地域ごとにアルバムに貼っているんです（笑）。ラベルひとつにも、蔵元特有の個性がありますから。この本を校了したときに飲もうと、山形の酒「十四代」を一本取ってあるんですよ（笑）。

山形の風物に芋煮《いもに》会《かい》というのがあって、小学校時代には毎年、秋の稲刈り休みのあと、全校生徒が河原に集まってやりました。包丁や鍋を家から持ち寄り、薪《たきぎ》は河原の流木を拾ってきてね。当時はまだ、みんな貧しい時代でしたから、牛肉なんて一年に一度食べ

「飛行機。ぜったい乗りたくありません！」

られるかどうかでした。それを先生が芋煮のために牛肉を買ってくるんです。「おまえは、肉ばかり食べて」なんてみんなでわいわい騒ぎながら食べました（笑）。仙台や庄内は、味噌仕立てで豚肉を入れるんですが、本場山形は醤油味。こんにゃく・里芋・長ねぎ・牛肉、あとは季節のきのこを入れたりして。ほんとうに、楽しい年中行事でした。

学生たちとも、研究室できりたんぽ鍋や芋煮をしますよ。毎年一二月に秋田から比内《ひない》地鶏《じどり》ときりたんぽを取り寄せて、卒論提出前の四年生に「卒論がんばれの会」をやるのが恒例になっています。そうやって、学生といつも食べたり飲んだりしているので、気持ちが若くいられるのかもしれません。

谷中学と水俣学の架け橋を

先日、田中正造《たなかしょうぞう》の「谷中学《やなかがく》」に学んで、「水俣学《みなまたがく》」というものを提唱された熊本学園大学の原田正純《はらだまさずみ》先生と講演をしました。ちょうど、田中正造と足《あし》尾《お》銅山鉱毒事件を研究してきた僕が、職を得て熊本に来たのも何かの縁なので、なんらかのかたちで水俣の問題にかかわらなくてはいけないと思っていたところでした。

一九九五年、村山内閣のときに政治決着がついたので水俣問題は終わった、とはいいますが、熊本に住んでいるとまだまだ身近な問題だということがわかります。半世紀がたつというのに、水俣病の認定を求めて提訴する人がたくさんいます。

水俣の漁民たちというのは、ある意味で豊かさに取り残された人びとでした。食糧としては芋と海で獲《と》れる魚しかないので、毎日そればかりを食べていた。その魚の宝庫だった海に水銀が垂れ流されていたんです。しかも、胎児性水俣病患者は、ちょうど僕たちと同じ世代。あの人たちは、ある意味で日本の戦後史の本質を切開し、照らし出している存在でもあると思うのです。『苦海浄土《くがいじょうど》』をお書きになった石牟礼《いしむれ》道子《みちこ》さんは、八〇歳を過ぎたいまでも精力的にお仕事をされています。あの方は、僕らとは違って、頭にではなく心にストレートに入ってくる言葉をもっている方です。水俣には、石牟礼さんのほかにも、独特の哲学をもっている人がいっぱいいるので、ほんとうに勉強になりますね。「相思社《そうししゃ》」という民間が運営する拠点もあって、全国から若者たちが来て、そこに泊まり込んで何かできることを手伝っていくというシステムができあがっています。

田中正造の研究サークルというのは、日本全国にあり、退職された教師や主婦といったごく一般の市民の方たちが参加しています。僕も、熊本で月に一回、そういう方々と学習会をやっているのですが、もうすぐ二〇年になります。水俣学でも、そういうかたちの自主的な学習会がいろいろなところにできるといいのですが。水俣の問題も足尾銅山鉱毒事件も、歴史の教訓として、両方を学んで語り継いでいかなければ、人間は何度でもだまされますから。

僕はひとりの歴史研究者として、谷中学と水俣学の橋渡しをしなくてはいけない。それを、胎児性水俣病患者の方々がご存命のうちに、きちんとやらなくてはと思っています。

今月の

おすすめ博物館

瀬戸内海歴史民俗資料館

瀬戸内海の歴史や暮らしを紹介

瀬戸内海にせりだした景勝地・五色台《ごしきだい》に建ち、瀬戸内地方の歴史・民俗・考古資料を収集・展示している資料館。八つに分かれた常設展示室では、瀬戸内海の漁民の暮らしや漁法、漁業や交易に使用された船の変遷、古くからさかんに行なわれてきた製塩などを紹介している。一三万点あまりの収集資料のうち、漁撈具《ぎょろう》、船図および船大工用具あわせて二件五六五六点が重要有形民俗文化財に指定されている。

香川県高松市《たかまつ》亀水町《たるみちょう》 1412-2
☎ 087-881-4707

ＪＲ予讃線《よさん》ほか高松駅からタクシー

愛媛県歴史文化博物館

原寸大模型で歴史を身近に感じる

平成六年に開館した、愛媛県の歴史・民俗・考古などを紹介する博物館。常設展示は、原始古代から近現代までを四つの時代に分けて展示する歴史展示と、「愛媛の民俗・祭りと芸能」「愛媛のくらし」「四国遍路」をテーマにした民俗展示から構成される。弥生《やよい》時代の竪穴《たてあな》住居や祭りの山車《だし》など、原寸大の復元模型を多数展示しているのが特徴だ。歴史衣装を着たり、昔の遊びに触れられる体験学習室も備える。

愛媛県西予《せいよ》市宇和町《うわちょう》卯之町《うのまち》
4-11-2
☎ 0894-62-6222

ＪＲ予讃線卯之町駅から徒歩

高知県立坂本龍馬《さかもとりょうま》記念館

幕末・維新の英雄・龍馬を紹介する

太平洋を望む桂浜《かつらはま》の高台に建つガラス張りの建物で、激動の幕末を駆け抜けた志士・坂本龍馬をテーマにしている。二階展示室では光ファイバーやグラフィックスで、龍馬の人間像や業績、関係した人物などを紹介。地下二階の展示室では、龍馬が所持していたピストルの模型や龍馬の書簡、近江《おうみ》屋で暗殺された部屋にあった血痕《けっこん》のついた屏風と掛軸《かけじく》の複製など、ゆかりの品を展示している。

高知県高知市浦戸《うらど》城山《しろやま》 830
☎ 088-841-0001

ＪＲ土讃線高知駅からバス

今月の歴史博物館・資料館ガイド

【香川県】

◆**香川県立ミュージアム**
高松市玉藻町《たまもちょう》5・5
☎087・822・0002
＊JR予讃《よさん》線ほか高松駅から徒歩
原始から近現代までの香川の歴史を紹介するほか、空海《くうかい》など香川ゆかりのテーマで企画展示も行なわれる。香川出身の作家による絵画・彫刻・工芸品なども収蔵する。

◆**菊池寛《きくちかん》記念館**
高松市昭和町《しょうわちょう》1・2・20　サンクリスタル高松3階
☎087・861・4502
＊JR高徳《こうとく》線昭和町駅から徒歩
明治二一年、現在の高松市に生まれ、作家・文藝春秋社の創設者として活躍した菊池寛の生涯と功績を紹介している施設。

◆**金刀比羅宮《ことひらぐう》博物館**
仲多度《なかたど》郡琴平《ことひら》町892・1
☎0877・75・2121
＊JR土讃《どさん》線琴平駅から徒歩
「こんぴらさん」の名で、古くから信仰されてきた海の守り神。円山応挙《まるやまおうきょ》の障壁画が飾られる表書院をはじめ、宝物館・金毘羅《こんぴら》庶民信仰資料収蔵庫などが公開されている。

◆**坂出《さかいで》市塩業資料館**
坂出市大屋冨町《おおやぶちょう》1777・12
☎0877・47・4040
＊JR予讃線坂出駅からバス
古代土器製塩技術や入浜式《いりはましき》塩田などを、道具や模型を用いて説明する。さらに、坂出を中心とした塩づくりの歴史・製塩技術の発展・人々の暮らしなど三つのゾーンで紹介。

◆**坂出市郷土資料館**
坂出市　寿町《ことぶきちょう》1・3・5
☎0877・45・8555
＊JR予讃線坂出駅から徒歩
大正時代に香川県立坂出商業学校として建てられた西洋風の建物を利用した資料館。一階に坂出市の民俗資料や塩田関連、二階に考古・歴史資料などを展示している。

◆**四国村《しこくむら》**
高松市屋島中町《やしまなかまち》91
☎087・843・3111
＊高松琴平《ことひら》電鉄志度《しど》線琴電屋島駅から徒歩
源平《げんぺい》の古戦場として知られる屋島山麓《やしまさんろく》の地に、四国各地から移築復元された建造物三三棟が点在する野外博物館。江戸時代から大正期にかけての地方色豊かな民家をはじめ、約一万点の民具も保存されている。

◆**高松市歴史資料館**
高松市昭和町1・2・20　サンクリスタル高松4階
☎087・861・4520
＊JR高徳線昭和町駅から徒歩
高松市の歴史・考古・民俗に関する資料館。特徴的なものを取り上げながら、古代から近現代まで時代順に紹介する常設展示室のほか、学習室や特別展示室を備える。

◆**高松平家物語歴史館**
高松市朝日町《あさひまち》3・6・38
☎087・823・8400
＊JR予讃線ほか高松駅からバス
『平家物語』に描かれた平家一門の栄枯盛衰の歴史を、三〇〇体以上の蝋《ろう》人形で立体的に再現。また、空海《くうかい》や坂本龍馬《さかもとりょうま》など、四国ゆかりの偉人たちのコーナーもある。

◆**平賀源内《ひらがげんない》先生遺品館**
さぬき市志度《しど》46・1
☎087・894・1684
＊JR高徳線志度駅・高松琴平電鉄志度線琴電志度駅から徒歩
江戸時代、本草家《ほんぞうか》・発明家として多彩な才能を発揮した平賀源内を紹介する。エレキテルをはじめ、数多くの遺品が展示される。

【徳島県】

◆藍住町《あいずみちょう》　歴史館 藍の館

板野《いたの》郡藍住町徳命《とくめい》字前須《まえず》西《にし》172

☎088・692・6317

＊JR高徳《こうとく》線ほか徳島駅からバス

藍の豪商・奥村《おくむら》家の屋敷を保存した施設。阿波《あわ》藍の歴史や製造工程、道具などを紹介するほか、奥村家に伝わる古文書や古民具・美術品を展示。藍染めも体験できる。

◆大鳴門橋《おおなるときょう》架橋記念館エディ

鳴門市鳴門町土佐泊浦《とさどまりうら》字福池《ふくいけ》65

☎088・687・1330

＊JR鳴門線鳴門駅からバス

世界三大潮流に数えられる鳴門の渦潮《うずしお》が見られる鳴門公園に位置し、渦潮のメカニズムや大鳴門橋の仕組みを、ハイビジョン映像などでわかりやすく紹介している。

◆徳島県立博物館

徳島市八万町《はちまんちょう》向寺山《むこうてらやま》　文化の森総合公園

☎088・668・3636

＊JR高徳線ほか徳島駅からバス

常設展示室は、「徳島の自然と歴史」というテーマの総合展示をはじめ、人文と自然の部門展示、南米の哺乳類《ほにゅうるい》化石を展示するラプラタ記念ホールから構成されている。

◆徳島市立考古資料館

徳島市国府町《こくふちょう》西矢野《にしやの》字奥谷《おくたに》10・1

☎088・637・2526

＊JR徳島線府中駅からタクシー

阿波《あわ》史跡公園の中心施設で、徳島市内で発掘された銅鏡や土器、青銅器など、縄文《じょうもん》時代から平安時代にかけての考古資料約七〇〇点を収蔵する。企画展・特別展も開催。

◆徳島市立徳島城博物館

徳島市徳島町城内《じょうない》1・8

☎088・656・2525

＊JR高徳線ほか徳島駅から徒歩

旧徳島城表御殿庭園に隣接し、徳島藩と藩主・蜂須賀《はちすか》家の歴史・美術資料を中心に収蔵・展示。五つに分かれた常設展示室では、重要文化財の徳島藩御召鯨船《おめしくじらぶね》など阿波水軍についての展示が見られる。

◆松茂町《まつしげちょう》　歴史民俗資料館・人形浄瑠璃《じょうるり》芝居資料館

板野郡松茂町広島《ひろしま》字四番越《よばんごし》11・1

☎088・699・5995

＊JR高徳線ほか徳島駅からバス

「水とたたかう松茂の人々」をテーマに、吉野川《よしのがわ》河口の三角州に位置する松茂町の歩みを紹介する。また、人形浄瑠璃に関する古文書や人形・衣装などを展示し、阿波の民衆が愛した人形浄瑠璃芝居を紹介。

【愛媛県】

◆五十崎凧《いかざきたこ》博物館

喜多郡内子町《うちこちょう》五十崎甲《こう》1437

☎0893・44・5200

＊JR予讃線・内子線内子駅からタクシー

長い歴史をもつ伝統行事「大凧合戦」が行なわれる内子町の施設で、日本各地の郷土凧から世界の凧まで約四〇〇点を展示。

◆大洲《おおず》市立肘川《ひじかわ》風の博物館・歌麿《うたまろ》館

大洲市肱川町予子林《よこはやし》99・1

☎0893・34・2181（風の博物館）

＊JR予讃線伊予大洲駅からバス

風の町として知られる肱川町にある「風」をテーマにした博物館。隣接してある歌麿館は、肱川町で発見された歌麿の版木に関連して、浮世絵や版画について紹介する。

◆四国中央《しこくちゅうおう》市考古資料館

四国中央市川之江町《かわのえちょう》4069・1

☎0896・28・6289

＊JR予讃線川之江駅から徒歩

向山《むかいやま》古墳など宇摩《うま》地域の遺跡の調査・研究を行ない、企画展示室では最新の成果を公開する。遺跡めぐりの拠点ともなっている。

◆世界食文化博物館

今治《いまばり》市富田新港《とみたしんみなと》1・3

☎0898・24・1881（日本食研）

＊JR予讃線今治駅からタクシー

日本食研の愛媛本社に併設する施設で、食文化の変遷や世界各国の伝統的な料理・調理器具・食器など、さまざまな切り口で食文化を紹介。見学には事前の予約が必要。

◆別子《べつし》銅山記念館

新居浜《にいはま》市角野新田町《すみのしんでんちょう》3・13

☎0897・41・2200

＊JR予讃線新居浜駅からバス

日本三大銅山のひとつで、昭和四八年に閉山した別子銅山の史料を保存。五つのコーナーで鉱山の歴史や技術などを紹介する。

◆松山市立子規記念博物館
松山《まつやま》市立子規《しき》記念博物館
松山市道後《どうご》公園1・30
☎089・931・5566
＊伊予《いよ》鉄道城南《じょうなん》線道後温泉駅から徒歩
明治時代の歌人・正岡《まさおか》子規をテーマに、三つに分けた展示コーナーで、彼の生涯や文学活動、文学的背景としての伊予松山の歴史を紹介する。子規が夏目漱石《なつめそうせき》と生活をともにした愚陀仏庵《ぐだぶつあん》の一部も再現されている。

◆村上水軍《むらかみすいぐん》博物館
今治市宮窪町《みやくぼちょう》　宮窪1285
☎0897・74・1065
＊JR予讃線今治駅からバス
戦国時代に瀬戸内海で活躍した村上水軍のひとつ、能島《のしま》村上氏を紹介。常設展示室では、古文書や復元品などを展示し、展望室からは、国の史跡・能島城跡が一望できる。

【高知県】

◆いの町《ちょう》紙の博物館
吾川《あがわ》郡いの町幸町《さいわいちょう》110・1
☎088・893・0886
＊JR土讃《どさん》線伊野《いの》駅から徒歩
伝統的工芸品「土佐和紙」の歴史や原料、製造工程、道具などを紹介している。伝統的技法による手漉《てす》き和紙の実演コーナーや和紙づくりの体験コーナーなどもある。

◆高知県立文学館
高知市丸ノ内《まるのうち》1・1・20
☎088・822・0231
＊土佐電鉄伊野線高知城前駅から徒歩
常設展示室では、高知県ゆかりの作家約四〇名のうち、一〇名を選んで順次紹介。毎月一人ずつ展示替えが行なわれている。科学者で、随筆家でもある寺田寅彦《てらだとらひこ》や作家・宮尾登美子《みやおとみこ》を紹介する展示室もある。

◆高知県立歴史民俗資料館
南国《なんこく》市岡豊町《おこうちょう》八幡《やはた》1099・1
☎088・862・2211
＊JR土讃線高知駅からバス
平成三年、戦国武将・長宗我部《ちょうそかべ》氏の居城跡を整備した岡豊山《おこうやま》歴史公園内に開館。長宗我部元親《もとちか》や幕末・維新、自由民権運動などの関連資料を展示し、高知県の歴史を時代順に紹介する総合展示室と、海・野・山・鍛冶の四つのテーマで生活文化を紹介する民俗展示室が見られる。土塁《どるい》や石垣など城跡の遺構が残る公園内の散策も興味深い。

◆高知市立自由民権記念館
高知市桟橋通《さんばしどおり》4・14・3
☎088・831・3336
＊土佐電鉄桟橋線桟橋通四丁目駅から徒歩
日本の近代化に大きな役割を果たした土佐の自由民権運動を、憲法の草案などの関連資料やパネル、模型などで紹介する。

◆四万十《しまんと》民俗館
高岡《たかおか》郡中土佐町《なかとさちょう》大野見《おおのみ》吉野《よしの》9
☎0889・57・2023（中土佐町役場教育委員会）
＊JR土讃線土佐久礼《とさくれ》駅からバス
昭和九年、米蔵として建てられた建物で、二重構造の屋根が特徴。館内には、四万十川で使われた漁具など、昔の道具を展示。

◆宿毛《すくも》市立宿毛歴史館
宿毛市中央《ちゅうおう》2・7・14　宿毛文教センター3階
☎0880・63・5496
＊土佐くろしお鉄道宿毛線宿毛駅からバス
江戸時代の宿毛の町並みを再現したジオラマを展示する「歴史展示室」や宿毛ゆかりの偉人二〇人を映像で紹介する「人物展示室」などで、宿毛の歩みや風土を紹介する。

◆龍河洞《りゅうがどう》博物館
香美《かみ》市土佐山田町逆川《とさやまだちょうさかかわ》1434
☎0887・53・4376
＊JR土讃線土佐山田駅からバス
日本三大鍾乳洞《しょうにゅうどう》のひとつ、龍河洞は、国指定史跡天然記念物。博物館では、鍾乳洞の成り立ちをはじめ、洞内の生息動物、洞内に住んでいた弥生《やよい》人とその遺物などを紹介。鍾乳洞内の散策と合わせて見学したい。

◆龍馬歴史館
香南《こうなん》市野市町大谷《のいちちょうおおたに》928・1
☎0887・56・1501
＊土佐くろしお鉄道ごめん・なはり線のいち駅から徒歩
高知県出身で、幕末・維新の英雄・坂本龍馬の三三年にわたる生涯を、一八〇体の蠟《ろう》人形を使って紹介する施設。勝海舟《かつかいしゅう》との出会いの場面や寺田屋《てらだや》事件など、全二六の場面をいきいきと再現している。

次回配本 二〇〇九年二月二五日頃発売予定

第15巻 戦争と戦後を生きる

一九三〇年代から五五年

大門正克（横浜国立大学教授）

国家の戦争に翻弄される人びと

日中戦争の前夜からアジア太平洋戦争の敗戦、戦後の復興までを叙述。

●人びとは、みずから仕事や暮らす場所を求めて移動している。空襲や弾圧を逃れるために、あるいは、戦争による動員のために、移動を余儀なくされた（はじめにより）。

●これまで、引き揚げといえば日本人が日本へ引き揚げることをさし、日本から朝鮮人や中国人が引き揚げることは意識の範囲外であった。それぞれの引き揚げ写真に示された関心の深さの差は、当時の人びとの社会的関心も反映していたのである（第五章より）。

聞き取りや著わされた記録などから、国家の戦争へ自発的にかかわった人、参加を強《し》いられた人、それぞれの戦争を追います。

ラジオ（放送局型１号受信機［1938］ＮＨＫ放送博物館蔵）
娯楽メディアとしてだけでなく、植民地支配を進めるうえでもラジオの普及は有効とされ、朝鮮や台湾では現地語の放送が行なわれた。

【目次の一部】

●編集後記　14巻をお届けします。編集会議で全集を貫くテーマが話題になったことがあります。その際、「やはり、いのちではないですか」ときっぱりと発言されたのが、小松先生でした。それ以来、いつの時代でも、命がどう扱われたかを問題とし、いま、全集を世に問う意義をしっかりと支える言葉となりました。本巻でも「いのち」が活躍します。いまに生きる歴史を受け止めてください。（芳）

訓練（公民教育）などを目的に、生活改善に取り組んでいった。民衆生活の向上を求めた生活改善運動は、さまざまな思惑《おもわく》がからまりあいながら、そのせめぎ合いのなかで展開していったのである。

西村伊作の文化生活

大正期の「文化生活」を語るうえで忘れてはならない人物のひとりに、西村伊作《にしむらいさく》がいる。ある意味で、西村ほど大正という時代の雰囲気をみごとに体現していた人物はほかにいない。

西村伊作は、一八八四年（明治一七）に和歌山県新宮《しんぐう》町に生まれた。父は大石余平《おおいしよへい》、叔父《おじ》に大逆事件《たいぎゃくじけん》で処刑された大石誠之助《おおいしせいのすけ》がいる。矢内原伊作《やないはらいさく》もそうであったように、伊作という名前は、旧約聖書に出てくるアブラハムとサラの子供イサクに由来する。

父の余平は、仏壇を破壊したり、神社のお札をただの紙切れだといって鼻をかんだりする人物で、明治一〇年代にさまざまな風俗習慣の改革を急激に行なった欧化主義者であった。伊作が生まれたころに、キリスト教に入信し、新宮に教会を建てている。

そのような父をもった伊作は、子供のころから洋服を着せられていたことが原因で、学校では足を持って土の上を引きずられ、顔じゅう血まみれになるほどのいじめを受けた。家にも、たくさんの人が押しかけてきて、「ヤソヤソ」と怒鳴って暴れたことがあるという。

その結果、新宮にいられなくなった一家は、山奥の家を棄《す》てて、名古屋に出ていくことになる。しかし、一八九一年、熱田《あつた》のチャペルで朝の祈禱会《きとうかい》に出席中だった両親は、大地震で崩れ落ちてきた屋根の煉瓦《れんが》の下敷きになり亡くなってしまう（濃尾《のうび》大震災）。伊作も頭にケガをしたが、命は助かった。そして、「吉野第一の山林地主」といわれる旧家を守っていた祖母もんに引き取られ、わずか九歳で母方の西村家の戸主となった。

西村は、一九二二年（大正一一）に出版した『生活を芸術として』（民文社）のなかで、〈日本を改造して新しい日本にするのに、私は先《ま》ず我々の住宅を改造して、生活の方面から善《よ》い国を築き上げたいと思うのです〉と述べている。改造ブームのなか、伊作にとっての日本の改造は、住宅の改造から始まるものでなければならなかった。

〈家は立派な芸術品であり、氷《こお》れる音楽〉であると考えていた西村は、西洋式住宅を理想とした。『楽しき住家《じゅうか》』（警醒社《けいせいしゃ》書店、一九一九年）を見ると、もっとも小さな家でも、居間（リビングルーム）と台所と寝室は必要であると強調している。ベランダやポーチがあれば、生活はもっと楽しくなるという。最新の文化住宅でさえ、お茶の間に卓袱台《ちゃぶだい》が主流のころであった。

建築家としての西村の根底にあった思想は、生活こそ生命と

26

●創立当時の文化学院
一九二一年四月、西村自身が設計・施工した文化学院が、東京・神田駿河台《かんだするがだい》に、各種学校として開校した。絵も西村による。

いうものである。西村は、〈文化は在来のものをたくさん集めて持つことでなく、これから物を作る力を持つことだと思います〉と述べている。また、〈すべてのものは自分が自分のために作らなければいけない。…自分の考えで創造した事を用いずに生活するのは、自分の生命を活《い》きるのでなく、他人に寄生して生きており、出来合《できあい》の生命、間《ま》に合《あわ》せの生を営んでいるものでしょう〉ともいう。

このように、西村は、〈大切な生命の為《た》め〉にも、何よりも先に自分の食物や衣服や住居などに工夫を凝らし、楽しく生活することが、生命に対する務めであると主張する。人生の大目的は日常生活にほかならず、生活の研究、〈生活学〉〈生活の芸術〉が必要だというのである。

西村は、七人の子供の父親でもあったが、彼の子供に対する接し方にも独特なものがあった。それは、「朋友《ほうゆう》」「相談役」として子供に接するということである。子供を「親友」として尊重し、子供がもっている才能を自由に開花させることこそ親の務めであると考えていた西村は、既成の学校教育を否定するあまりに、自分で学校までつくってしまう。それが、大正自由主義教育のひとつの象徴とされている文化学院であった。

与謝野寛《よさのひろし》・晶子《あきこ》夫妻や石井柏亭《いしいはくてい》、山田耕筰《やまだこうさく》、有島武郎《ありしまたけお》、北原白秋《きたはらはくしゅう》、戸川秋骨《とがわしゅうこつ》など、そうそうたる教授陣が顔をそろえた文化学院は、入学試験もなく、校則らしいものもなく、生徒は自分の好きなことをやり、嫌いなことは強制されず、各科目平均して点数を取る必要もなかった。

マイノリティとして──「いのち」の序列化に抗して

「旧土人」というレッテル

一九一二年（大正元）一一月一八日、北海道沙流《さる》郡平取《びらとり》村二風谷《にぶたに》に生まれた貝澤正《かいざわただし》は、「老アイヌの歩んだ小道」という文章をつぎのように書き出している。

アイヌ──生まれたその時から背負わされた宿命。小学校に入学した時から差別は始まった。文字を知らないために文字を知っているシサム（和人）から差別される。文字を知ることがシサムと対等の立場になれるのだと甘い期待を持った。エカシ（老翁）の先覚者が草葺《くさぶ》きの校舎を建て、シサムの先生を呼び、子弟の教育を始めたのが明治二五年と聞いている。明治三二年、「旧土人保護法」が制定され、旧土人学校となり、「旧土人学校教育規定」によって教育されたのが私達だった。六〇人余の学童に老先生が一人。六学年の複式で大半は自習、始業も終業も先生の都合だけで一定の時間はない。天皇の写真に最敬礼することや教育勅語を中心とし、日本人がいかに優れた民族であるかをシサムの先生によってくり返しくり返し、たたき込まれた。

正少年は、長いひげをはやした祖父、口のまわりに入れ墨をした祖母、酒を飲んでは母と口論をする父という家庭環境のなか、いつしか「シサムになりたい」と思いつづけて大人になった。そして、海軍の志願兵を受験するが、身体検査で落第。やがて、彼は、満蒙開拓義勇軍《まんもうかいたくぎゆうぐん》幹部として満州に渡った。貝澤は、〈日本軍人や開拓農民が、中国人や朝鮮人を差別していることに対しても、「俺は日本人だ」という優越感を持たなければならなかった〉と回想している。

北海道を含む北方の先住民族であるアイヌ民族は、近世以降、「和人」の侵略にさらされてきた。場所請負制《ばしょうけおいせい》をはじめ、さまざまな政策によって、居住や就労を制限されるようになり、幕末期には、ロシアの南下に伴い、日本への同化（国風化）を強要されていく。こうした同化政策は、近代に入っても継続されたが、決定的な契機は、一八九九年（明治三二）に制定された旧土人保護法によってもたらされた。

旧土人保護法は、長いあいだ狩猟と漁業を生活の基本としてきたアイヌ民族に対して、定住と農耕を強制するものであった。アイヌ民族の「文明化」とは、すなわち彼らをして農耕民族と化することであった。

27

◉漁をするアイヌ民族
アイヌは、コタン（集落）を形成し、狩猟・漁撈《ぎょろう》・採集を中心とする生活を送っていた。自然との共生に努め、独自の文化を有する民族だった。

ところが、旧土人保護法によって与えられた土地は、大木の切り株がゴロゴロしている土地であったり、急な斜面であったりしたといわれる。そのため、税金がかからない期間に耕作可能な土地にすることもかなわず、アイヌ民族に貸与された土地のほとんどは「和人」が買収する結果となり、アイヌ民族は生活の手段を奪われていった。

こうして、大正期に入るころには、すでに「滅亡」してゆく民族とのレッテルが貼《は》られるようになった。医学博士藤浪剛一《ふじなみごういち》談としてまとめられた一九一九年一一月の「通俗講話　アイヌ部落を訪れて」には、「滅び行くみじめさをまのあたり」という副題が付けられており、だからこそ〈彼等《かれら》を保護するは日本人の義務〉であると強調されていた。

だが、「滅亡」とは、経済的な側面だけではない。精神面でもそうであったことは、貝澤正の文章にもあるように、アイヌ民族に与えられた教育の内容を考えればわかるであろう。アイヌの子供たちが受けさせられたのは、日本人になるための同化教育であった。アイヌとしてのアイデンティティの自己否定を迫る教育だったのである。

学校における差別も激しかった。一九二六年八月一五日に出版された『財団法人啓明会《けいめいかい》第一八回講演集』のなかに、十勝《とかち》アイヌ伏根弘三《ふしねこうぞう》の「アイヌ生活の変遷」という講演が収録されているが、そこで伏根は、自分の子供が受けたいじめを証言している。子供は、〈どんなにいじめられても一生懸命勉強してえらい人になっ〉て、〈文明の人になって復讐《ふくしゅう》する決心であるから〉、お父さんお母さんに言ってはいけないと、妹に口止めしていたというのである。だが、この子供は、中学校卒業前に病気で急死してしまった。

だからこそ、「北風磯吉《きたかぜいそきち》」と名付けられたアイヌ民族の青年のように、日露《にちろ》戦争に従軍し、旅順《リューシュン》《りよじゅん》の二〇三高地攻防戦で率先して決死隊に志願したり、奉天《フォンテイエン》《ほうてん》会戦でも活躍するなど、自分も同じ日本人であることを証明するために、みずから進んで危地に飛び込まなければならなかったのである。

違星北斗とバチェラー八重子

日本人としての教育を受けて、青雲の志を抱いて東京に出てきた違星北斗《いぼしほくと》（滝次郎）は、東京府市場協会の事務員としてサラリーマン生活を送るが、それでも差別はつきまとった。出勤前に、ネクタイを結ぼうとして鏡に向き合ったとき、鏡に映った顔がまぎれもなくアイヌであることを、〈ネクタイを　結ぶと覗《のぞ》く　その顔を　鏡はやはり　アイヌと云へり〉と違星は歌に詠んだ。

結局、違星は、肺結核のためもあって、仕事を辞めて北海道に帰った。そして、『コタン』を創刊するなどの活動をしたが、一九二九年（昭和四）、二七歳で短い生を終えた。

白鳥権治《しらとりごんじ》も、東京農科大学の校僕として住み込み、苦学生として向学心に燃えていたアイヌの青年であった。しかし、白鳥も一九〇九年（明治四二）に二一歳の若さで亡くなっている。違星や白鳥、そして『アイ

◉違星北斗（一九〇二～二九）
結核に苦しみながらも、アイヌの青年仲間と『コタン』を発行し、アイヌ民族のアイデンティティの保持と結束に努めた。

ヌ神謡集』を編集した知里《ちり》幸恵《ゆきえ》（一九〇三〜二二）のように、若くして夢を絶たれてしまったアイヌの青年が、どれほどいたことだろう。

病気療養中に、滋養のため兄が仕留めてきた熊の肉を食べたとき、違星は、〈熊の肉はうまいぞ〉と書いた。熊の肉を食べるという行為に、違星はアイヌとしてのアイデンティティを再確認したのである。「近代的」日本人たろうとし、〈はしたなきアイヌだけれど日の本に　生れ合せた幸福を知る〉と詠んでいた違星ではあったが、最終的には「原始的」であることにむしろ希望を見いだすようになっていたことが確認できるのではないだろうか。

差別・排除の原因とされた「原始的」「野蛮」というアイヌ民族に与えられたマイナスイメージ。それを逆手にとって、日本近代の仮面を暴力的にはぎとろうとする志向性こそ、私たちは読みとるべきではないかと思うのである。〈我はただアイヌであると自覚して　正しき道を踏めばよいのだ〉〈滅亡に瀕するアイヌ民族に　せめては生きよ俺のこの歌〉という違星の歌を、私はそのような意味のものとして読んだ。

バチェラー八重子《やえこ》もまた、「滅びゆく民族」とされたアイヌ民族が、同じ人間として扱われることを願ってやまなかった人物である。〈考へて　また考へて　見て見せう　ウタリの為を　ウタリの前途を〉や、〈亡びゆき　一人となるも　ウタリ子よ　こころ落とさで　生きて戦へ〉

28

●バチェラー八重子
本名向井《むかい》フチ（一八八四〜一九六二）。イギリス人宣教師ジョン・バチェラーの養女になり、アイヌ民族への伝道を使命として生きた。

という歌には、それがよく表現されている。

短歌という支配する側の表現形式を借りながら、違星北斗やバチェラー八重子が告発し、かつ希求していたのは、異質なものの根源的ないのちの平等性にほかならなかった。だからこそ、いのちの序列化に抵抗するために、最後のひとりになっても戦えと、バチェラー八重子は歌ったのである。

帝国日本の周辺で、同化と排除の気まぐれなシンフォニーに翻弄《ほんろう》されていたアイヌ民族であったからこそ、貝澤正《かいざわただし》が指摘するように、植民地や満州に行ったとき、日本人であるというだけで優越感をもってしまうことに、心の底から疑問を感じざるをえなかったのである。

沖縄の位相

一八七九年（明治一二）の「琉球処分」は、〈「天皇の国家」への併合〉（新川明《あらかわあきら》）にほかならなかった。その後、沖縄県では、旧士族層を懐柔するために旧慣温存《きゅうかんおんぞん》政策がとられる一方、教育や風俗を中心とする同化政策が進行していった。当時の沖縄が置かれた複雑な位相は、一八九三年九月一五日に創刊された『琉球新報《りゅうきゅうしんぽう》』にみることができる。

『琉球新報』は、創刊の趣旨のなかで、〈偏狭の陋習《ろうしゅう》を打破して国民的特質を発揮し地方的島国根性を去りて国民的同化を計る〉ことを掲げた。「国民」が強調されていることには理由があった。この時点で、沖縄県には徴兵制が施行されず、参政権も付与されていなかったからである。つまり、沖縄の人びとはまだ「国民」ではなかった。そのために『琉球新報』が打ち出したのが、「国民的同化」方針であった。

それは、〈極端にいえばクシャミすることまでも他府県人の通りにする〉と主張するほどに徹底した同化志向であった。一方で、沖縄人に対する誤解の存在を指摘し、〈沖縄の真相〉が正しく伝えられていないことを憂いつつも、〈誤解を解く〉ためにも〈善悪良否を論ぜず一から十まで他府県〉と同じにすることを県民に求めていったのである。

そうであればこそ、一九〇三年三月一日に大阪で始まった第五回内国勧業博覧会のパビリオンのひとつ学術人類館に、台湾の先住民族、アイヌ民族、朝鮮民族の夫婦などと一緒に二人の沖縄の婦人が「陳列」されたことに『琉球新報』は痛憤を隠さず、〈人類館を中止せしめよ〉と要求した。その論理のなかには、〈万物の霊長たる人間を監禁的に拘束《こうそく》いな見せ物視〉することの是非を問うと同時に、〈とくに台湾の生蕃《せいばん》、北海のアイヌ等と共に本県人を選みたるは、これ、われを生蕃アイヌ視したるものなり〉という異民族への蔑視《べっし》感もひそんでいた。

日本列島の北と南で、同じように同化と排除の政策に翻弄さ

29

●学術人類館の集合写真
第五回内国勧業博覧会の施設に、「学術」を名目に「陳列」された人びと。人類学も日本人の「文明」意識の形成に深くかかわった。

れていたアイヌ民族と沖縄県民ではあったが、同一視されることを拒絶し、厳然たる序列の適用を求めていたのである。

比嘉春潮の苦悩

一九一〇年（明治四三）の韓国併合に際して、沖縄県民の複雑な心情を象徴していたのが、当時二七歳の比嘉春潮《ひがしゅんちょう》の日記である。南風原《はえばる》小学校の教員をしていた比嘉は、かつて熊本の第六師団に入隊中に「リキ人」と差別された体験をもち、他府県人に支配された沖縄の現状を前に、深い自己省察を余儀なくされていた。

去月二十九日《（ママ）》、日韓併合、万感交々《こもごも》至り筆にする能わず。知りたきはわが琉球の真相也《なり》。人は曰《いわ》く、琉球は長男、台湾は次男、朝鮮は三男と。嗚呼《ああ》、他府県人より琉球人と軽侮せらるる、また故《ゆえ》なきにあらざる也。…矢張り吾等は何処《どこ》までも〝リキ人〟なり。ああ琉球人か。されば吾等の所謂《いわゆる》先輩は何故に他府県にありて己《おの》れの琉球人たるを知らるるを恐るるか。誰か起《た》ちて〝われは琉球人なり〟と呼号するものなきか。かかる人あらば、われは走り行きてその靴のひもを解くべし、われは意気地《いくじ》なきわれ等の祖先を悲しみ、意気地なきわれ等の先輩を呪い、意気地なきわれ自身を恥ずるなり。

この時点での比嘉には、脱沖縄の志向と沖縄回帰の志向とが交錯していた。そんな比嘉は、この直後に伊波普猷《いはふゆう》を知り、やがて「琉球の真相」を究めるために沖縄史研究に入っていく。

このように、韓国併合を前後して、沖縄には伊波普猷を中心として、そのまわりに「新しい世代」ともいうべき人びとが育っていた。島袋全《しまぶくろぜん》発《ぱつ》、山城翠香《やましろすいこう》、伊波普猷の弟普成《ふせい》、もちろん比嘉春潮もそのひとりであった。たとえば山城は、乃木希典《のぎまれすけ》の殉死を痛烈に批判していた。このようなときに、河上肇《かわかみはじめ》の舌禍《ぜつか》事件が発生した。

◉伊波普猷（一八七六〜一九四七）沖縄学の先駆者。県立図書館長時代には数多くの講演を実施。とくに女性の啓発に努めた。

河上肇舌禍事件

一九一一年（明治四四）四月、旧地割《じわり》制度の調査のために沖縄を訪れた河上肇《かわかみはじめ》は、京都帝国大学の助教授に就任したばかりであった。そんな河上を沖縄の人びとは「名士」として歓迎し、河上も講演依頼を断わりきれなかった。四月三日に沖縄教育会が主催した講演会で、河上は「新時代来《きた》る」と題して講演を行なった。その大意が、四月五日の『琉球新報《りゅうきゅうしんぽう》』に紹介された。

問題になったのは、河上が、沖縄の人たちを往々〈忠君愛国の思想に乏し〉いというが、これは決して嘆くべきことではなく、歴史的にみれば世界史的偉人は〈国家的結合の薄弱なる所〉や〈亡国〉から生じている、と述べた部分である。これが、「国民的同化」を熱望してきた沖縄の人びとの微妙な心理を刺激した。『沖縄毎日新聞』は、河上と〈格闘せん許《ばか》り〉に憤慨していると述べた。

もっとも、沖縄県民が忠君愛国の思想に欠けているという言説は、この当時よくみられたものである。たとえば、『鹿児島新聞』の一九一三年（大正二）六月九日の紙面には、沖縄視察旅行から帰った花田《はなだ》中佐の談話として、〈全島民を通じて敬神崇仏《けいしんすうぶつ》の念なく殆《ほとん》ど無宗教と言うも不可なく〉とか、〈内地人に較《くら》べれば忠君愛国などという観念はいささか薄かるべし〉という部分が、本文中にもかかわらず見出しと同じ大きさの文字で強調されていた。

河上の意図は、こうした一般的な批判にあったのではない。逆に、「国家は弱いものだという思想」の存在を沖縄の歴史に見いだし、そこに国家主義に対抗する可能性をみようとしたのである。沖縄の「新しい世代」の青年たちは河上の講演を支持し、傷心の河上を支援した。伊波普成《いはふせい》は、〈忠君愛国家たらんよりも国家思想に乏しいといわれるのを喜ぶ〉〈忠良なる日本人と呼ばれんより亡国の民といわれるのを希《ねが》う〉と述べた。一九一一年には、沖縄でも確実に新しい思想の胎動が始まっていた。

そして、以上述べてきたような沖縄の人びとの精神的位相を物語ってあまりあるのが、伊波普猷《ふゆう》の「日琉同祖論《にちりゆうどうそろん》」や琉球処分＝「一種の奴隷解放」論であった。伊波は、違星北斗《いぼしほくと》と交流があり、「アイヌと同じく、虐《しいた》げられたもの」という認識をもっており、沖縄の「虐待の歴史」の体験のうえにアイヌ民族との連帯を表明していたことを、沖縄史研究者の比屋根照夫《ひやねてるお》が指摘している。

一九二六年には、『中央公論』三月号に掲載された広津《ひろつ》和郎《かずお》の小説「さまよへる琉球人」に対して、沖縄青年同盟が抗議文を送るという事件が発生した。だが、そのころの沖縄は、「ソテツ地獄」と称される経済不況に陥っていた。本来食用にならない有毒なソテツを何度も水にさらして毒を抜いて食べなければならないほど、深刻な食糧難にあえいでいたのである。

それは、国際的な砂糖価格の暴落が直接的原因であったが、何よりもそれまでの沖縄からの収奪の激しさの結果であり、「大和世《ヤマトウユー》」のむごさの象徴でもあった。こうした沖縄の復興が図られるのは、皮肉にも日本の南進政策の「要石《かなめいし》」（軍事拠点）として着目されるようになってからであった。

「癩予防ニ関スル件」

ハンセン病が感染症であるとわかったのは、一八七三年にノルウェーのアルマエル・ハンセンがらい菌を発見したことによる。しかし、長い歴史のなかで形成されてきた遺伝する病気という偏見はそう簡単にはなくならず、ハンセン病は「業病《ごうびょう》」や「天刑《てんけい》病」と呼ばれていた。患者の多くは、故郷を離れ流浪し、神社仏閣などに集まっては参道で物乞《ものご》いなどをして暮らしていた。

ハンナ・リデルが熊本でハンセン病患者の救済を思い立ったのも、加《か》藤清正《とうきよまさ》の菩《ぼ》提寺《だいじ》である本妙《ほんみょう》寺《じ》の参道にたむろする患者の悲《ひ》惨《さん》な姿を見たことによるといわれている。リデルは、一八九五年（明治二八）に回春《かいしゅん》病院をつくり、患者を収容して救済にあたった。リデルだけでなく、明治後期の日本でハンセン病患者の救済事業にあたっていたのは、外国人キリスト教関係者が多かった。

日露《にちろ》戦争に勝利して世界の一等国の仲間入りをした日本ではあったが、ハンセン病の患者数は、当時の文明国のなかで群を抜いて多かった。それを「国辱《こくじょく》」と考えた光田《みつだ》健輔《けんすけ》らは、渋沢栄一《しぶさわえいいち》や大隈重信《おおくましげのぶ》に助力を請い、政府に本格的なハンセン病対策をとらせるようにはたらきかけた。リデルの尽力もあって、近代日本で最初のハンセン病法律である「癩《らい》予防ニ関スル件」が一九〇七年三月一八日に公布された。そして、青森・東京・大阪・香川・熊本の五府県に、公立療養所が設置された。

「癩予防ニ関スル件」が収容・隔離の対象にしたのは、おもに浮浪患者であり、患者全員を収容しようとするものではなかった。だが、近代日本のハンセン病政策を特徴づける患者絶滅方針は、多磨全生《たまぜんせい》病院長の光田健輔が、一九一五年(大正四)から男性患者に断種手術を開始したことにすでに現われていた。やがて、妊娠した女性患者に対する強制堕胎《だたい》も行なわれるようになった。

刑法上の犯罪であった堕胎手術の実施は、妊娠・分娩《ぶんべん》は症状を悪化させるからという「人道的配慮」を理由にしていたが、ハンセン病患者の絶滅が目的であったことはいうまでもない。

一九一六年には、患者に対する「懲戒検束権《ちょうかいけんそくけん》」が療養所の所長に与えられた。所長は、警察にかわって、脱走を試みたり反抗的な態度を見せた患者を懲罰する権限をもったのである。そのために、監禁室も設置された。木の枝を一本折っただけでも、監禁室に入れられたという。

30

◉ハンナ・リデルとエダ・ライト　リデルも、彼女の跡を継いで回春病院の運営に尽力したライトも、熊本に骨を埋《うず》めている。左がリデル、右上がライト。冨重《とみしげ》写真館で撮影。

一九二〇年代に入ると、ハンセン病政策に関連して、「民族浄化」ということがとなえられるようになる。内務省衛生局予防課長の高野六郎《たかのろくろう》や光田健輔たちは、民族の純潔を守るという名目で、すべての患者の強制隔離を強調していった。

また、療養所の医師たちは、強制堕胎した胎児の解剖実験を行なうようになった。胎盤を通じて母親から子供へと感染するのではないかと疑っていたからである。こうした母親から子供への「垂直感染」は、すでに一九二〇年代には世界的に否定されていたが、療養所の医師たちは、一九三〇年代になっても胎児の解剖を続けた。香川県の大島《おおしま》療養所（現在の大島青松園《せいしょうえん》）だけで、五〇例近く実施している。それも、肝臓・腎臓・肺臓・心臓・睾丸《こうがん》・卵巣・子宮・食道・胃・腸・脳・脊髄《せきずい》・眼球・リンパ腺・末梢《まっしょう》神経など、ありとあらゆる部位を切り刻み、胎児一体につき一〇数か所から二〇数か所にも及ぶ組織標本を作製している。

そして、どのような理由からなのかいまだにはっきりしないが、強制堕胎した胎児をホルマリンに漬けて保存する「胎児標本」も作製されるようになった。

自治会の設立

療養所といっても、療養に専念できるわけではなかった。明治末期から患者作業制度が実施され、働ける患者は、理髪、道路修理、庭園の手入れ、裁縫、洗濯、看護の手伝いなどを行なって、一日に三、四銭の奨励金をもらっていた。火葬の仕事までさせられた。予算と人員不足の療養所の業務を補完するために、わずかな金額で患者たちが労働に駆り出されたのである。

それが原因で病気を悪化させた例が多いのだが、それでも働ける患者はまだよいほうであった。働くこともできず、実家からの仕送りもない患者は、共同生活のなかでみじめな思いをして暮らすことに耐えかね、規則違反であることを承知しながらも逃走するしか方法がなかった。

一九二五年（大正一四）四月、原田久《はらだひさし》が、九州療養所（現在の菊池《きくち》恵楓園《けいふうえん》）に再入所してきた。雑談のなかで原田は、最近のように毎日逃走者が発生するということは、懐《ふところ》が寂しいからであって、入所者の生活の安定が何よりの急務である、当局もわかっていながらなんの手立ても講じない、それならば自分たちの手で、全力をあげて、〈他が救われ、みずからもまた救われ、皆が安心して死んで行ける世界を創造しなければ、われわれの生きる道はない〉と語った。

原田の話を契機に、一九二六年六月一九日、九州療養所に入所者の自治会（時光会《じこうかい》）が結成された。逃走者を出さぬように、売店を経営し、豚を飼い、作業場を建ててさまざまな事業を行ない、

31

●包帯の巻き直しをする患者たち
患者作業の内容は多岐にわたった。不自由な手で使用済みの包帯を洗濯して巻き直す作業は、たいへんな重労働だった。写真は多磨全生病院。

その利益を互助救済にあてる、というのが目的であった。会員数は二二二名、入所者四〇二名の半数以上が結集した。

全国のハンセン病療養所で初めて設立された自治会は、入所者が〈安心して死んで行ける〉ように、逃走しなくても療養所のなかでいのちを永らえるように、みんなで支え合おうという相互扶助の精神のもとに結成されたのである。だが、その三年後の一九二九年（昭和四）五月、九州療養所の北側と西側には、逃走防止のために、高さ約二メートルのコンクリートの厚い壁が設置された。

●菊池恵楓園のコンクリートの壁
周囲にコンクリート壁が設置されたのは九州療養所だけ。刑務所を思わせる。壁に開けられたのぞき穴を「望郷の窓」と呼んでいた。

「地面の底がぬけたんです」

藤本《ふじもと》としは、一九〇一年（明治三四）に東京に生まれた。彼女は、縁談がととのって幸福の絶頂にあった一八歳のときに発病した。順天堂《じゅんてんどう》病院で診察を受け、紹介状をもらって本郷千駄木《ほんごうせんだぎ》の木下《きのした》病院を訪ねたときのことを、としはつぎのように回想している。

〈自分の病気を初めて知らされた時ですけどねえ、もう、なんというか…そりゃおどろきましたよ。いいえ、知らされたっていいましても、直接に教えられたんじゃありませんでね、木下病院に紹介状をもらって行きましたでしょ、するとちょうど昼食《おひる》の鐘が鳴って、患者さんがゾロゾロッと出てこられたんですよ。そのお方たちを見た時にハッと気づいたんですけど…ほんとにねえ…気を失って

しまって…立ってる地面の底がぬけたんですよ〉

その後、としは、どうして家を抜け出そうか、どうやって死のうか、そればかりを考えるようになった。一九二一年（大正一〇）に亡くなった父に次いで、一九二四年に母も亡くすと、としはかえって気が軽々となり、母の死の翌年に大磯《おおいそ》の海岸で入水《じゅすい》自殺を図った。このときは刑事に止められたが、翌日も小田原《おだわら》の海岸で入水自殺を試みた。ふたたび茶店の老婆に止められて説得されたとしは、やがて一九二九年（昭和四）五月に大阪の外島《そとしま》保養院に入所する。

ハンセン病患者は、社会の根強い偏見や差別にさらされただけでなく、天皇の巡幸をはじめとする皇族たちの行幸啓《ぎょうこうけい》のときには、姿を現わさないようにつねに排除・監視された。明治初年の五大巡幸のときからそうであった。その典型は、一九二二年三月二五日に起こった別府《べっぷ》的ケ浜《まとがはま》の焼打《やきう》ち事件である。この事件は、閑院宮《かんいんのみや》が別府を訪問する前に、警察が的ケ浜の「貧民窟《ひんみんくつ》」六〇戸を焼き払ったというものである。このなかには、四人のハンセン病患者も含まれていた。

また、一九二八年一一月一〇日には、天皇の即位式が京都で挙行されたが、即位式を前にした一〇月二三日の『京都日出《ひので》新聞』には、〈縁日に附物《つきもの》／天刑病者の乞食《こじき》／東寺《とうじ》の縁日へ二人出た／一名は行衛《ゆくえ》を晦《くら》ます〉という記事が出ている。そこでは、堀川《ほりかわ》署衛生係の話として、〈御大典も近づき他国者の入京も追々増加せんとする際、不愉快極まる天刑病者が居ては一大事と、昨二十一日東寺弘法《こうぼう》縁日を好機に一掃を企てた〉と述べられていた。

コンウォール・リーと湯之沢

一九三一年（昭和六）には癩《らい》予防法が制定され、すべての患者が強制収容・終生隔離の対象にされていった。そのようななかで、群馬県草津《くさつ》町の湯之沢《ゆのさわ》に自由療養地区をつくって生活していたハンセン病患者たちは、患者以外の人びとと共生していた。草津の湯は皮膚病に効能が高く、ハンセン病にも効くといわれたので、患者たちが続々と集まってきたのである。

一九三〇年の湯之沢は、世帯数二二一、人口八〇三人を数え、草津町の人口の二〇パーセント近くを占めるに至った。

湯之沢の歴史を語るときに忘れてならないのが、イギリス人宣教師のコンウォール・リー（一八五七〜一九四一）である。一九〇七年（明治四〇）、五〇歳のときに来日したリーは、一九一六年（大正五）の春に草津に移り住み、そこで「聖バルナバ・ミッション」を開始した。リーは、活動の拠点として草津聖バルナバ教会を設立し、湯之沢の患者に熱心に布教するかたわら、女子ホーム、男子ホーム、夫婦ホーム、病院、幼稚園などをつぎつぎにつくっていった。草津町立小学校で学ぶことを許されなかった学童のために、湯之沢に聖望《せいぼう》小学校もつくった。

そのために、リーは私財をなげうち、イギリスやアメリカで寄付を募

32

●湯之沢集落
「衛生上の理由」から温泉街を追われたハンセン病患者は、湯之沢に移り住み集落を形成した。写真は一九二七年六月のもの。

り、みずからはきわめて質素な生活に甘んじていた。そして、〈幾百のすぎにし癩の屍《しかばね》をば　そのみ手に清めたまひし泣かゆ〉と歌われたように、患者が亡くなったときには、遺体に寄り添うようにして涙を流しながら洗い清めたという。

イギリス教会史の研究者である中村茂《なかむらしげる》は、リーもハンセン病撲滅のためには隔離がもっとも有効な方法であると考えていたが、それを押しつけることはしなかったこと、患者たちを「救済」しようとしたのではなく、湯之沢の人びとが人間として希望をもちながら隣人とともに生きること、差別された病者の「人間としての復活」を願っていたと指摘している。彼女は、湯之沢の人びとに「かあさま」と慕われていた。

ところが、税金を支払い、居住権も保障されていた「国民」で構成されていた湯之沢は、政府にとって頭の痛い存在であった。そこで、癩予防法が制定される前後から、集落を解散させようとする画策がさまざまにとられはじめる。一九三二年末、草津町にハンセン病療養施設栗生楽泉園《くりうらくせんえん》が開所すると、その圧力はさらに強まった。戦前の日本で最後まで残っていた自由療養区である湯之沢が消滅させられたのは、一九四二年一二月三一日のことであった。

一九四〇年の熊本の本妙寺《ほんみょうじ》集落の強制破壊と、一九四二年の湯之沢の消滅は、患者すべての強制隔離・終生収容を方針とする癩予防法体制が完成したことを意味している。療養所に収容されたハ

33

◉メアリ・ヘレナ・コンウォール・リー　一九一六年から二〇年ものあいだ、草津の湯之沢で救済活動に従事した。二〇〇七年、湯之沢に胸像が建立された。

ンセン病患者は、リプロダクティブ・ライツ（性と生殖に関する自己決定権）も奪われ、いのちをつないでいくことも否定された。いわば、療養所の塀の中に、ハンセン病患者のいのちと性が、絶滅を目的として囲い込まれていったのである。

病者と「民族衛生」

明治時代だけでコレラによる死者は、三七万人以上にのぼった。これは、日清《にっしん》・日露《にちろ》をあわせた戦死者数（約一〇万人）よりもはるかに多かった。

だが、コレラの爆発的な流行は、大正期に入ると一九一六年（大正五）と二〇年を除いてみられなくなり、昭和に入るとほとんど終息を迎えた。コレラの防疫体制が確立したことによる。そのため、政府は、急性の感染症から慢性の感染症へと、衛生行政の対象を変化させていった。たとえば、一九一六年に第二次大隈重信《おおくましげのぶ》内閣が内務省に設置した保健衛生調査会は、結核や性病、ハンセン病などの慢性の感染症や精神障害の予防などを項目にあげていた。さらに、乳幼児・児童・青年をはじめ、国民全体の体力向上も課題とするに至った。

このように、保健衛生調査会が打ち出した方向性、すなわち健康であることが国家・民族のためであるという考え方は、早くも「民族衛生」という言葉で置き換えられていく。近代史研究者の藤野豊《ふじのゆたか》が指摘しているように、それを紹介したのは、一九一七年六月に開かれた地方衛生技術官会議で講演した内務省衛生局長の杉山四五郎《すぎやましごろう》であった。こうして、心身ともに「優秀」な人口を増殖させる目的で、一九一九年に精神病院法と結核予防法が、一九二七年（昭和二）に花柳病《かりゅうびょう》（性病）予防法が公布された。そして、「民族衛生」の名のもとに、断種法案の制定が模索されていくのである。

だが、産業革命時代の病気と称された結核による犠牲者は、いっこうに減らなかった。むしろ、一九一五年の一一万四七七〇人が、一九三〇年には一一万八三四五人、一九三五年には一三万七六三人、そして一九四〇年には一五万二〇一九人と増加していった。

西暦	和暦	結核	コレラ	赤痢・疫痢	腸チフス	天然痘
1891	明治24	54,505	7,760	11,208	9,614	721
1892	25	57,292	497	16,844	8,529	8,409
1893	26	57,798	364	41,284	8,183	11,852
1894	27	52,888	314	38,094	8,054	3,342
1895	28	58,992	40,154	12,959	8,401	268
1896	29	62,790	907	22,356	9,174	3,388
1897	30	—	488	23,189	5,854	12,276
1898	31	—	374	22,392	5,697	362
1899	32	67,599	487	23,763	6,452	245
1900	33	71,771	231	10,164	5,364	4
1901	34	76,614	67	10,889	5,411	4
1902	35	82,559	9,226	8,442	4,808	7
1903	36	85,132	91	7,209	4,292	6
1904	37	87,260	1	5,166	4,627	237
1905	38	96,030	—	8,606	5,276	62
1906	39	96,069	—	5,144	5,897	109
1907	40	96,584	2,526	5,939	5,691	437
1908	41	98,871	401	7,846	5,331	5,838
1909	42	113,622	221	6,836	5,470	26
1910	43	113,203	1,957	7,053	7,571	13
1911	44	110,722	4	6,009	6,830	34
1912	45	114,197	1,683	5,721	6,289	1

『日本帝国統計年鑑』『衛生局年報』より作成

◉明治期の感染症による死亡者数
毎年、たくさんの人が、急性・慢性感染症の犠牲になっていた。当時の人びとのいのちを取りまく環境の厳しさがうかがえる。

また、新種の感染症の流行に対しては、まったくのお手上げ状態であった。たとえば、一九一八年に世界中で爆発的に流行したスペイン・インフルエンザは、日本でも植民地をあわせて、およそ七四万人の死亡者を出した。そのウイルスは、渡り鳥によって世界中にもたらされたという説が有力であるが、第一次世界大戦による人（軍人）の移動も、世界中に蔓延《まんえん》させた原因のひとつであろう。当初は、軍隊で発生したことから「軍隊病」とも呼ばれた。

スペイン・インフルエンザは、労働環境が悪かった製糸工場でも蔓延した。二〇代から四〇代の壮年者に死亡者が続出し、「一村全滅」を伝える新聞報道も相次いだ。結局、一九一八年の前流行と一九二〇年の後流行とをあわせて、当時の人口（植民地も含め）の一パーセント弱の人が亡くなったのである。

本巻が対象とする時期は、インフルエンザなどを原因とする肺・気管支炎が毎年のように死因のトップを占め、次いで胃腸炎と全結核が多かった。乳児死亡率の高さも影響して、日本人の平均寿命は、一九三〇年で、男性が四四・八二歳、女性が四六・五四歳にすぎなかった。

このように、人びとのいのちが感染症をはじめとするさまざまな病気に脅かされているときに政府が打ち出してきたのは、「民族衛生」という名の「健康」の強制であり、優生思想に基づく人口統制であった。ラジオ体操が始まり、朝日新聞社が主催する健康優良児の表彰も始まった。こうして、病者を排除する一方で、帝国日本をますます発展させていくために、「健康」という名による人びとの身体といのちの管理統制が激しくなっていった。

底辺を生きる

「女工と結核」

一九二六年（大正一五）一一月初め、市川房枝《いちかわふさえ》ら国際労働協会の婦人委員会メンバーは、山梨・長野地方の製糸工場の視察に出かけた。一行は、まず、甲府で鐘紡《かねぼう》の製糸工場を見てから上諏訪《かみすわ》に向かい、湖畔のホテルに宿をとった。そして、岡谷《おかや》の製糸工場を視察した。そのとき、長野県の工場監督官中川義次《なかがわよしつぐ》が岡谷に来て、自分の調査結果を示して実情を語った。

女工たちに無記名で書かせたという調査結果には、いちばん嫌《いや》なこととして、「夜ばいにくること」や「ジャガイモの葉っぱの味噌汁」などがあげられていた。それを聞いた市川らは、一同眼を見合わせた。女工の自殺の話といい、想像以上にひどい実態に、暗然としたのである。

市川らが視察旅行に出かけた前年には、細井和喜蔵《ほそいわきぞう》が『女工《じょこう》哀史《あいし》』を出版して、女工たちの労働環境の厳しさを明らかにし

34

●糸を繰る女工たち
糸が切れないかと、一瞬たりとも気が抜けなかった。立っているのは監視役の「検番」。賃金は糸の質と量で決められた。

ていた。また、視察にあたって市川らは、石原修《いしはらおさむ》の「女工と結核」も参考にしていた。農商務省嘱託の地位にあった石原は、一九一三年一〇月に国家医学会例会で行なった「女工と結核」と題する講演のなかで、つぎのように指摘している。

日本の工業は一〇〇〇人について一八人の死亡者を出している。日本の女工を五〇万人とすると、九〇〇〇人の女工が死んでいる割合になる。このうち、平均死亡率からいって四〇〇〇人は女工にならなくても死んでいくとしても、五〇〇〇人は女工になったために死んだといえる。そして、この五〇〇〇人の死者のほかに二万五〇〇〇人の重病人ができた。これは、日露《にちろ》戦争における奉天《フォンテイエン》《ほうてん》会戦《かいせん》の戦死者負傷者と比較しても遜色《そんしょく》はない。

そして石原は、〈いわゆる矛《ほこ》をとって敵に向かって戦《いくさ》をして死んだ者は敬意をもって迎えられ、国家から何とか色々の恩典に報いられ国民より名誉の戦死者とされ、また負傷者となったものは充分の手当を受け名誉の負傷者として報いられ迎えられます、それにかかわらず平和の戦争のために戦死したものは国民は何をもってこれを迎えつつあるのであるか〉と、主張したのであった。

山内みなの経験

新婦人協会時代に市川房枝《いちかわふさえ》と一緒に活動した山内《やまのうち》みなは、一九〇〇年（明治三三）一一月八日に宮城県本吉《もとよし》郡歌津《うたつ》村字樋口《ひぐち》（現在の南三陸町《みなみさんりくまち》）の農家に生まれた。三人の姉と弟がいた。家計が苦しく、みなは一九一三年（大正二）に小学校を卒業すると、九月に上京して東京モスリン吾嬬《あずま》工場の女工になった。このとき、みなはまだ一二歳。女学校に進学したいという淡い夢もかなわなかった。募集人から親に渡された前借金《ぜんしゃくきん》はわずかに一〇円、三年間の契約であった。

工場では一二時間立ちつづけの労働が待っていた。休憩は、午前九時に一五分、お昼に三〇分、午後三時に一五分あるだけ。三か月の見習い期間が過ぎると、深夜業もさせられた。正午から午前〇時まで一週間働くと、つぎの一週間は午前〇時から正午まで働いた。夜中の二時、三時頃になると誰もが眠くなるので、眠気ざましに歌をうたい、深夜業の苦しさをまぎらわせた。賃金は一日一八銭で、そこから食費一〇銭を引かれ、さらに毎月前借金一円と強制貯金一円が引かれた。

朝食は、南京米《なんきんまい》のボロボロのご飯に味噌汁とたくあん三切れだった。たまに、夕食のおかずに鯖《さば》、鰯《いわし》、鰊《にしん》などの魚がついたが、先に食堂に来た者が大きな切り身をとるのだった。一〇〇〇人もの女工が入る風呂は、いつも垢《あか》でどろどろだった。寄宿舎に帰ると、一五畳ほどの部屋に一二三人の女工が布団を敷き、男女関係の話でひとしきり騒いだあと、疲れ果てて死んだように眠る毎日であった。これが、いわゆる「植民地インド以下の低賃金」で働いていた女工たちの日常であった。

労働のつらさや病気に加え、男工たちの、現在でいえばセクシュアル・ハラスメントなどの性的被害も跡を絶たなかった。市川らが聞いて驚いたように、思いもよらぬ妊娠の結果、湖水に身を投

35

●山内みな
『女工哀史』を身をもって体験したみなの自伝には、「十二歳の紡績女工からの生涯」という副題が付されている。

げて自殺する女工も多かった。いや、簀巻《すま》きにされ川に投げ入れられた女工もいたのである。

日本の近代化を支えた製糸工場や紡績工場の女工たちが置かれた状況は、悲惨《ひさん》なものであった。それは、一九〇三年に農商務省がまとめた『職工事情《しょっこうじじょう》』にも詳しく指摘されている。

だが、『職工事情』の付録に収録された女工たちの証言をみると、身売り同然に故郷を離れたというイメージとは若干異なる事実も浮かび上がってくる。先輩女工の美食・美衣の生活が実現できるという話に憧れた、農業だけでは嫁入り支度《じたく》もできないので金もうけがしたかった、東京に出てみたかったなど、家族のために嫌々ながら犠牲になったというよりも、本人の意志で女工になったかのような証言もみられるのである。

結果として悲惨な境遇に陥ったとしても、ここにはなんとかして農村から脱出したい、いい暮らしをしたいという農家に生まれた女性たちの向上心が見てとれるだろう。もっとも、それほどまでに農村の小作人の家庭が、希望ももてない状況下にあったということであるが。

坑夫とヨロケ病

帝国日本の資本主義の発展を地底で支えたのが、坑夫たちの存在である。とりわけ、炭鉱は、明治初期には海軍や外国船の石炭需要に応じる程度であったが、資本主義の発展に伴って、明治三〇年代には大手資本が続々と参入するようになり、一躍脚光を浴びることになった。

大規模な竪坑《たてこう》や斜坑《しゃこう》がつくられるとともに、「切羽《きりは》」と呼ばれた採掘現場は、どんどん地底深くに潜っていった。それまで人力で行なっていた排水作業も、蒸気力を用いた機械排水に変わった。産出量が増加する一方で、通気や排気などの環境整備への投資を怠った結果、一八九九年（明治三二）に九州・豊国《ほうこく》炭鉱のガス炭塵《たんじん》爆発事故で二一〇名が死亡したのを皮切りに、一九二〇年（大正九）にかけて、死者が二〇〇名を超える大規模なガス炭塵爆発事故が一〇件も発生した。一九一四年一二月一五日に発生した九州・方城《ほうじょう》炭鉱のガス爆発事故では、なんと六六九人が亡くなっている。

『近代民衆の記録2』の「鉱夫」に、「石炭鉱山災害調（明治八年〜昭和二十年）」という年表が収録されている。その表をもとに事故による死者を積算すると、明治年間で二二〇九人、大正年間で二四六七人、昭和の二〇年間では三九二七人となり、その合計は八六〇三人にのぼる。しかも、この表に掲載された事故は死亡者が五人以上のものとされているから、小規模な落盤などの事故による死者は含まれていない。記録されなかった無数の死者まで含めると、おそらく日清《にっしん》戦争の戦死者数をも上まわるだろう。炭鉱は「巨大な墓」にほかならなかった。

36

◉旧三井《みつい》万田《まんだ》鉱の竪坑跡
近代化産業遺産に指定された。写真は一九〇八年に完成した第二竪坑櫓《たてこうやぐら》。櫓の高さは一八・八m、竪坑の深さは二七三mもあった。右側の建物は巻揚機《まきあげき》室。熊本県荒尾《あらお》市。

それに加えて坑夫たちを苦しめたのは、「ヨロケ病」であった。珪肺《けいはい》である。初めてヨロケ病の実態調査を行なった全日本鉱夫《こうふ》総聯合会《そうれんごうかい》と産業労働調査所編の「ヨロケ病調査」（一九二五年五月）には、坑夫の死亡者一〇〇人中、四〇人から五〇人がヨロケ病で、坑夫になって一五年から二五年で発病する割合が高いので、働き盛りの四〇代、五〇代で亡くなる人が多いと指摘されている。

ある鉱山では、人生を二五年とあきらめて、三〇歳になると還暦《かんれき》のお祝い、四〇歳になると古稀《こき》のお祝いをしたという。発病してもなんの援助もなかったので、坑夫たちの相互扶助組織であった友子《ともこ》制度にすがるしかなく、結局「のたれ死に」するしかなかった。ヨロケ病が職業病であると認定されるのは、一九三〇年（昭和五）六月三日の内務省通牒《つうちょう》によってであった。

「命あっての二合半」

それでも人びとは、貧困などのゆえに「米の力」に引き寄せられて炭鉱に集まってきた。「赤い煙突　目あてにゆけば　米のまんまが　あばれ食い」という坑内唄があるように、炭鉱に行けば、少なくとも米や魚がふんだんに食べられるといわれていた。それが、真っ暗な地底で作業する恐怖心にまさったのである。

だが、朝三時になると「人繰《ひとく》り」が炭鉱長屋を起こしにまわって入坑させられ、一日平均一二時間坑内で働いても、受け取る賃金は少なかった。納屋《なや》制度のもとで、賃金は一括して納屋頭《なやがしら》に渡され、そこから食費や雑費、前借金《ぜんしゃくきん》を差し引かれた残りを受け取るだけであったから、その日暮らしが精一杯であった。しかも、その炭鉱でしか使えない金券で支払われるところもあった。「ソリャ逃げろ　命あっての二合半　親子四人で　一升の命」という唄は、自分たちのいのちの価値が米一升分でしかないという自嘲《じちょう》とともに、頻発する事故への恐怖など、ぎりぎりの状況に置かれた坑夫たちの心情をよく表わしている。

炭鉱では、「ケツワリ」という脱走が跡を絶たなかった。だが、つかまってしまえば、激しい私刑《リンチ》が待っていた。反抗的な態度をとったり、仕事を怠けたりしたときにも行なわれたために、炭鉱の事業所ではほとんど毎日のように私刑がみられた。納屋頭や事業所は、坑夫に対する警察権・裁判権・刑罰執行権をもっていたのである。

一九三三年（昭和八）に法律で女性の入坑が禁止されるまで、女性たちも男性に交じって坑内で働いた。一九二〇年（大正九）頃までは、ひとつの切羽《きりは》を男の先山《さきやま》と女の後山《あとやま》とがペアになって作業するのが一般的であった。先山がツルハシで石炭を掘ると、後山がスラという道具でそれを運搬した。支柱も満足に使わない作業では、いつ落盤するかわからなかった。それ

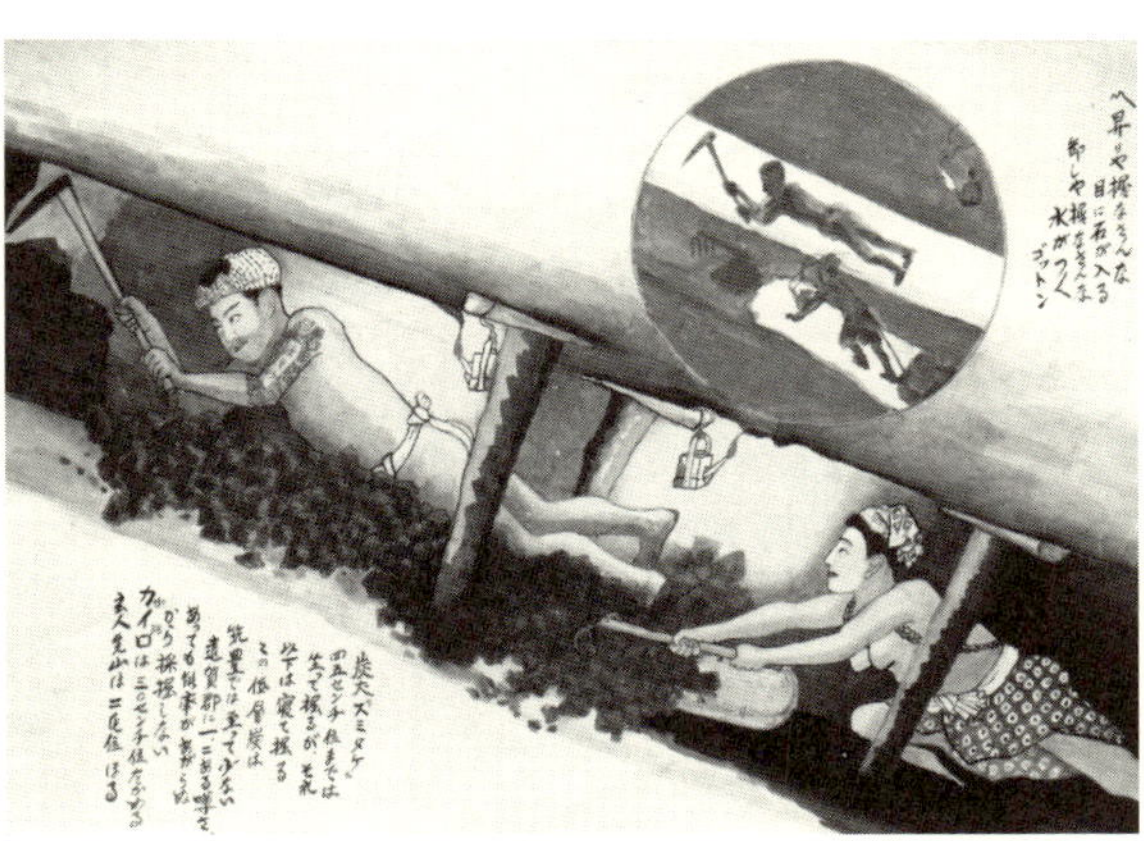

37

◉坑内労働（先山と後山）
男女ペアで行なう苛酷《かこく》な採炭作業の様子。炭層が四五cm以下の薄いものは、腹這《はらば》いになって採掘・運搬した。山本作兵衛《やまもとさくべえ》画。

だけに、先山と後山の呼吸が合わなければ能率も上がらず、出来高に直接響いてきた。後山をしていた松尾《まつお》ハズエは、〈働くときは、切羽ではふたりはめおとじゃね。切賃だけじゃない。いのちをあずけ合うとるとじゃもん〉と語っている。

地底の出産

女性たちは、陣痛《じんつう》がきても入坑することがしばしばであった。そのため、坑内で作業中に出産することがよくあった。会社も坑夫たちも、地底での出産をたいへん喜んだ。

大正終わりごろの大辻《おおつじ》炭鉱（福岡県）でのことである。ある女坑夫が坑内で男の子を出産した。すると、会社は、赤ん坊に羽二重《はぶたえ》の着物と祝い金、鯉《こい》のぼりなどを贈り、名前まで付けてあげたという。昭和初期には、産前二週間、産後三週間の休みが保障されるようになり、地底での出産はなくなるが、長屋などで出産すると三日間ほど入坑してはいけない禁忌《タブー》があった炭鉱でも、いのちが喪《うしな》われていくだけの坑内での新しいいのちの誕生は、格別の喜びであったのである。

〈資本主義のはらわた〉（上野《うえの》英信《えいしん》）であった石炭産業を支え

38

た坑夫たちであったが、「坑夫坑夫と　けいべつするな　石炭《いし》は畑に　はえはせぬ」という唄にみられるように、長いこと蔑《べっ》視《し》・差別の対象にされてきた。細井《ほそい》和喜《わき》蔵《ぞう》が採集した女工たちの「女工女工と軽蔑するな　女工は会社の千両箱」という唄との類似性に驚かされる。近世以来の農業を中心とした社会秩序のなかで形成されてきた炭鉱労働者への差別意識が、彼ら／彼女らのいのちの軽視につながっていたことは否定できない。

◉大正のころの選炭作業
長さ一〇m、幅一・二mのベルトの上をつぎつぎに炭塊が流れてくる。昼夜一二時間交替制の労働は一九四五年まで続いた。山本作兵衛画。

春駒の日記

東京吉原《よしわら》の遊廓《ゆうかく》長金花《ちょうきんか》の娼妓《しょうぎ》であった春駒《はるこま》は、あるとき、登楼した客とのあいだで、女工と娼妓とどちらがよりましか、という議論を行なった。客が、『女工哀史《じょこうあいし》』を話題にして、長金花の花魁《おいらん》のなかで女工の出身者がどれくらいいるか、と尋ねたのがきっかけであった。

客は、娼妓なんて、女工と比べればまだよいほうだ、女工は昼も夜も働き、着飾る着物もない、君は好きな立派な着物を着られるし、仕事だって楽だし、性欲には不自由しない、女工がうらやんで遊廓に入るのも当然だ、と言った。

それを聞いた春駒は、腹立たしくなり、私たちは、鎖《くさり》がついてないだけで、牢屋に入っているのと同じこと、〈どしどし客を取らせられて、尊い人間性を麻痺《まひ》さして、殺してしまうような〉ところで立派な着物を着たって、うれしくもなんともない、蝮《まむし》や毛虫を対象に性欲を満足させることもできないだろう、自分は、〈女工にでもなって、婦人運動の中にでも入れてもらって、うんと働きたいわ〉と反論した。

　春駒、本名森光子《もりみつこ》は、群馬県高崎の鳥川《とりかわ》の近くに住み、石川《いしかわ》啄木《たくぼく》の詩集をこよなく愛する女性であった。両親と妹との四人家族だったが、父親が亡くなったために収入が途絶え、一三五〇円で吉原に売られたのである。契約は六年、関東大震災後のことであった。

　楼主《ろうしゅ》から、小光《こみつ》、花里《はなさと》、春駒の三つの源氏名《げんじな》を提示された光子は、自分はもう光子ではない、別の人間として生きるのだと考え、光の字が入った小光を拒絶し、結局、午《うま》年の生まれでもあるからと、春駒を選択した。午年ということは、一九〇六年（明治三九）の生まれであろう。とすれば、このとき、一八歳になったばかりであったと考えられる。

　そして、彼女は、自分をどん底に突き落とした周旋屋《しゅうせんや》や楼主など、男たちへの〈復讐の第一歩として〉日記を書くことにした。それは、唯一の慰めでもあった。光子の日記は、一九二六年（大正一五）一二月に『光明《こうみょう》に芽ぐむ日《ひ》』として文化生活研究会から刊行された。

39

●吉原遊廓の入り口
大門《おおもん》と呼ばれた。明治三〇年代の初めごろ、一二六軒の妓楼があった吉原は、不夜城のようににぎわった。

娼妓の日常

春駒《はるこま》は、娼妓《しょうぎ》勤めを始めてから、さまざまなからくりを思い知らされた。たとえば、客が支払う揚《あ》げ代の七割五分は楼主の懐《ふところ》に入り、娼妓には二割五分しか渡されない仕組みであった。しかも、そのうちの一割五分は前借金《ぜんしゃくきん》の返済にあてられるため、娼妓が日常生活で使えるのは一割でしかなかった。一〇円の揚げ代があったとしても、娼妓の手もとに残るのは一円だけである。

味噌汁にたくあんがついた朝食は、泊まり客を帰してから食べるのがふつうであったが、寝不足で疲れきっている娼妓たちには喉《のど》を通らず、食べずに寝ているものが多かった。昼は、午後四時に起きて食べる。おかずはたいてい煮しめ、たまに煮魚や海苔《のり》がついた。夕飯はないといっていいくらいで、夜の一一時頃に、お昼の残りの冷えきったご飯を、おかずなしで食べるのである。

こんな食事では体がもたないので、自分の小遣いで弁当やおかずを買ったり、間食《かんしょく》をしたりするのだが、その費用もばかにならなかった。たいてい月に最低でも四〇円の出費があったが、ある月などは七〇円九〇銭もかかり、そのうち食費が一五円であった。ほかには、客用のお菓子六円、髪《かみ》結《ゆい》費四円七〇銭、医者代五円、白粉《おしろい》・化粧品三円などである。それに加えて、さまざまな罰金があり、店によっては税金まで娼妓の負担になっていた。前借金のほうもなかなか減らなかった。

公休日は月に一日で、同僚たちは外出することが多かったが、春駒は雑誌を読んだりして過ごすことがふつうであった。外出して、自分と同じ年ごろの娘たちが盛装して町を歩いていたり、母親と娘の仲むつまじい姿を見たりするのが堪《こら》えきれなかったからである。

ある日、新聞に××楼の花魁《おいらん》が自由廃業したという記事が掲載されており、春駒らは、一日中その話でもちきりだった。〈その時の彼女等の瞳《（ママ）》れ！　なんと輝いている事よ！〉。先日、村田《むらた》というなじみ客が、春駒に、救世軍の山室軍平《やまむろぐんぺい》や伊藤秀吉《いとうひできち》らの運動の話をしてくれた。春駒は、〈希望を持つ事の出来たのは今日初めてだ〉と書いている。

結局、春駒は、意を決して吉原を脱出し、目白の柳原白蓮《やなぎはらびゃくれん》のもとに逃げ込んだ。柳原白蓮は、一九二一年（大正一〇）一〇月に、炭鉱王伊藤伝右衛門《いとうでんえもん》と離婚して、宮崎滔天《みやざきとうてん》の息子宮崎竜介《りゅうすけ》と一緒になり、大きな話題を呼んだ人物である。春駒は、あらかじめ白蓮に手紙を出して、保護を求めていた。こうして、春駒は、白蓮の保護下でもとの森光子に戻ることができたのである。

自由廃業運動

自由廃業運動が全国的に盛んになったのは、函館蓬莱《はこだてほうらい》町の遊廓丸山楼《ゆうかくまるやまろう》の娼妓坂井《しょうぎさかい》フタが、楼主《ろうしゅ》に対して廃業届への捺印《なついん》を求め、それを拒否されたために訴訟を起こしたことが契機であった。

フタは、楼主から二〇〇円の前借金《ぜんしゃくきん》をし、三〇か月間で返済する契約を結んでいたが、一年間働いても少しも借金が減らなかったために、廃業を決意したのである。一審二審とも敗訴したフタは、大審院《だいしんいん》に提訴し、一九〇〇年（明治三三）二月二三日、ついに勝訴を勝ち取った。

この判決に力を得た名古屋在住のアメリカ人宣教師ユリシーズ・グランド・マーフィ（通称モルフィ）は、つぎつぎと廃業を求める裁判を起こし、「廃娼運動の父」と称された。東京府下の九つの遊廓では、一九〇〇年九月から一一月だけで、二五四五人もの娼妓が自由廃業している。

廃娼運動の盛り上がりのなかで、一九一一年七月八日、島田《しまだ》三郎《さぶろう》を会長とし、矢島楫子《やじまかじこ》と安部《あべ》磯《いそ》雄《お》を副会長とする廓清会《かくせいかい》が発足した。しかし、その機関誌『廓清』を見ていくと、廃娼論の根拠が、公娼制は文明国にあるまじき「国辱《こくじょく》」という点に力点が置かれ、娼妓たちの「人権」擁護という観点が薄かったことを指摘せざるをえない。娼妓を不道徳な存在とし、「醜業婦《しゅうぎょうふ》」と呼んではばからない感覚だったのである。ハンセン病への取り組み開始が、「国辱」意識にあったことを思いおこさせる。

楼主たちは暴力団などを使って、自由廃業や廃娼運動に対抗した。そして、娼妓に対する検黴《けんばい》制度の厳密化が性病予防につながること、その存在が一般婦女子の「性の防波堤」になっていることなどを理由に、公娼制度の必要性を強調していった。

公娼制度存続の要請は、軍隊からもあった。一九一〇年前後より、徴兵検査で性病に罹患《りかん》している青年の急増が問題になっていた。過去八年間を対象とした一九一三年（大正二）の調査では、検査対象者一〇〇〇〇人中四六・四人が罹患していた。

40

◉自由廃業した娼妓たち
一九〇〇年頃に、東京・築地の救世軍婦人救済所で撮影された。前列右から三人目が、日本救世軍を創立した山室軍平の妻きえ子である。

性病を理由に兵役免除になる割合がもっとも高かったのは九州で、久留米《くるめ》師団では一〇〇〇人中五八人にものぼった。これは、帝国日本の根幹をゆるがしかねないゆゆしき事態であった。こうして、私娼に対する厳重な取り締まりが要求されると同時に、青年の性病予防のために、娼妓の検黴制度が強化されていったのである。また、自由廃業をしてみたものの、生きていくための術《すべ》をもたぬ女性の多くは、ふたたび遊廓に舞い戻るしかなかった。

性の二重基準

内務省警保局によれば、一九二四年（大正一三）末の全国の娼妓《しょうぎ》数は五万二二五六人にのぼった。一八八四年（明治一七）で二万八四三二人だったから、四〇年間でほぼ倍増したことになる。

一九二〇年から二五年までの六年間をみると、東京市では毎年五〇〇〇人前後の娼妓が、新規に営業届を出している。出身地で多いのは、東京五二五四人、山形三五四九人、茨城二三四八人、群馬一九五二人、秋田一七八六人の順で、上位一〇府県に占める割合は、東京が約二三パーセント、群馬・栃木・茨城・千葉・埼玉の関東五県が四一パーセント、山形・秋田・福島の東北三県が三〇パーセントであった。このように、大正末期になると、それまで多かった新潟や三重・岐阜などにかわり、山形・秋田・福島などの東北諸県が増えてくる。

こうした公娼制度を、日本は、植民地台湾と朝鮮にも輸出した。一九二一年九月、国際連盟第二回総会で「婦人及児童の売買禁止に関する国際条約」が採択されたが、日本は、人身売買禁止対象の標準年齢を二一歳から一八歳に引き下げることと、この条約を朝鮮、台湾、関東州などの植民地に適用しないことという二つの条件を付けて、ようやく調印した。

一八歳にこだわったのは、一九〇〇年に制定された娼妓取締規則の第一条に、「一八歳未満の者は娼妓たるを得ず」と規定されていたからであった。

また、山室軍平《やまむろぐんぺい》によれば、海外の日本人娼婦は、一九一四年で二万二三六二人存在していたとされる。いわゆる「からゆきさん」である。その数は、海外に在住する約三〇万人の日本人の一割弱に及んでいた。

女工も坑夫も娼妓も、前借金《ぜんしやくきん》に縛られた存在だったが、「籠《かご》の鳥」であった娼妓は、逃亡もままならない境遇に置かれていた。さらに、公娼制度の背景にあった性の二重基準（ダブル・スタンダード）も忘れてはならない。女性に貞操を強制しておきながら、男性が妾《めかけ》をおいたり遊廓に登楼したりする性的放《ほう》縦《しよう》を許容していたのである。それは、帝国日本が典型的な男性中心社会であったことの証明であった。

41
◉インドネシア・スマトラ島のからゆきさんたち
長崎県の口之津《くちのつ》港から、島原《しまばら》や天草《あまくさ》出身の女性たちが東南アジア各地に密航し、娼婦として働かされた。写真は施餓鬼《せがき》供養をするからゆきさん。

子供と青年

三田谷啓と『育児雑誌』

一九二〇年（大正九）に創刊された雑誌に、『日本児童協会時報』がある。第五巻第一号から『育児雑誌』と改称された（以下『育児雑誌』）。発行は大阪市北区曾《そ》根《ね》崎《ざき》の日本児童協会で、その中心人物は三田《さんだ》谷啓《やひらく》であった。〈私はコドモのために微力の一生をささげたい〉、それが口癖であった。

三田谷は、一八八一年（明治一四）に六甲山麓《ろっこうさんろく》の貧農の家に生まれた。独学で苦労して大阪府立高等医学校に入学。卒業とともに東京に出て、医学関係の雑誌編集に従事するうちに児童研究にめざめ、一九一〇年から一八年まで『児童研究』の発行人を務めた。一九一八年四月に、大阪市役所の医員として赴任、のち大阪市社会局児童課長に就任した。翌年七月には、大阪市立児童相談所を設置したほか、託児所・乳児院・産院を開設するなど、児童保護行政に尽くしている。市役所を辞職したあとは、日本児童協会の活動に尽力するかたわら、一九二七年（昭和二）に三田谷治療教育院を開設し、障害児教育に生涯を捧げた。

大阪市が、全国に先駆けて児童福祉政策に取り組みはじめた背景には、全国的にみても高い乳児死亡率があった。日本の乳児死亡率は一九二〇年時点で一六・六パーセントであったが、大阪は一九一八年で二五・七パーセント、一九二〇年で二三・二パーセントと、全国平均をはるかに上まわっていた。徴兵検査における体格不良者も多く、弱い乳児と「弱兵」は密接に関係していると認識されていた。こうして、児童の「健康」の増進が、大きな政策課題として浮上したのである。

旺盛《おうせい》な著述活動や講演などを通じて、三田谷は科学的な「育児」という言葉を定着させていくと同時に、保護されるべき存在としての「コドモ」像を定着させていった。「コドモ相談」を掲げた三田谷治療教育院は、「コドモの学園」を併設しており、そこで三田谷は、虚弱体質や神経質、発達障害、知的障害などの児童の治療と教育にあたった。

日本児童協会の趣意書には、〈家庭の改造、社会の改造、国家の改造も結局はコドモの改造から初めることがもっとも近道です〉とうたわれている。和田秀一《わだしゅういち》は、〈世界の改造は先《ま》づコドモから〉というのが〈私たちコドモ党の標語〉であると述べ、〈家庭をコドモ本位に改造する〉ことを主張している。一四名の協会顧問がいずれも男性であったことは気になるが、そこには、「コドモ」は親の所有物ではなく、「社会の共有物」であるとの認識が存在していた。それだけに『育児雑誌』では、「コドモの権利」の擁護を主張しただけでなく、児童養育費（家族手当）や母子扶助法制定の要求、男女共学などの先駆的な主張が展開されている。

また、賀川豊彦《かがわとよひこ》は、「コドモの権利」として、生きる権利、食う権利、寝る権利、遊ぶ権利、指導してもらう権利、教育を受ける権利、虐待されない権利、親を選ぶ権利、人間・人格としての待遇を受ける権利の九つをあげ、〈吾国《わがくに》では家族制度が厳重にされるために私生児が大に虐待される〉として、〈私は吾国の法律から私生児、庶子と云う名を省きたい〉と主張していた。

男児		
年齢	回答	保護者の職業
8	飛行機の博士	ゴム会社職工
同	車屋さん	製車職
同	お医者	鉄道員
同	天皇陛下	瓦斯会社職工
同	おとっさん	呉服店員
同	お角力さん	鼻緒職
同	靴屋	クツ職
同	同	同
同	昔し昔しのその昔しになる	自テン車工
同	兵隊さん	左官
同	同	クツ職
同	加藤清正になる	同
同	加藤清正になって虎を退治する	爪革職
同	天皇陛下の次の大臣になる	草履行商
同	大工	鐵工
同	同	家根職
同	同	大工
同	親孝行になる	銅器職
同	箱屋	某華族の小使
同	アンチャンになる	ゴム商
同	兵隊になってえらくなる	会社員
同	パン屋	履物職
同	学校になる	車力
同	知らない	鍛冶工
同	同	人力車夫
同	同	草履商
7	えらい人になる	飾職
同	汽車の車掌	露店すし商
8	判らない	巡査
7	同	同
8	同	薪炭商
同	同	古物商

女児		
年齢	回答	保護者の職業
8	お針の先生	針の師匠
同	お針屋さん	洗濯婦
同	同	ブリキ職
同	お嫁さん	染絨会社職工
同	お嬢さん	豆腐商
同	同	ゴム職
同	えらい人になる	煙草元売捌所雇人
同	同	大工
同	同	魚商日雇
同	同	巡査
同	同	鼻緒職
7	同	煎立豆行商
8	女中さん	某華族小使
同	同	銅器職
同	ネエサン	鼻緒内職
同	同	電車々掌
同	同	空樽商
7	花屋	花商
8	ネエチャン	石炭商
同	同	土工
同	大人になる(孤児)	当園収容
7	一年になる	石工
同	学校へあがる	八百屋
同	何んにもなりたくない	運動靴工
8	学校へゆくの	爪革内職
同	判らない	菓子商
同	まだ判らない	活動館下足番

◉幼稚園児の将来の夢

「大きくなったら何になりますか」という問いに対する東京・浅草橋《あさくさばし》同情園《どうじょうえん》保育所の卒園児童六三人の回答。天皇陛下という答えもみえる。男児に比べて女児のあげている職種が少ないのは、働いて自立することが期待されていなかった時代相の反映である。(『育児雑誌』一九二六年四月号)

子供と学校

『学制百年史』の統計では、教科書が国定制に変わった明治末期に尋常小学校の就学率が九八パーセントを超え、ほぼ一〇〇パーセント近くになったとされる。しかし、この統計にはからくりがあり、長期欠席者や中途退学者は含まれず、就学猶予・免除者だけが不就学に計上されていた。

明治期の国民にとって、小学校は卒業しなければならないものという強制力はまだなかった。とりわけ、女児にとっては、「女の子に教育は必要ない」というジェンダー言説が根強かったこともあり、就学率はなかなか上がらなかった。また、今日とは違い、一学級が異なる年齢層の子供で構成されていることもめずらしくなく、全校で一学級の学校や複式学級の学校も多かった。

一九〇〇年（明治三三）の小学校令改正によって、貧困を理由にする就学免除が認められなくなり、就学督促《とくそく》が激しくなったことにより、女児の就学率も急増したが、相変わらず長期欠席者や中途退学者が多かった。長野県埴科《はにしな》郡五加《ごか》村では、就学率向上に特別の力を入れはじめた一九〇一年に、不就学児を対象とした特別学級が設置された。特別学級に入った九八人の児童のうち、九五人が女児であった。同じ年齢の子供が同じ学級で学び、当たり前のように小学校を卒業していくようになるのは、昭和初期のことである。

特別学級の設置には、ほかの意味もあった。それは、教育史研究者の戸崎敬子《とざきのりこ》が指摘しているように、一九〇〇年の小学校令改正による就学率の急上昇と、同じ年齢の子が同じ学級で学ぶ単式学級への変化が、貧困階層の子弟を中心に大量の成績不良児を生み出していったからである。

もともと成績不良児を対象に始まった特別学級は、やがて知的障害児なども対象にするようになった。戦前だけで、東京・大阪・京都・山形などを中心に、満州の三校も含めて、二三〇校に特別学級が設置された。その多くは、一九二二年（大正一一）から二五年のあいだに設置されている。主要開設理由が、成績不良児の救済（三八・八パーセント）のつぎに、能力別指導・個性に応じた指導（三四・五パーセント）がくるように、個性を重視する大正自由主義教育の潮流も影響していた。

たとえば、一九二二年に開設された愛媛県松前《まつまえ》小学校の特別学級担任寺井《てらい》市松《いちまつ》は、孤軍奮闘のなかで、つぎのように述べていた。〈取り残された児童のないようにというのが余の主義であり、いかなる程度の児童といえども能力相当の学習を、というのが余の主張である〉〈異常児だから、特別児だからとて「天賦《てんぷ》」を尽くさせない教育があれば、それは教育として認めることが出来ぬ。…不具者（ママ）、変質異常者（ママ）もなお人である。…教育の要《かなめ》はかえってこれらの者に対していっそう切実であるはずだと思う〉と。

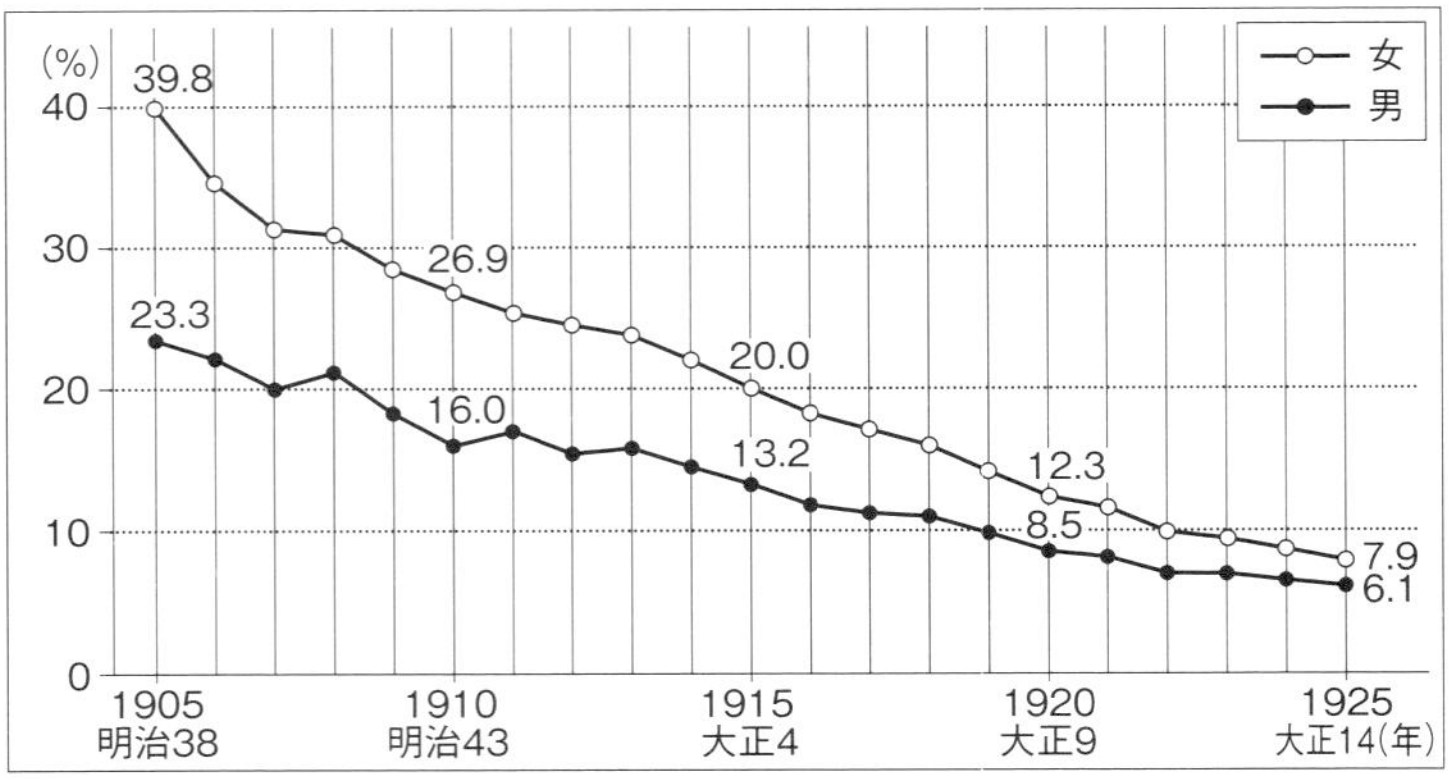

土方苑子『近代日本の学校と地域社会』より作成

●小学校中退者の推移
中退者が一割以下になるには、かなりの時間が必要だった。中退した女児が、製糸・紡績工場に出稼ぎに行くこともめずらしくなかった。

このように、第一次世界大戦後には、子供の経済状況や障害の如何《いかん》にかかわらず、教育を受ける権利を保障しようという考えが登場してきたのである。また、一方で、学校教育は、社会的地位上昇の手段としてもとらえかえされ、農村から都市への移動熱をかきたてるなど、多面的な社会的機能を発揮していった。中学校受験熱が過熱し、一九二〇年前後より「受験地獄」という言葉も使われはじめた。講義録などを通じて、「苦学」「独学」する青少年も多かった。

産児制限運動

一九一〇年代にアメリカやイギリスで始まったバース・コントロール運動は、リプロダクティブ・ライツの確立による女性の解放をめざしたものであった。日本では、一九二〇年代に産児制限運動として展開していった。

マーガレット・サンガーが来日したのは、一九二二年（大正一一）三月のことである。政府は、サンガーの訪日を快く思わず、一般民衆を相手に講演活動を行なうことを認めなかった。サンガーの招致に尽力した山本宣治《やまもとせんじ》は、その産児制限論を『山蛾《サンガー》婦人産児制限批判』として紹介した。書名をサンガーの産児制限論を「批判」するという体裁にして出版したのだが、これは山本だけのことではなかった。

サンガーの来日前後から産児制限論が話題になり、雑誌『婦人世界』（実業之日本社）も一九二二年四月号で「産児制限の可否問題」を特集した。四人の識者の論評が掲載されているが、賛成は石《いし》本静枝《もとしずえ》（のちの加藤《かとう》シヅエ）と浮田和民《うきたかずたみ》、反対が吉岡弥生《よしおかやよい》、時期尚早が乗杉嘉寿《のりすぎかじゅ》という色分けであった。反対の論理は、産児制限は国力の発展を阻害する、貞操観念が破壊される、「自己の利益都合」という利己主義的主張を助長する、などというものであった。

一九二八年（昭和三）六月には、『産児制限』が創刊された（三三年一〇月まで。途中から『産児制限評論』に変更）。その中心的な人物は、安部磯雄《あべいそお》、石本静枝、山本宣治などであった。だが、衆議院議員であった山本宣治は、治安維持法改正に反対したことなどをめぐって、翌二九年三月五日に右翼に暗殺されたため、実質的な中心は石本静枝が担った。

『産児制限』からその論理を探ると、まず、人口問題への対応という理由があげられる。『産児制限』には、「多産地獄」「多産亡国」などという表現が多出している。一九三一年に医学博士の名古屋長蔵《なごやちょうぞう》が書いた『多産亡国論』には、このまま人口が増加していけば、〈富士の山頂にまで家を建てねばならなくなるであろうか〉などと、冗談ともつかぬことまで書かれていた。

二つ目にあげられることは、農民・労働者家庭の貧困問題の解決ということである。よく「貧乏人の子沢山《こだくさん》」といわれるが、多産と貧困は密接な関係にあった。

石本たちが、正しい避妊法の啓蒙《けいもう》に努めた背景には、彼ら／

◉『産児制限』の表紙
毎号の表紙には、「多く産むより良い子を産め」「人よ自然の奴隷となるなかれ」などの標語が躍っていた。子供観の変化にひと役買った。

42

彼女らが堕胎《だたい》を敵視していたという理由も存在していた。当時の民衆世界では堕胎の習慣がまだまだ根強く残っており、それを前提に、堕胎という不幸な選択をしないようにと始められたのが産児制限運動であった。これは、サンガーも同様であった。だが、やがてそこに優生思想が忍び込むとは避けられなかった。安部磯雄も、ハンセン病患者に対する断種手術を正当化している。

一九二七年七月に設置された人口食糧問題調査会は、一九二九年一月一八日に開かれた小委員会で、「人口統制ニ関スル諸方策」をまとめている。そこには、最終的に削除されたものの、〈遺伝的悪疾《あくしつ》を有する者〉に対する〈避妊、妊娠中絶及絶種的手術を認容する法規を定むること〉という提言が含まれていたのである。

「変態」の誕生

一九二〇年代には、青少年の非行や不良化が大きくクローズアップされてきた。そして、映画がその原因のひとつと見なされ、多くの地域で鑑賞禁止などの措置がとられていった。

岡山市に最初に活動大写真がきたのは一八九七年（明治三〇）四月二七日で、入場料は、大人が五〇銭、子供は二五銭、学生は一〇銭であった。白米一升が一〇銭内外のころである。

岡長平《おかちょうへい》は、初めて「活動」（岡山では「かつろう」といった）を見たとき、海水浴の場面で波が打ち寄せてくるのをほんとうのように感じ、思わず後ずさりをして後ろの観客に怒られたことを鮮明に覚えている。しかし、岡山市教育会は、一九一七年（大正六）七月四日に小学生の鑑賞禁止を通達し、さらに一九二四年四月一日には中学生の映画館入場禁止の措置をとった。この禁止措置は敗戦まで解かれなかった。

また、明治末期から大正にかけては、『色情と青年』（一九〇六年）、『青年子女堕落《だらく》の理由』（一九〇七年）、『青年と性慾《せいよく》』（一九一七年）など、青年の「性」に関する書籍が多数出版されている。それらの本で強調されているのは、手淫《しゆいん》の害悪視であり、禁欲の強調であった。「性慾」から「制慾」へ、「制慾」こそ人間の誇り、というのである。

その背景には、雑誌『明星《みようじよう》』に代表されるようなロマン主義や、自由恋愛論の流行、それに「新しい女」たちの性モラルの問題などに対する、大人と権力者たちの危機意識があった。性病の蔓延《まんえん》という現実も相まって、青少年を「健全」に育成することが、帝国日本の発展の大前提と考えられたのである。

「制慾」という文脈からの性教育論も登場した。たとえば、安《あ》部《べ》磯雄《いそお》は、「性教育を授ける方法について世の親達へ」（『婦人世界』一九二二年四月号）のなかで、性の知識として青年子女に教えるべきものに、梅毒《ばいどく》などの性病、性慾の節制、産児制限の三つをあげている。そして、中学校・女学校の二年、一五歳ぐらいから家

◉にぎわう活動写真劇場
弁士（説明者）と技師、楽隊がフィルムと機材を持って全国を巡回したが、しだいに常設館が増え、明治末には全国で五〇館を超えた。

庭と学校で性教育を始める必要があると強調していた。

だが、「性」の問題への着目は、同時に「変態」をあぶりだすことにつながった。日本でも、一九二〇年前後から、オーストリアの性科学者クラフト・エビングなどの影響を受けて、性科学が流行しはじめた。その代表格であった羽太鋭治《はぶとえいじ》と澤田順次郎《さわだじゅんじろう》が一九一五年にまとめた『変態性慾論』は、七〇〇ページを超える大著である。第一編が「顚倒的《てんとう》同性間性慾」、第二編が「色情狂」という構成になっており、主要な「変態」のターゲットは同性愛（男性間）であった。

日本変態心理学会の「変態心理学講義録」の一冊として刊行された北野博美《きたのひろみ》（性之研究主幹）の『変態性慾講義』（一九二二年）では、「変態性慾」の例として、「同性間性慾」「児童姦」「動物姦」「偶像姦」「フェッチシズム」「サディスムス」「マゾヒスムス」「陰部露出狂」「竊視症《せっし》」などをあげている。こうして、セクシュアル・マイノリティである同性愛者に、「変態」というレッテルが貼《は》られることになった。

このように、一九二〇年代に、政治の世界における「異端」のあぶりだしと「性」の世界における「異端」のあぶりだしとが同時進行していったことは、「いのちをめぐる政治」という観点からいってもひじょうに興味深いことである。一九二四年に『育児雑誌』が〈劣等児及び低能児判別用智能検査〉を紹介していることを勘案すると、「異端」のあぶりだしは児童教育の世界でもみられたといえる。いのちの序列化に新たな要素が加えられ、再生産されていったのである。

それぞれの結婚のかたち

平塚《ひらつか》らいてうが、「若い燕《つばめ》」奥村博史《おくむらひろし》と同居生活を始めたのは、一九一四年（大正三）のことであった。らいてうは、結婚の前に、奥村に八か条の質問書を提示し、それを認めさせた。家族制度に対して痛烈な批判をもっていたらいてうは、結婚しても役所に届け出ず、心配する母親をも説得して、いわゆる事実婚の道を選んだ。一九一五年に長女を出産したとき、らいてうは分家して、婚外子として自分の戸籍に入れたのである。

伊藤野枝《いとうのえ》は、上野《うえの》女学校を一九一二年（明治四五）に卒業すると同時に、父や叔父《おじ》が決めた男性と祝言を挙げた（入籍は前年）。結婚相手を親が決めるのは、ごくふつうのことだった。しかし野枝は、愛のない結婚を拒絶して出奔し、上野女学校の英語教師であった辻潤《つじじゅん》と結婚する。そして、辻とのあいだに二子をもうけながら、一九一六年には大杉栄《おおすぎさかえ》のもとに走り、大杉との同棲《どうせい》生活を始めた。

野枝にとっての恋愛・結婚とは、自分を活《い》かすこと、自分を成長させることと同義であり、いつも自分自身であろうとし

43

●平塚らいてうと奥村博史
森田草平《もりたそうへい》との塩原《しおばら》事件など、さまざまなゴシップに彩られたらいてうが選んだ相手は、五歳年下の芸術家奥村で、二児をもうけた。

て、たとえ愛する夫であっても男に「所有」されることを断固として拒否したのである。

ひと足先に東京に出て、詩人としてデビューを果たしていた高群逸枝《たかむれいつえ》を追って、橋本憲三《はしもとけんぞう》が上京したのは、一九二一年五月のことであった。そして、一九二三年六月に平凡社《へいぼんしゃ》に入り、憲三は編集者としての才能をおおいに発揮しはじめた。

一九二四年二月、二人は、上落合《かみおちあい》に新居を構えた。ようやく二人だけの新婚生活が始まると喜んだ逸枝は、家具や調度品の品定めに余念がなかった。しかし、憲三が新居に友人の居候《いそうろう》を住まわせたために、逸枝はその雑用に追いまくられることになる。居候たちは、家中を占領してわがもの顔にふるまい、酒を飲んで花札をしたり、逸枝に対して、煙草屋《たばこや》やそば屋への使い走りをさせたりする始末だった。逸枝は、とうとう台所の板の間で仕事をしなければならなくなった。

要領が悪い逸枝に対して、憲三の暴君ぶりはピークに達した。すでに、結婚直後から〈低能児、釘《くぎ》が一本足りぬ〉とか、〈貞淑な女は古い〉〈肉体的な女が好き〉だとか、逸枝に対して言いたい放題であったが、この時期になると連日のように〈出て行け〉という悪罵《あくば》を浴びせかけ、時には暴力をふるうようになった。それでも、逸枝の日記を見ると、むしろ自分を責める反省の言葉が連ねられていることが痛々しくさえある。

44

◉橋本憲三と高群逸枝
『母系制の研究』や『招婿婚《しょうせいこん》の研究』など、高群逸枝の女性史研究は、夫憲三の支えがなければ実現しなかった。世田谷の「森の家」で。

一九二五年九月一九日、逸枝は、とうとう家出をした。夜遅く帰った憲三は、逸枝の書き置きを見てわれを失い、〈わるかったわるかった〉と何十回も口にしながら、階段を駆け上がったり駆け降りたり、床をのたうちまわったりした。そして、家をたたみ、家財道具を整理し、逸枝を探しに大阪方面に向かった。

〈あなたがなくて、私に何の生活があろう〉。逸枝の家出事件を契機に、憲三は、いままでの自分の「わがまま」や「悪徳」を「ざんげ」し、誰も家に入れずに、二人で生活をやりなおそうと決意した。憲三の回心の始まりである。

一九三一年（昭和六）、二人は世田谷《せたがや》の通称「森の家」に転居し、憲三は、〈私はあなたの後援者になろうと思う〉と逸枝に話した。こうして、憲三は、逸枝の女性史研究の大成のために、家事担当者、研究助手、編集者、読者という立場に専念することを決意し、それを逸枝の死まで三〇年間も続けた。これまでの研究では、逸枝の家出事件が憲三に与えた衝撃の大きさを強調しすぎてきたところがあり、憲三の回心がすぐにも実現したような印象が強いが、憲三が迷いなくこのようなスタンスに立つには、少なくとも一〇年近くかかっている。

平塚らいてうたちの雑誌『青鞜《せいとう》』同人に対して与えられた「新しい女」という形容が、古い観念・慣習を打破して女性の地位向上のために行動した女性たちを意味しているとすれば、橋本憲三を、「男らしさ」（ジェンダー）と向き合い、家父長制などの男性支配を否定して、女性との対等平等な関係を樹立しようと行動した男性として、思想史研究者の鹿野《かの》政直《まさなお》が評したように「新しい男」

と規定するのがふさわしい。憲三が書いたとされている雑誌『婦人戦線』の標語には、「強権主義否定」「女性新生」とともに、「男性専制の日常的事実の暴露清算」という意味の「男性清算」も掲げられていたのである。

回心前の憲三は、恋人や妻の貞操の所有意識をもち（四国巡礼の旅に出る逸枝に対し、「丈夫なズロースをはいていきなさい」と書き送ったところにその一端が見てとれよう）、強固なブレッドウィナー・イデオロギー（一家の大黒柱として自分が稼いで妻子を養うのが男の責任、という意識）に染め上げられた専制君主として、ドメスティック・バイオレンスを日常的に行なっていた。いわば、男というジェンダーの鎧《よろい》をがっしりと身にまとっていたのであった。

それだけに、自分の内なる男権主義的性格を見つめ直し、改めようとすることは、まさに血を吐くような思いで行なわれたに違いない。男としての将来を棄《す》ててまでも、逸枝とのあいだに、日記まで共用するような「相愛」の関係を築きあげた憲三こそ、生活からのデモクラシーをもっとも典型的に実現しえた、稀有《けう》な「新しい男」であった。

コラム2 捨て子の「作法」

二〇〇七年五月、熊本市の慈恵《じけい》病院が設置した「こうのとりのゆりかご（赤ちゃんポスト）」が反響を呼んでいるが、ある意味でそれは、江戸から明治にかけての捨て子の「作法」を踏襲《とうしゅう》しているとも考えられる。

捨て子とは、子供のいのちを粗末に扱う行為ではなかった。例外があったにせよ、基本的にそれは、親子共倒《ともだお》れを防ぐために、他人に子供の養育をゆだねるという感覚に近かった。だから、育ててくれそうな人を探して、出生年月や氏神、捨て子に至った事情を記した書き付けを添えて玄関先に置いてくるのである。『新聞にみる福岡県女性のあゆみ』を見ると、こうした捨て子の「作法」が一九一〇年代まで続いていることが確認できる。だが、同時に、山中や映画館の中など、人目につきにくい場所や雑踏の中に置き去りにする事例が出てくるのは、近代家族の成立による母性愛の強調がもたらした罪悪感の強まりの反映であろうか。

文字どおりの「捨て子」の出現といえるかもしれない。

◉岡山孤児院の孤児　「捨て子」の養育は、しだいに個人・共同体から孤児院・養育院などに変わっていった。写真は、石井《いしい》十次《じゅうじ》らの岡山孤児院。一九〇七年頃。

第三章

「いのち」とアジア

霧社に立つ

二〇〇六年（平成一八）八月三〇日。

私は、念願であった台湾中部の霧社《ウーシエー》《むしゃ》の地に立つことができた。ここで、一九三〇年（昭和五）一〇月二七日、先住民族による大規模な抗日蜂起《ほうき》があったのである。

台北《タイペイ》から観光名所の日月潭《リーユエタン》行きのバスでおよそ五時間、いったん宿泊予定のホテルに荷物を置き、私は白タクシーで霧社に向かった。

日月潭から埔里《プーリー》まで、びんろうの樹だらけの風景を見ながら走り、埔里からはしばらく水田が広がる平坦《へいたん》な道を走った。

すると、突然、あたりの風景が一変した。道路の両側に急峻《きゅうしゅん》な崖がだんだんと迫ってきて、人止《レンジー》《じんし》関《グアン》《かん》と呼ばれる難所を過ぎると、勾配《こうばい》の急な坂道になる。眼下には、みるみるうちに深い渓谷が広がっていった。

人間を拒絶するかのような景色の厳しさに目を奪われていると、目の前がポッカリと開け、さまざまな建物が飛び込んできた。ここが霧社の街で、標高一〇〇〇メートル以上の切り立った渓谷の上にある。

現在、霧社は、台中《タイチュン》州南投《ナントウ》県仁愛《レンアイ》郷の中心として、役所や警察、郵便局などの立派な建物が立ち並び、高等学校もある。コンビニの前では、たくさんの高校生やおばさんたちがたむろし、くつろ

◉抗日霧社蜂起のモーナ・ルーダオ　セーダッカ族の頭目モーナ・ルーダオ（中央）は、台湾総督府の企画で日本旅行に参加したが、日本の文明に感心せず、その皮相さを見抜いた。　前ページ図版

いでいた。そのなごやかな雰囲気からは、かつてここで日本人一三四名が殺害されるという惨事が発生したことが信じられないほどである。

抗日霧社蜂起は、台湾の北部山地に分布するタイヤル族のなかのセーダッカと呼ばれる先住民族が起こしたもので、日本の植民地支配に対する最大の武装蜂起であった。台湾総督府は、もっとも「文明化」が進んだと考えられていた霧社で、日本人のみを殺害対象とした蜂起が発生したことに、大きな衝撃を受けた。

総督府関係者のみならず、当時の日本人のほとんどは、台湾に住む先住民族を人間扱いしていなかった。人間以下の「禽獣《きんじゅう》」に等しい存在と見なしていた。

蜂起に参加した人びとに対する弾圧は苛烈《かれつ》を極めた。戦闘を指揮した台湾軍の参謀は、これを「小規模な戦争」と称して、たくさんの軍人・警察官を動員し、大量の近代兵器を使用した。ハーグ条約で禁止されていたダムダム弾のみならず、毒ガスも使用したのである。日本軍が実戦で毒ガスを使用したのは、これが初めてのことであった。セーダッカの人びとは、人体実験の材料にされたのである。

抗日霧社蜂起が一九三〇年に発生したのはなぜなのか。本章では、それに至る経緯を、日本とアジアの関係を中心に、近代の日本人がアジアをどのようにみてきたのか、アジアの人びとのいのちはどのように扱われたのか、もう一度日清《にっしん》戦争後に戻って述べていきたい。

韓国併合——植民地帝国へ

閔妃殺害事件

韓国KBS第一テレビは、二〇〇五年（平成一七）一〇月八日と九日の二夜連続で、「一一〇年ぶりの追跡——明成《ミョンソン》皇后殺害事件」と題するドキュメンタリーを放送した。鄭秀雄《チョンスウン》監督の製作である。

このドキュメンタリーで鄭監督は、閔《びん》妃《ミンピ》（明成皇后）殺害事件に関する注目すべき資料を紹介している。それは、芳川顕正《よしかわあきまさ》司法大臣が陸奥宗光《むつむねみつ》外務大臣に宛《あ》てた一八九五年（明治二八）六月二〇日付の書簡で、鄭監督が国立国会図書館憲政資料室の資料のなかから見つけたものである。

その書簡の本文を見ると、宛名が陸奥と山県有朋《やまがたありとも》との連名になっている。そこには、朝鮮から帰国した井上馨《いのうえかおる》公使を横浜港に迎えに出た芳川が、井上に対し、伊藤博文《いとうひろぶみ》首相と面談の際には、ぜひとも〈彌縫策《びほうさく》〉は〈断然抛棄《だんぜんほうき》〉して、〈決行の方針〉を採ることを強く勧誘するように述べたことが記されていた。

「彌縫策」とは、また「決行の方針」とは、いったい何を意味していたのだろうか。

●朝鮮王宮の女官
この写真は、これまで閔妃（一八五一～九五）とされてきたが、三谷憲正《みたにのりまさ》の論証によって、閔妃とは特定できないことが明らかになった。

日清《にっしん》戦争の勝利にもかかわらず、一八九五年四月二三日のロシア・ドイツ・フランスの三国干渉で、日本政府が遼東《リャオトン》半島の返還を余儀なくされると、これを日本の権威の失墜とみた朝鮮国王高宗《コジョン》は、日本が要求していた内政改革を拒否し、公然とロシアに接近した。危機感をつのらせた日本公使館は、公使の三浦梧楼《みうらごろう》陸軍中将や杉村濬《すぎむらふかし》書記官らを中心に「一挙挽回策《いっきょばんかいさく》」を画し、これを実行した。一八九五年一〇月八日、高宗の父大院君《テウォングン》を担ぎ出して朝鮮王宮に侵入した日本人の一団は、大院君のクーデターを装いながら、国王の親露政策の黒幕と目されていた閔妃を殺害し、死体を凌辱《りょうじょく》し、その亡骸《なきがら》を焼いた。三浦公使は、これを「キツネ狩《がり》」と称した。

この事件の主動力は、三浦公使をはじめ、日本守備隊の馬屋原務本《うまやばらかねもと》大隊長ら長州《ちょうしゅう》閥の軍人で、軍人以外の民間人の多くは、『漢城《ハンソン》新報』（安達謙蔵《あだちけんぞう》社主・国友重章《くにともしげあき》編集長）の関係者であった。彼らは、閔妃の殺害を日本帝国のための「美挙」「快挙」であると信じて疑わなかった。

事件直後、〈いや是《これ》で朝鮮も愈々《いよいよ》日本のものになった。もう安心だ〉と述べていた三浦は、当初、大院君首謀、実行犯は日本人を装った朝鮮人、という詭弁《きべん》を弄《ろう》していたが、日本軍民が手を下したことを確信する列強公使の抗議により、実行犯たちに口止め料として二〇〇円ずつを支給し、帰国させようとした。安達謙蔵は、当時の心境を、〈内地に還《かえ》ればひと通りの取り調べくらいで万事は単純に済むだろうとの見透しがあり、みな楽観的な観念を持っていた〉と回想している。

しかし、それではおさまらなかったため、日本政府は、一〇月一七日に三浦公使を解任し、事件の関係者全員を召還した。彼らが広島の宇品《うじな》に上陸したとき、各地から集まってきた民衆は熱狂的に歓迎し、あたかも「凱旋軍《がいせんぐん》」を迎えるかのような光景が繰り広げられた。

翌一八九六年一月二〇日、広島地方裁判所は、四八名全員に証拠不十分で免訴という決定を下した。八名の軍人も、軍法会議で証拠不十分として無罪となった。

金弘集《キムホンジプ》政権は、治外法権下であったことや三浦の強要もあって、独自の調査をほとんどなしえず、逆に閔妃を庶人の地位に落とす「廃后」詔勅を出し（のちに撤回された）、朝鮮人三名を殺害の実行犯として逮捕し、処刑した。この事件の結果、日本の対朝鮮政策は、ますます困難に陥ったのである。

対韓方針の転換

閔妃《ミンピ》《ビン》殺害事件に関するこれまでの研究史をみると、ほとんどが三浦梧楼《みうらごろう》首謀説をとっている。「直情径行型人間」である三浦と「一部過激派」が、時の伊藤博文《いとうひろぶみ》内閣とは無関係に、閔妃を中心とする〈閔派の排日親露政策を憤っ〉て独自に起こしたものであるとされてきた。

しかし、一国の王妃を殺害するという重大な事件に、日本政府がまったく関与していなかったということがありうるだろうか。もう少し詳しく閔妃殺害に至る経緯をみてみよう。

一八九五年（明治二八）六月一一日、井上馨《いのうえかおる》公使は、朝鮮政策を政府と協議するために帰国の途につき、二〇日に横浜港に到着した。井上は、七月一四日まで滞在したが、井上不在のあいだに朝鮮情勢は大きく変化していた。

まず、高宗《コジョン》のロシア接近に反対していた朴泳孝《パクヨンヒョ》らが、廃后陰謀の嫌疑をかけられ日本への亡命を余儀なくされた。この亡命は、じつは金弘集《キムホンジプ》首相らも承知していた行為であり、金政権への打撃を最小限に食い止めようとしたものであった。そのため、朴らは、追及を恐れてアメリカに渡ることにし、八月二日に横浜港から出発しているが、興味深いことに、この渡米資金は福沢諭吉《ふくざわゆきち》が負担していた。しかし、高宗は、七月一二日に詔勅を発し、甲午《カボ》《こうご》改革（日本の干渉下で親日派政権に実施させた政治改革。王室と国政の分離や官僚制度の改革、日本人顧問官の採用による法典整備などに取り組んだ）は挫折《ざせつ》を余儀なくされていった。その前日には、日本政府が、井上公使の「対韓方針」を了承したばかりであった。

七月二二日、政府は、井上の後任公使として、三《み》浦《うら》梧《ご》楼《ろう》を内定した。陸奥宗光《むつむねみつ》は反対であったが、八月一七日に正式に任命され、三浦は九月一日に赴任する。三浦の公使就任は、伊藤・山県有朋《やまがたありとも》・井上らが決定し、同じく長州の野村靖《のむらやすし》が産婆役を務めた。

ところが、国会図書館憲政資料室に所蔵されている関係者書簡のなかから、鄭《チヨン》監督が見つけ出した資料は、閔妃殺害事件の意外な事実を物語っていたのである。

まず、一八九五年六月二〇日付の陸奥宛芳川顕正《よしかわあきまさ》司法大臣の書簡には、この日朝鮮から帰国した井上を横浜港まで出迎え、船中で井上と相談した内容が詳しく記載されていた。前述したように、山県・陸奥・芳川「三人合同の意見」として、井上に対して、〈彌縫策《びほうさく》は断然拋棄《ほうき》し決行の方針を採

1

◉朝鮮国王高宗（一八五二〜一九一九）
朝鮮王朝最後の国王で大韓帝国の皇帝。日本の侵略に抵抗し、老獪《ろうかい》な外交政策を通じて朝鮮の独立を維持しようと腐心した。

らるべき様〉に伊藤首相を説得することを依頼し、井上がそれを〈領承《りょうしょう》〉したことが述べられている。つまり、朝鮮政策の武断的方針への転換は、井上が帰国する以前に政府関係者のあいだで議論されており、とくに山県と陸奥のあいだには一定の「合意」が成立していて、あとは伊藤をいかに説得するかにかかっていたのである。

おそらく、こうした政府首脳の方針転換は、当初の計画であったお金で懐柔しようという「彌縫策」がうまくいっていないという情勢認識が背景にあった。しかし、七月一一日に政府が了承した井上の「対韓方針」とは、すでに貸与した三〇〇万円とは別途に三〇〇万円を寄贈金として出すというものであった。この方針は、臨時議会が開催されなかったことから流れたが、ここにもう少し様子をみようという伊藤首相の意志が反映されているとも考えられる。

事件の真相

ところが、こういった事情を三浦梧楼《みうらごろう》は熟知していたのである。それをなまなましく示しているのが、八月二日付、井上馨宛《いのうえかおるあて》の野村靖《のむらやすし》書簡である。それによれば、七月六日に日本に亡命してきた朴泳孝《パクヨンヒョ》から、三浦は、内々に、閔妃《ミンピ》《ビン》が日本の賄賂《わいろ》を断わったことを聞いていた。つまり、七月一七日に後任公使就任を内諾する以前に、三浦は、閔妃を賄賂で懐柔する方策が実現不可能であることをすでに知っていたのである。

朴泳孝が三浦に直接語ったところによれば、井上公使から朴に対して「御内話《ごないわ》」があり、日本政府が朝鮮政府に貸与した〈三百万円の内若干は王妃へ配附するの意〉を示したので、ある日、朴が王妃にそのことを〈内話〉したところ、閔妃は手を振って〈貰《も》らわない貰らわない、こわ《(怖)》いことこわいこと〉と断わったというのである。同様の話を、佐々《さっ》友房《さともふさ》も聞いていた。彼は、閔妃を殺害した実行部隊の主要部分を占める熊本関係者のリーダー格であった。

また、同じ書簡には、三浦や佐々が、朴から〈到底王妃は韓国の大狐にて万事を阻礙《そがい》するもの也《なり》〉という話を聞いたことも指摘されている。三浦の「キツネ狩《がり》」という表現は、この朴の談話に由来するものかもしれない。

さらに、八月三日付井上宛の古沢滋《ふるさわしげる》書簡には、品川弥二郎《しながわやじろう》が〈佐々その他肥後《ひご》連中は近来挙げて井上に帰しおれり〉と語っていたことが記されていた。それ以前に、品川は、安達謙蔵《あだちけんぞう》や国友重章《くにともしげあき》ら熊本関係者を井上に紹介していたのである。

こうした新しく判明した事実を背景に考えてみると、井上が、九月一日に赴任した三浦と一七日間も公使館で一緒に過ごした理由も浮かび上がってこよう。井上が二一日に帰国の途に

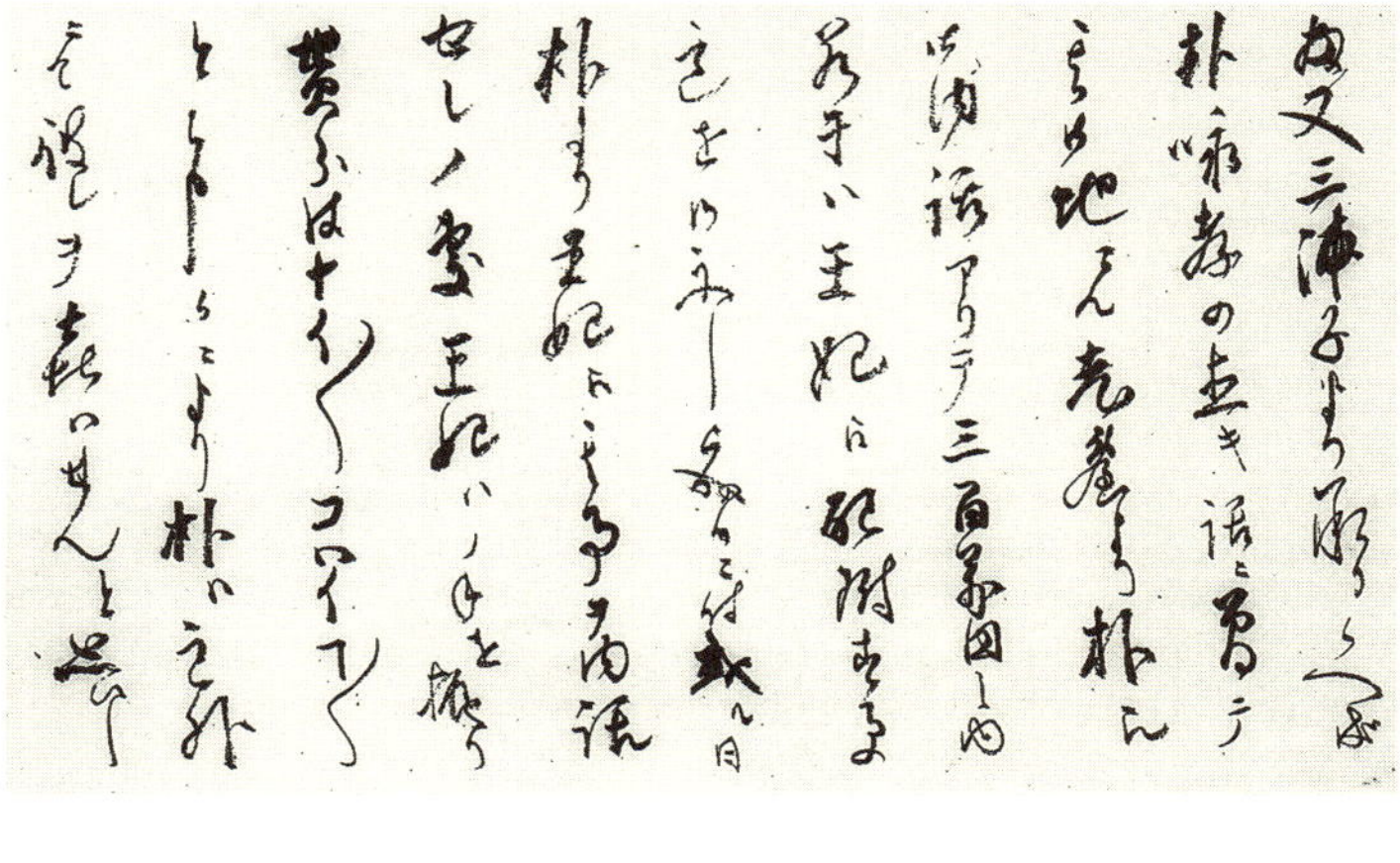

2

◉日本の懐柔策を拒絶した閔妃
野村靖内務大臣の井上馨外相宛書簡には、日清戦争後に日本が計画した朝鮮政府懐柔政策に対する閔妃の反応が、なまなましく記されている。

ついたときには、閔妃殺害のシナリオはすでにできあがっていたと考えられる。閔妃殺害にかかわった民間人三七人中、二一人が熊本出身者であったことは、井上が、実行部隊の中心として当初から熊本関係者を想定し、彼らとの関係を構築しようと周到に布石を打っていたことをうかがわせる。

以上のようにみてくると、閔妃殺害が三浦の単独犯行であったとは、とうてい考えられない。たしかに井上の役割が大きかったことは事実であり、その意味で井上との共謀説が成立することは間違いないが、井上が帰国し政府関係者と協議する以前に、すでに山県・陸奥らとのあいだで「決行の方針」が打ち出され、慎重派の伊藤をその方向で説得しようとする相談がまとまっていたのである。そのうえで、井上は政府および山県・野村ら長州閥関係者の合意のうえで三浦に実行の役割を託し、実行部隊の中心となる「肥後連中」を手なづけるなどの下準備を着々と行なっていたと推測できる。

事件が起こった一〇月八日、東京にいた井上馨《いのうえかおる》は、ソウル（植民地時代、日本は京城《けいじょう》と呼んでいた）の杉村《すぎむら》書記官に宛てて、〈王妃は殺害せられたるや〉と問い合わせている。このこと自体、井上が事

3

●『閔妃遭難図』
日本人壮士が、閔妃を殺害しようとしている場面を描いた想像図。実際のところ、壮士たちには誰が閔妃かわからなかった。

前に王妃暗殺計画を知っていたことの証拠でなくしてなんであろう。

伊藤首相が最終的に閔妃殺害のゴーサインを出したかどうかは判明しないものの、三浦はそのあたりの事情をすべて承知のうえで公使として赴任し、時機を見計らって実行に及び、単独犯行を装った可能性が高い。日清《にっしん》戦争に勝利した日本は、「文明」国の仮面を剝《は》がさないためにも、軍人公使三浦の「野蛮」な単独犯行にしなければならなかったのである。

この閔妃殺害事件は、どのような手段を用いても朝鮮を確保しようとする日本政府の朝鮮半島政策を象徴するものであったが、その背後には、朝鮮支配を自分たちが主導しようという長州閥の強固な意志が隠されていたことを示唆している。

日韓協約と保護国化

一八九六年（明治二九）二月一一日、高宗《コジョン》はロシア公使館に脱出した（露館播遷《ろかんはせん》）。その結果、金弘集《キムホンジプ》政権が打倒され、かわって親露・親米派と守旧派による朴泳孝《パクヨンヒョ》政権が成立し、李完用《イワニョン》らが実権を握る。こうして、日本の対朝鮮政策は混迷の度合を深めていった。

かつて「主権線」と「利益線」という考えを示し、日本の防衛のためには朝鮮半島を確保する必要があることを強調していた山県有朋《やまがたありとも》も、一八九六年に渡韓した際には、三八度線による南北勢力範囲分割をロシア側に提起せざるをえなかった。一方、朝鮮政府も、一八九七年一〇月一六日に国号を「大韓帝国」に改めて改革を行なったが、朝鮮半島における列強の勢力のバランスをとることで延命を図ろうとする高宗の「勢力均衡政策」もほころびを見せはじめていた。

一九〇〇年八月二〇日、高宗は朝鮮半島「中立化」案を日本に提起したが、この構想には、当面の当事者であった日本とロシアも反対の姿勢を示し、調停役として期待したアメリカも消極的であったことから、挫折を余儀なくされた。ところが、一九〇〇年末には、高宗の「中立化」構想をにべもなく断わったロシア側から、日本に朝鮮の「中立化」を提起してきた。これは、大蔵大臣ウィッテが主導したものである。日本の侵略に端を発した朝鮮をめぐる列強の角逐《かくちく》は、とうとう、朝鮮政府が自国の運命をみずから決定できない段階にまで到達させてしまったのである。

こうして、日英同盟《にちえいどうめい》の締結《ていけつ》に力を得た日本は、日露《にちろ》戦争に突入し、朝鮮半島の保護国化を着々と進めていった。一九〇四年二月一〇日の宣戦布告後、日本はまず、二月二三日に日韓議定書を調印した。その第一条には、「日韓両帝国間に恒久不易《ふえき》の親交を保持し東洋の平和を確立するため大韓帝国政府は大日本帝国政府を確信し施設の改善に関しその忠告を容《い》るる事」と記されてあった。日本は、戦争をこれ幸いと、朝鮮における自由な軍事行動と必要な土地の使用を承認させたのである。ちなみに、竹島《たけしま》（韓国では独島《トクト》）が島根県に編入されたのは、二月二二日のことであった。

その後、「韓国保護権確立の件」「帝国の対韓方針」をつぎつぎと閣議決定したのち、八月二二日には、第一次日韓協約を締結する。この協約で、日本は、韓国政府に対して、財政外交顧問の採用と、重要な外交案件の協議を承認させた。事実上の保護国化である。

韓国統監府の設置

日本政府にとって問題であったのは、列強の反応であった。欧米列強の承認なしに、韓国の保護国化を強行するわけにはいかなかった。そこで政府は、アジアにおける列強の権益を承認する協定をつぎつぎに結んでいった。それは、アメリカのフィリピン支配を承認するかわりに日本の朝鮮支配を承認させた一九〇五年（明治三八）七月の桂《かつら》・タフト協定であり、イギリスのインド支配に日本も協力するという同年八月の日英同盟改定であった。

そのうえで、日本は、一九〇五年一一月一七日に第二次日韓協約を韓国政府に強要し、漢城《ハンソン》《かんじょう》に韓国統監府《とうかんふ》を設置したのである。『ロンドン・デイリー・メール』紙の記者であったマッケンジーの『朝鮮の悲劇』には、日本の軍隊が韓国王宮のまわりをぐるりと取り巻き、韓国政府の大臣に対して威嚇《いかく》と偽詐《ぎさ》をほしいままにして調印を強要したことが描かれている。

韓国統監府の初代統監には伊藤博文《いとうひろぶみ》が就任した。協約の第二条には、「韓国政府は、今後日本国政府の仲介によらずして、国際的性質を有する何等の条約若《も》しくは約束をなさざることを約

4

◉韓国統監府
統監は、朝鮮の内政・外交のみならず、駐屯する日本軍の指揮権なども掌握し、鉄道や産業も統監府の管理下にあった。

す」とあり、ここにおいて日本は韓国政府の外交権を完全に掌握したのである。

日本による保護国化に反発した高宗《コジョン》は、一九〇七年六月、オランダのハーグで開かれた第二回万国平和会議に密使を派遣して、日本による保護国化の不当性を訴えようとしたが、かなわなかった。逆に、日本はこのハーグ密使事件を利用して高宗を退位させ、七月に第三次日韓協約を締結し、軍事・警察・司法などの内政権をも掌握した。八月一日には韓国軍隊を解散させている。

この協約では、施政の改善は統監の「指導」のもとに、法令の制定や重要な行政上の処分は統監の「承認」のもとに、高等官吏の任免も統監の「同意」のもとに行なうなど、すべてにおいて韓国統監が最終決定権をもつことが規定された。

このような保護国化の進行に対して、韓国民衆も激しく抵抗した。そのひとつが、儒生《じゅせい》（儒者）や解雇された軍人などを中心とする抗日義兵闘争である。朝鮮全土にわたって繰り広げられた抗日義兵闘争を、日本政府は軍隊をつぎつぎに派遣して厳しく弾圧した。

抵抗運動の展開に対して、韓国統監府は、一九〇七年七月に保安法を発布して、いっさいの政治結社・集会を禁止した。これによって、知識人たちによる愛国啓蒙《けいもう》運動の中核を担ってい

5

た独立協会・新民会・西北学会などが解散に追い込まれた。一九〇八年八月には、私立学校令を公布して、抵抗運動の母体となっていた民族教育や愛国主義教育を弾圧した。さらに、一九〇九年二月には、新聞紙法・出版法を発布して、言論出版の自由を弾圧した。

こうして、韓国民衆は、手も足も出ないような状況に追い込まれていった。韓国併合は、もはや時間の問題であったのである。

◉抗日運動者の処刑
朝鮮各地で発生した抗日義兵闘争への弾圧は、苛酷《かこく》を極めた。写真は、京釜《けいふ》鉄道の線路を破壊しようとして逮捕された朝鮮人の処刑風景。

伊藤博文暗殺事件

一九〇九年（明治四二）五月末、伊藤博文《いとうひろぶみ》は韓国統監の辞表を天皇に提出し、六月一四日付で枢密《すうみつ》院《いん》議長に任じられた。二代統監には曾根荒助《そねあらすけ》が任命された。

七月六日、日本政府は、「適当の時機に於《おい》て韓国の併合を断行する」方針を閣議決定した。問題は、その「時機」であった。抗日義兵闘争に象徴される韓国民衆の抵抗は、ますます強まっていた。このような状況のなかで、一〇月二六日、ハルビン駅で伊藤が暗殺されるという事件が発生したのである。

一〇月一四日、伊藤は、南満州鉄道株式会社（以下、満鉄《まんてつ》）前総裁の後藤新平《ごとうしんぺい》の勧めで、満州旅行に出発した。個人的な視察旅行という位置づけであった。これに対し、ロシア政府は、後藤から指示を受けた本野《もとの》一郎《いちろう》ロシア大使の進言により、ココツェフ大蔵大臣を満州に派遣した。表面的には東清《とうしん》鉄道の視察という名目であったが、伊藤との会見がおもな目的であった。

一八日、大連《ダーリエン》《だいれん》港に到着した伊藤は、同行者と一緒に旅順《リューシュン》《りよじゅん》、奉天《フォンティエン》《ほうてん》（現在の瀋陽《シェンヤン》《しんよう》）を経て、二五日に長春《チャンチュン》に着いた。歓迎晩餐会のあと、伊藤は、午後一一時にハルビンに向かう夜行列車に乗り込んだ。

翌二六日午前九時、列車はハルビン駅に到着した。列車の中でココツェフ蔵相と話を交わしたあと、ロシア守備隊の閲兵《えっぺい》のため、伊藤はホームに降り立った。閲兵を終え、在留日本人の歓迎にこたえたあとで、伊藤は何者かに狙撃《そげき》され倒れた。

そのとき、伊藤の少し後方を歩いていた室田《むろた》義文《よしあや》は、列《なら》んだロシア儀仗兵《ぎじょうへい》のあいだから、小さな男が大きなロシア兵の股をくぐるような格好をしながらピストルを突き出しているのを目撃した。この小さな男は、すぐに逮捕された。安重根《アンジュングン》という朝鮮人であった。

◉ハルビン駅の伊藤博文
閲兵のために、ロシアのココツェフ蔵相らと列車からホームに降り立った伊藤（左から三人目）。このあとに狙撃される。

安重根の人と思想

安重根《アンジュングン》は、一八七九年（明治一二）に韓国黄海道《ホアンヘド》海州《ヘジュ》の大両班《ヤンバン》（朝廷の儀式に参列しうる現職の官僚の総称。在地両班もいた）の家に生まれた。父親の安泰《アンテ》勲《フン》は、開化派の俊秀として将来を嘱望されていたが、一八八四年の甲申《カプシン》《こうしん》政変クーデターの失敗によって挫折《ざせつ》し、郷里に隠棲《いんせい》していた。

一八九六年頃、安重根はキリスト教（カトリック）に入信している。そのころから不正を憎み、「悪政府」の「打破」を考えるようになっていき、一九〇六年頃には愛国啓蒙《けいもう》運動に参加したとされている。そして、一九〇八年六月には、抗日義兵闘争に参加し、大韓義軍の参謀中将として二、三〇〇名ほどの義兵を率いて日本軍と戦ったが敗北した。逃避行の過程で、安重根は、伊藤博文《いとうひろぶみ》を世界人類の敵としてその暗殺を決意した。そして、伊藤が満州旅行に出発したことを知り、ひそかに暗殺のチャンスをうかがいつづけ、ついにハルビン駅構内で目的を達することができたのである。

伊藤暗殺のニュースは、またたくまに日本中を駆けめぐった。それと同時に、マスコミでは、昨日までの「好色漢」が「史上最大の英雄」にまでもちあげられた。そして、伊藤の死を悼《いた》む気持ちが、朝鮮人に対する排外心に火をつけた。東京の明治学院では、朝鮮人留学生への暴行事件が発生した。また、岡山の第六高等学校に在学していた出隆《いでたかし》の回想によれば、学生らの、〈公を殺した韓人の肉をくれればナイフでみじんに切って切って切りきざんでやる〉〈六高在学の韓人をなぐれ〉〈この伊藤公の薨去《こうきょ》に涙なきは日本人にあらず〉などという勇ましい発言が相次いだという。

このように、「無頼漢《ぶらいかん》」視された安重根は、一九一〇年二月一四日に死刑判決が下り、三月二六日に処刑された。ほかにも三人の朝鮮人が懲役刑に処された。

しかし、安重根は、「一日不読書　口中生荊棘」（一日書を読まざれば口中に荊棘《けいきょく》を生ず）というほどの読書人であり、人格高潔な知識人であった。それは、彼が獄中で著わした「東洋平和論」などを見ればよくわかる。彼の理想は、日韓清三国が「一致団結」して西洋の勢力にあたることであった。それなのに、日本は「白人の先駆」として「独立」の約束を反故《ほご》にし、保護国とした。だからこそ、その元凶《げんきょう》である伊藤博文を取り除かなければならないと考えたのであった。

安重根が収監された旅順《リューシュン》《りょじゅん》監獄の看守千葉十七《ちばじゅうしち》も、最初は極悪犯人という先入観に支配されていた。しかし、安重根に接しているうちに、尊敬の念に変わっていった。一八八五年に宮城県栗原《くりはら》郡の農家の三男として生まれた千葉は、安重根の写真と書を生涯たいせつにもちつづけた。千葉の妻も、夫の死後は、仏壇に夫の位牌とともに安の写真を並べ、朝晩のお参りを欠かさなかったという。旅順監獄の典獄であった栗原貞吉《くりはらていきち》も、家の中に祠《ほこら》をつくり、「安重根明神《みょうじん》」として祀《まつ》っていた。

このように、戦前の日本で「極悪人」とされた安重根の人柄と思想を尊敬し、死ぬまでその霊を祀りつづけた日本人がいたことも銘記したいものである。

6

●「女ずき者の最後」『大阪滑稽《こっけい》新聞』一九〇九年一一月一五日号に掲載された風刺マンガ。影が「女」の形をしている。伊藤の艶聞は、当時の新聞の恰好《かっこう》のネタであった。

真犯人は誰か？

安重根《アンジュングン》が伊《い》藤博文《とうひろぶみ》を暗殺してから、一〇〇年がたつ。韓国や朝鮮民主主義人民共和国では、民族的英雄としての安重根の人気はいまだに高く、「義士」と呼ばれている。ところが、伊藤を暗殺したのは安重根ではなかったという説が近年複数提出されている。上垣外《かみがいと》憲一《けんいち》『暗殺・伊藤博文』や、大野芳《おおのかおる》『伊藤博文暗殺事件』などである。両書に共通するのは、伊藤博文暗殺事件を、日本政府関係者が深くかかわった権力犯罪と位置づけ、伊藤殺害の原因を、韓国併合をめぐる路線対立に求めていることである。

近代史研究者で日韓関係に詳しい海野《うんの》福寿《ふくじゅ》は、伊藤暗殺の真犯人として、①ロシア人（兵）説、②伊藤と対立する立場にあった日本政府関係者・軍人説、③朝鮮人複数説、の三つの可能性を提示している。上垣外や大野の説は、②の立場のものである。そして、両者ともに、安重根は伊藤と間違えて室田《むろた》義文《よしあや》を狙撃《そげき》したのであり、伊藤を狙撃した真犯人はほかに存在するという二重狙撃説を強調している。

伊藤暗殺の真犯人が安重根のほかにいるという主張の資料的根拠は、『室田義文翁譚《おうたん》』である。

室田は、弘化《こうか》四年（一八四七）に水戸に生まれ、一九三八年（昭和一三）に亡くなっているが、伊藤の満州旅行に随行した当時は貴族院議員

7

●安重根を記念した切手
一九八二年に発行された二〇〇ウォン切手。ソウルの南山《ナムサン》中腹には、安の義挙を称《たた》える記念館と銅像がある。

であった。伊藤が狙撃されたときの様子を、室田はつぎのように証言している。

その時例の小男は既に兵隊の手で取り押さえられていたが、真実伊藤を撃ったのは、この小男ではなかった。駅の二階の食堂から、斜め下へ向けてフランスの騎馬銃で撃ったものがある、それが即ち伊藤暗殺の真犯人である。と言うのは、伊藤のうけた弾丸は、いづれもフランスの騎馬銃の弾丸で、三発であった…。が何《いずれ》にもせよ、右肩から斜め下に撃つには、如何《いか》なる方法によるも二階を除いて不可能である。そこは格子《こうし》になっていて、斜め下に狙《ねら》うには絶好であった。つまり伊藤の負傷は三弾とも、階上から斜め下へ向けて発射した傷であって、断じて露兵の股間《こかん》から拳銃を突き出して撃ったものではない。殊《こと》に、小男のは短銃であり、伊藤の方はフランスの騎馬銃でやったものであった。

それならば、なぜ、安重根が犯人にされたのであろうか。

しかし、安重根が真犯人でないとすると、他の真犯人の逮捕を見るまでは、事件は永遠に片づかぬ。引いてはこのことが日露国交上に支障を来すようなことにもなろうやも知れぬ。そんなことから、山本権兵衛《やまもとごんべえ》が、それを明らかにすることに反対した。そして結局、この問題は義文の抗議にも拘《かかわ》らず、我が官憲で口を閉じせしめた。

事件当時、伊藤のすぐ近くにいて、複数の異なる発射音を耳にし、一部始終を目撃した室田の証言には重いものがある。しかし、真犯人探しがここでの目的ではないし、安重根のほかに真犯人が存在したとしても、安重根が伊藤を狙撃しようとした事実に変わりはない。だが、この伊藤暗殺事件と閔妃《ミンピ》殺害事件を結びつけて考えてみると、奇妙な符合に思い至る。それは長州閥の存在である。

安重根は、伊藤の罪状一五か条の第一に閔妃殺害事件をあげていた。すでに述べたように、閔妃殺害事件に長州閥は密接にかかわっていた。ところが、韓国併合をめぐって、きわめて漸進《ぜんしん》的な「自治植民地」論（海野福寿《うんのふくじゅ》）をとなえ、その時期に関しても「明治五〇年併合説」（明治五〇年＝一九一七年）をとっていた伊藤の存在は、すぐにでも併合しようという意志をもち、場合によっては武断的な処置も考えていた寺内正毅《てらうちまさたけ》・田中義一《たなかぎいち》ら陸軍長州閥には大きな障碍《しょうがい》となっていた。もちろん、その背後には山県有朋《やまがたありとも》がいた。また、朝鮮人を犯人に仕立て上げる手法も共通している。

しかし、陸軍長州閥の関与を示す確たる証拠がないかぎり、断定は慎むべきであろう。確かなことは、伊藤博文暗殺事件が韓国併合を早めたことだけである。伊藤の暗殺で利益を得たのは、韓国ではなく、日本だったのである。

韓国併合

一九一〇年（明治四三）八月二二日、韓国併合に関する条約が調印され、二九日に公布された。条約の前文には、「相互の幸福を増進し東洋の平和を永久に確保」するために「韓国を日本帝国に併合するにしかざることを確信」して併合条約を締結することにしたと述べ、第一条では、「韓国皇帝陛下は、韓国全部に関する一切の統治権を完全かつ永久に日本国皇帝陛下に譲与す」とされていた。

つまり、韓国側から併合を申し出た形をとっている。これは事実経過に反しているが、条約上このような体裁をとらなければならなかったのは、日清《にっしん》講和条約や日韓議定書などの先行条約で、日本政府が何度も韓国の完全な独立と領土保全を保障してきたこととの整合性を図るためであった。そして、九月三〇日に朝鮮総督府官制が公布され、一〇月一日に寺内正毅《てらうちまさたけ》陸軍大臣が初代朝鮮総督に任命された。

八月二九日から三〇日にかけて、日本各地で祝賀のための提灯《ちょうちん》行列や旗行列、花火の打ち上げや祝賀会などが開催された。子供たちのなかでは、さっそく「併合して遊ぼう」という言葉が流行した。一緒に遊ぼうということである。

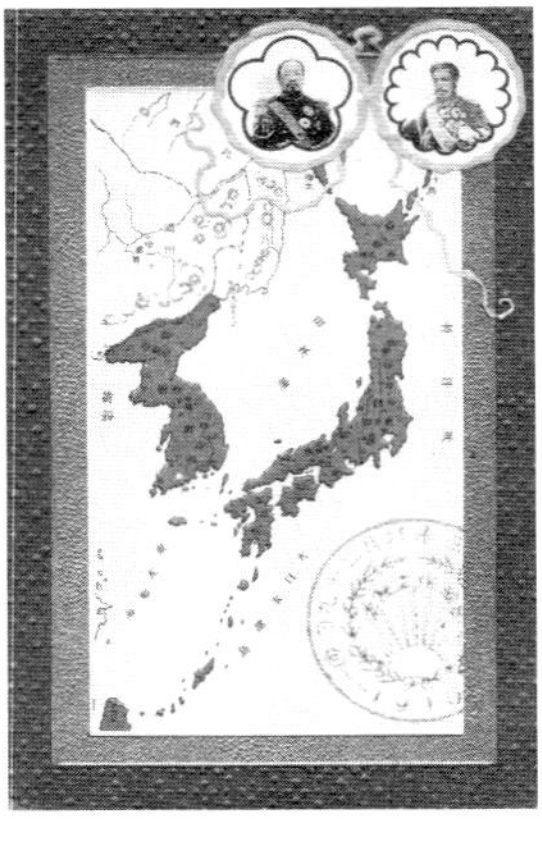
8

●韓国併合を記念した絵葉書
西郷隆盛《さいごうたかもり》の写真を配した絵葉書も発行された。韓国併合は「征韓論」以来の悲願の達成という意味合いであったのだろうか。

併合の正当化

ジャーナリズムの論調は、併合《へいごう》を「正当化」するものがほとんどであった。八月二八日の『時事《じじ》新報《しんぽう》』社説は、実際においては既決の事実に合併と名付ける形式を加えただけであって、〈廃藩置県《はいはんちけん》と同一〉に国内の始末とみるべきである、韓国併合は、〈双方の合意により円滑の間にまとまりたるものにして、決して他国を征服してその領土を併呑《へいどん》したるにあらず〉と主張している。

むしろ、併合は朝鮮人の幸福のためであり、これによって世界の「一等国」である「大日本帝国」の国民になれた朝鮮人こそ感謝すべきである、というのである。この論理は、かつて福沢諭吉《ふくざわゆきち》が一八八五年（明治一八）八月一三日の『時事新報』に掲載した論説「朝鮮人民のためにその国の滅亡を賀す」とまさに同じであった。

そして、歴史学をはじめとする学問が、この正当化論に学問的お墨付きを与えた。それは、日本史の久米邦武《くめくにたけ》や喜田貞吉《きださだきち》らが提唱した「日鮮同祖論」であり、経済史の福田徳三《ふくだとくぞう》らによる「停滞性論」であった。「停滞性論」とは、「封建制」が存在しない朝鮮は、日本でいえば藤原《ふじわら》時代（平安時代）のような歴史発展段階にある、という主張である。つまり、「近代社会」が成立するためには「封建制」の存在が必要不可欠だが、それを欠いている朝鮮には独自で発展するだけの力がないので、日本が力を貸してやらなければならない、とするものであった。

当時にあって、韓国併合に批判的な言及を行なったのは、ごく少数の限られた人物だけであった。大逆事件《たいぎゃくじけん》の直後でもあ

9

◉韓国併合の風刺画「結婚届」
これまでも内縁関係にあったのだから、届け出さえすれば十分であるという説明が記されている。日本＝男、韓国＝女という表象が多い。

り、社会主義者たちの反応はほとんどみられなかった。片山潜《かたやません》に至っては、逆に、朝鮮人に「日本帝国臣民としての独立心」を付与するために強力な「同化」政策の実施を要求する始末であった。キリスト者も、柏木義円《かしわぎぎえん》や内村鑑三《うちむらかんぞう》らを除き、ほとんどが併合を大歓迎した。

内村は、朝鮮におけるキリスト教の発展に着目し、〈神はかえって朝鮮国を救うて日本国を捨てたまうのではあるまいか〉と指摘した。また、田中正造《たなかしょうぞう》も、むしろ日本のほうが「亡国」状況がひどく、朝鮮の合邦を祝って大騒ぎをしている人たちは、他日、わが国が他国に占領されることの前祝いをしているのではないか、と予言めいたことを述べていた。

合法か否か?

韓国併合《へいごう》をめぐって現在でも論争になっているのは、この条約が合法であったか否《いな》か、という問題である。当然のことながら、韓国政府や北朝鮮政府は、非合法であったという立場である。

これに対して、海野福寿《うんのふくじゅ》は、当時の帝国主義諸国の申し合わせの表現である国際法・国際慣習に照らして、「形式的適法性」を有していたが、だからといって〈日本の韓国併合や植民地支配が正当であることをいささかも意味しない〉と述べている。そして、〈わたしたちにとって考えるべき問題の本質は、併合にいたる過程の合法性如何《いかん》ではなく、隣国にたいする日本と日本人の道義性の問題ではないか〉と指摘している。私も基本的に同感である。

法形式論的には、条約による「統治権」の「譲与」であるから、当時の国際法上からすれば「合法」であっただろう。しかし、「譲与」を韓国皇帝から言い出したというのは事実に反し、それまでに結んだ条約の文言との矛盾を回避しようとする日本政府側の体裁づくりの結果であったことはすでにみたとおりである。それに、三次にわたる日韓協約の締結による保護国化の進行は、韓国政府から主体的な意志決定・政策遂行の能力を奪い去っていた。

私たちは、合法であったか否かにこだわるのではなく、韓国併合に至る朝鮮侵略とその後の植民地支配の事実そのものを謙虚に直視する必要があるだろう。

朝鮮人労働の展開

韓国併合以前に、日本国内では、鉄道工事を中心にたくさんの朝鮮人労働者が働いていた。

鉄道鹿児島線（門司《もじ》—鹿児島間）が全通したのは、一九〇九年（明治四二）一一月二一日。当時の鹿児島線は、現在のそれとはルートが異なり、八代《やつしろ》から人吉《ひとよし》・吉松《よしまつ》を経て鹿児島に抜けるコース、つまり現在の肥薩《ひさつ》線を通っていた（以下、肥薩線）。

全長一五〇キロメートル余の肥薩線の工事は、トンネル六〇、橋梁《きょうりょう》八九、四〇分の一という急勾配《きゅうこうばい》やループ線の採用など、当時の技術力では克服が容易でない難所が多かった。なか

10

◉鉄道肥薩線工事の慰霊碑
大畑《おこば》駅の線路そばに建てられている。間組《はざまぐみ》の建立。一三名の犠牲者のうち、一人は韓国南陽《ナミヤン》出身の崔吉南《チエギルナム》という朝鮮人である。

でも、人吉―吉松間の矢岳《やたけ》トンネル（全長約二〇九六メートル）の工事は困難を極めた。

肥薩線の工事には、当初は中国人労働者が、次いで朝鮮人労働者が使役された。中国人労働者が勅令三五二号（一八九九年公布、居留地・雑居地以外での中国人労働者の就労禁止を真の目的とした）によって排斥されたためである。かわって朝鮮人労働者の移入がなされた工事は、まさに、韓国併合以前の日本の外国（アジア）人労働者排斥政策の本質をそのまま具現化していた。なお、朝鮮人は、日本が押しつけた不平等条約によって領事裁判権をもっておらず、勅令三五二号の対象外であった。『九州日日新聞《にちにちしんぶん》』の報道によれば、球磨《くま》郡の藍田《あいだ》村だけで〈三百名〉とか、矢岳トンネルから藍田村までの工区で〈五百名以上〉とあるが、肥薩線工事全体で何名ほどの朝鮮人労働者が使役されたかはわからない。一九〇八年一月二六日には、朝鮮人労働者のストライキ事件も起きている。『鹿児島新聞』には、朝鮮人労働者の賃金は一日七五銭で、食費として二五銭引くという約束で募集したと述べられている。一日五〇銭というのは、当時としては決して安くはない賃金である。しかし、それがまるまる彼ら／彼女らの手に渡ったかどうかは疑問である。なぜなら、朝鮮人労働者は飯場《はんば》制度のもとで使役された模様であり、飯場制度の通例として、賃金からさまざまな名目で金が差し引かれたことが推測できるからである。

公式統計である『熊本県統計書』による県内在住朝鮮人数は、ストライキ事件のあった一九〇八年でもわずか一〇名にすぎない。韓国併合以前の最高は、翌一九〇九年の二六名である。ちなみに『日本帝国統計年鑑』でも、一九〇八年末段階の全国の在住朝鮮人数は四五九人にすぎない。新聞報道が正しければ、肥薩線工事に従事した朝鮮人のほうが全国の数値より多くなってしまう。つまり、鉄道工事などに従事していた朝鮮人労働者の数は、県や国の統計書にはまったく反映されていないのである。

九州だけとりあげてみても、韓国併合以前の朝鮮人労働の事例は数多く指摘できる。佐賀県の長者《ちょうじゃ》炭鉱では、一八九七年から九八年にかけて、約二三〇名の朝鮮人労働者を就労させており、九八年には筑豊《ちくほう》の古《ふる》河下山田《かわしもやまだ》炭鉱でも採用している。また、『熊本評論』第三号（一九〇七年七月二〇日）の「九州労働界の危機」には、小《こ》倉《くら》の同志からの報告として、〈今や我地方には朝鮮労働者三百余名の輸入あり、彼等は長時間の労働に堪え、腕力も強く良くコキ使われて不平も云わず〉とある。

このように、一九一〇年以前の日本には、一〇〇〇人を上まわる規模で朝鮮人労働者が存在していた可能性が強く、韓国併合以前に日本に居住していた朝鮮人は、外交官や留学生がほとんどであったというこれまでの「常識」は、もはや通用しない。

同時期には多くの日本人がアメリカに出稼ぎに行き、西海岸を中心に鉄道工事などに従事していた。その穴埋めをする形で朝鮮人労働者が日本に出稼ぎに来ていたともいえ、二〇世紀初頭、すでに労働力の国際移動が日常的になっていたことをうかがわせる。

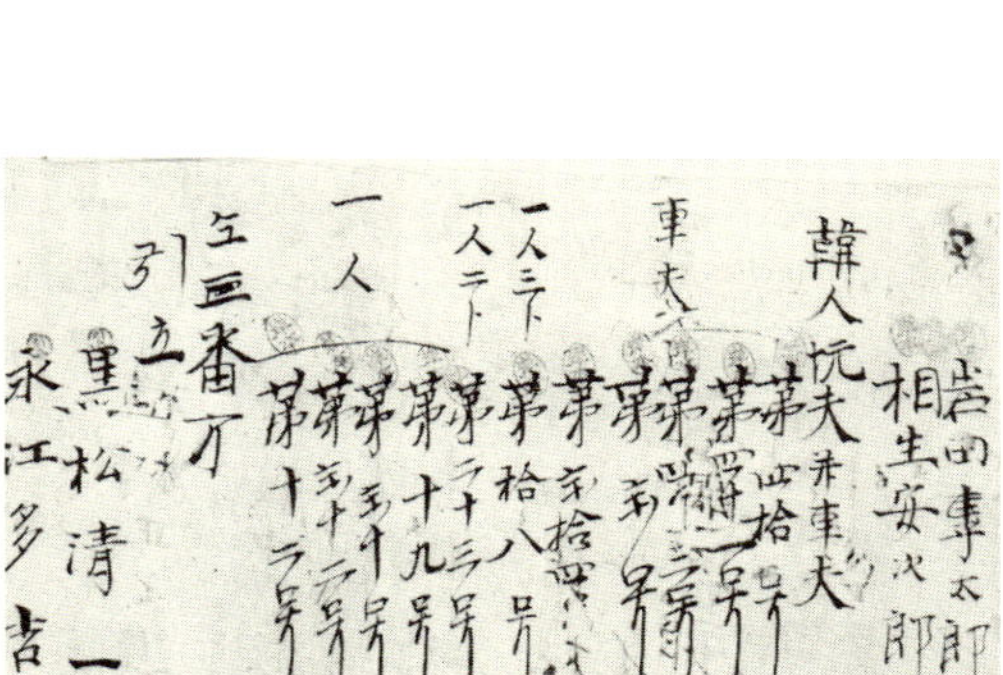

11

●矢岳トンネル工事の飯場の出勤簿
宮崎県えびの市の民家の襖《ふすま》の下張りから偶然、発見された。朝鮮人労働者には、すべて番号が付けられている。

日本人とアジア

興亜論と脱亜論

近代日本のアジア認識の底流を一貫して流れていたのが、興亜《こうあ》論と脱亜《だつあ》論である。この二つの流れは、征韓論争のなかにもかいま見られるが、明治一〇年代になると明確な姿をとるようになる。そして、両者は、帝国日本の発展の過程で、時に対立しながら、時に交錯しながら、最終的には大東亜共栄圏構想《だいとうあきょうえいけん》に流れ込んでいくと考えられる。

しかし、この両者は対等ではなかった。運動として展開されたのは興亜会や亜州和親会《あしゅうわしんかい》などの興亜論で、『時事新報』の福沢諭吉《ふくざわゆきち》らの脱亜論はそうではなかった。にもかかわらず、脱亜論は、その後、「脱亜入欧」というスローガンとともに、日本の近代化を象徴するものになっていく。

ここで注意しておかなければならないのは、興亜論、脱亜論ともに、文明化に遅れた中国・朝鮮というイメージを根底に有していたことである。だから連帯して助けてあげなければと考えたのが興亜論であり、だからほうっておけ、列強がするように扱えと主張したのが脱亜論であった。

両者の違いは、見かけほど大きくはなく、状況に応じて相互補完関係にあったということも可能である。それに、脱亜論のわかりやすさに比べると、興亜論はひじょうにわかりにくい。興亜論をアジア主義とも呼ぶが、アジア主義の定義も人によりさまざまである。

ここでは、日本中心の連帯か、対等平等な連帯か、また侵略のカムフラージュとしての連帯か、といった見極めが必要であることをひとまず置いておき、なんらかの形でアジア連帯をとなえた思想をアジア主義と規定することにしたい。

岡倉天心の「文明」批判

〈アジアは一つである〉という『東洋の理想』（一九〇三年）の書き出しは、たいへん有名である。しかし、これほど誤解されている言葉もない。

岡倉天心《おかくらてんしん》が「アジアは一つ」と言ったのは、アジアが地理的にひとつであるということでも、現実にひとつであるということでも、また願望としてひとつであってほしいということでもない。

『東洋の理想』とほぼ同時期にインドで書いたと思われる英文の未公刊ノート（のち、翻訳出版の際に『東洋の覚醒《かくせい》』というタイトルが付けられた）がある。このノートは、「アジアの兄弟姉妹たちよ！」という文章で書き出され、全体がきわめて熱情的・煽情的《せんじょう》トーンで満ちあふれている。

そして、天心は、このなかで、「ヨーロッパの栄光はアジアの屈辱である」という表現を二度繰り返している。

つまり、天心にとって、アジアは、ヨーロッパに対する「屈辱」にお

12

●岡倉天心（一八六二〜一九一三）一八九〇年に東京美術学校校長に就任、九八年には日本美術院を設立するなど、古美術の保存と日本美術の復興に尽力した。

いてひとつなのである。侵略され、植民地として支配され、抵抗することもできないみじめな境遇に置かれているという「屈辱」が、論理的にアジアをひとつにしているのである。そして天心は、この「屈辱」を晴らすために、中国もインドも回教諸国《イスラム》も、西洋に対する〈栄光ある聖戦《ジハード》〉を起こそうではないかと強調している。

アジア主義者としての岡倉天心は、さまざまな矛盾を抱えていたが、『茶の本』（一九〇六年）にみられるつぎのような指摘は、ヨーロッパ文明に対する批判であると同時に、ヨーロッパ文明を理想として追求してきた帝国日本に対する根本的な批判でもあった。

〈西洋人は、日本が平和のおだやかな技芸に耽《ふけ》っていたとき、野蛮国とみなしていたものである。だが、日本が満州の戦場で大殺戮《だいさつりく》を犯しはじめて以来、文明国と呼んでいる。…もしもわが国が文明国となるために、身の毛もよだつ戦争の光栄に拠《よ》らなければならないとしたら、われわれは喜んで野蛮人でいよう。われわれの技芸と理想にふさわしい尊敬がはらわれる時まで喜んで待とう。／いつになったら西洋は東洋を理解するだろうか。理解しようとするだろうか〉

だが、天心は、アジアの諸民族は過去の栄光のなかに再生の鍵《かぎ》を見いださなければならないと強調したとき、日本の過去の栄光を古代日本が朝鮮半島に「属領」を有していたという神話（『日本書紀』）の記述に求めてしまった。天心自身自覚していたかどうかは別として、それは、現在進行中の朝鮮侵略の肯定にほかならなかった。

「豚」の表象

満州族特有の風俗であった辮髪《べんぱつ》から、清国《しんこく》人を「ぱっち坊主」や「芥子《けし》坊主」と呼ぶのは江戸時代に始まる。しかし、そこに侮蔑《ぶべつ》的な意味は含まれておらず、たんなる呼称にすぎなかった。「ちゃんちゃん」という言葉も江戸時代に使われはじめているが、それも中国人の風采《ふうさい》をまねた行商人が使う鐘の音に由来するものであった。

絵入りの風刺雑誌である『団団珍聞《まるまるちんぶん》』（一八七七年〔明治一〇〕三月一四日創刊）は、民衆のなかに中国（人）＝「豚」のイメージを植えつけ拡大するのに大きな役割を果たした。中国（人）を「豚」に描くのは、早くも一八七九年二月二二日の第九六号に登場する。これは、この年三月に強行される沖縄の廃藩置《はいはんち》県《けん》（琉球処分）を先取りした記事である。包丁で切って与えられようとしているのが「琉球芋《いも》」で、それを食べようと待っている「豚」が清国である。

一八八二年に朝鮮で発生した壬午《じんご》《イモ》軍乱に際しては、「大評判頑虎《がんこ》（＝頑固）の見世物」と題する絵を掲載している（八月五日）。「虎」は朝鮮を指している。この虎は、文明開化の風潮に逆らう頑固ものであることが見世物の価値となっている。額縁に入った絵を前に演台で口上を述べている「とんぼ（＝蜻蛉）」が日本であり、それを見ている観客が「豚」と「鷲《わし》」である。「鷲」はおそらくアメリカかロシアを指しているのであろう。

さらに、翌一八八三年九月一日の第三六八号では、いまにも襲いかからんとする「フツ狼《ロウ》」から必死に逃げようとする「豚」の姿が描かれる。いうまでもなく、安南《あんなん》（現在のベトナム）の領有をめぐるフランスと清国との戦争をふまえたものである。「フッ狼」が「豚」を捕まえられないのは、マダガスカル問題や国内問題などの「首輪」と、英・米・独・露が邪魔をするせいであると述べられている。

以上のように、明治一〇年代の『団団珍聞』を見ていくと、清国＝「豚」の表象が定着していく過程が手にとるようにわかる。では、なぜ中国（人）は「豚」なのだろうか。

それは、第一に、辮髪を「豚尾《とんび》」と呼んでいたことに由来する。辮髪は、英語でも pig tail という。第二に、図体は大きいけれども弱い、というイメージが投影されたと考えられる。第三に、現在の私たちにも刷り込まれている「豚」＝「不潔」というイメージはどうであろうか。おそらく、

13

◉「豚」の表象
明治一〇年代、中国人を「豚」に描くカリカチュアが一般化していく。図は、上から琉球処分、壬午軍乱、清仏《しんふつ》戦争のときのもの。（いずれも『団団珍聞』より）

「不潔」というイメージは、この時点ではまだ成立しておらず、両者が明確に結びつけられるのは、日清《につしん》戦争後のことであろう。それは、日清戦争に従軍した兵士たちの体験談が広まっていくことと、内地雑居に関連して中国人労働者問題がさかんに論じられたことによるものである。

「チャンチャン」から「チャンコロ」へ

「チャンチャン」という言葉が中国人に対する侮蔑《ぶべつ》的な呼称に変わっていくのは、一八七四年（明治七）の台湾出兵のころからであったが、日清《につしん》戦争の最中、新聞や雑誌は「チャンチャン」「豚尾漢《とんびかん》」「豚兵《とんぺい》」のラッシュであった。

『鹿児島新聞』一八九四年八月四日の紙面には、「豚尾を切取《きりと》るべし」と題するつぎのような記事が掲載されていた。〈昔し豊太閤《ほうたいこう》の朝鮮を征伐するや、我兵競うて敵の耳を切取り持帰りたる由にて、今なお耳塚の古跡あり、今回はその首を取る代りに彼の豚尾を切取り、戦勝の後これを集めて錨綱《いかりづな》を造るとか何とか後日の紀念となすべし、ある説に西洋婦人は髷《まげ》用として支那人の豚尾を一本一弗《ドル》に買受る由なれば、臨時大売捌所《だいうりさばきじょ》を設けて豚尾の輸出をなすも一興《いっきょう》ならんという〉

「豚」の表象の本家本元というべき『団団珍聞《まるまるちんぶん》』は、文章においても嘲弄《ちょうろう》・侮蔑をエスカレートさせていった。一八九四年九月二二日の第九八〇号には、「酒蛙説《しゃあせつ》」（社説のもじり）として山陽道人《さんようどうじん》の「チャンチャンの末路」が掲載されている。また、団団社では、骨皮道人《ほねかわどうじん》の「ちゃんちゃん尽しいろは頭附かぞへ唄」などの狂歌や替え歌を集めて『ちゃんちゃん集』なるものまで発行した。

日清戦争後、日本の近代化に学ぼうとして、清国から初めて留学生が日本にやってきたのは、一八九六年一月三日のことであった。一三名の留学生が来日した。しかし、そのうちの四名は、二、三週間もしないうちに帰国してしまった。その理由は、子供から「チャンチャン坊主」といって冷やかされたことと、日本の食事が口に合わなかったためであるという。

子供たちの無邪気さがもっている毒は、日本の植民地となった台湾から派遣された留学生にも、見さかいなく浴びせかけられた。『万朝報《よろずちょうほう》』から関連記事を引用してみる。

〈台湾学生に対する警戒　総督府国語学校教授本田《ほんだ》嘉種《かしゅ》の引率し来れる同校土民学生二十一名八日下谷《したや》区末広《すえひろ》町の旅館田嶋方に投宿中なるが何《いず》れもなお支那服を着け辮髪を垂れおるより頑是《がんぜ》なき児童等はチャンチャンと罵《のの》り瓦《が》石《せき》を投ずる等危険の事多きより拓殖務《たくしょくむ》省にては特に警視総監に対しこれが警戒方を依頼したる由〉（一八九七年七月二一日）

困った本田が乃《の》木《ぎ》希典《まれすけ》台湾総督に相談したところ、乃木は、彼らに「内地風」の服と帽子を買い与え、着用させたという。その後は、彼らに対して「チャンチャン坊主」という蔑称が浴びせかけられることも少なくなったらしい。

そして、辛亥《しんがい》革命によって中華民国《ちゅうかみんこく》が成立して辮髪が廃止になったころより、「チャンチャン坊

14

●「千生南瓜の馬印」
清国軍の大将格の首を逆さにして辮髪を束ね、上に李鴻章《りこうしょう》の首を置く。豊臣秀吉《とよとみひでよし》の千生瓢箪《せんなりびょうたん》のパロディ。辮髪を刈っているマンガも描かれた。

主」という差別的呼称が消えていった。「チャンコロ」という呼称に変わっていくのである。たとえば、さねとうけいしゅうの『増補　中国人日本留学史』に引用されている王拱璧《ワンゴンビー》『東遊揮汗録《とうゆうきかんろく》』のなかに、つぎのような一節がある。

それは一九一八年五月六日の夕方の出来事であった。国恥《こくち》記念日を前に相談をしていた中国人留学生の会合に警官が介入し、もみ合いになった。そのとき、警官はつぎのように言い放ったという。〈われわれ警官は、きさまらが会議をひらくような　そぶりとか、治安をみだす　そぶりとかをみとめたら、それを罪と　かんがえるのだ。…きさまらチャンコロが文明だなんて　いうのはチャンチャラおかしいや！〉。四六人の留学生が逮捕され連行されていく途中、床屋《とこや》のおやじが言った。〈チャンコロの　ばかやろう、大日本帝国の威光を　しらねえか？〉と。

以上のような中国人に対する「豚」の表象や差別的呼称の変遷をたどってくると、日本人のなかに中国人のいのちを劣等のものと見なす心性が成立してくる過程がよくわかるのである。

辛亥革命と対華二一ヵ条要求

中国では、辛亥《しんがい》革命によって清《しん》朝が打倒され、一九一二年（明治四五）一月一日に中華民国《ちゆうかみんこく》臨時政府が発足した。アジアで最初の共和国であった。

日本政府は、革命前は日英協調を軸とした列国共同干渉による清朝維持政策をとり、革命後は、混乱に乗じて中国における利権獲得を画策したり、満蒙《まんもう》問題に積極的に関与していったりした。こうした日本政府の姿勢は列強の不信を招き、結果的に袁世凱《ユエンシーカイ》《えんせいがい》による専制化の方向に中国革命をねじ曲げてしまうことにつながった。

日本の民間における論調のほとんどは、中国革命に対する非干渉論であった。有隣会《ゆうりんかい》、支那《しな》問題同志会、善隣《ぜんりん》同志会、太平洋会など、中国革命を支持する団体も続々と結成された。しかしながら、彼らの中国革命支持の論調を詳しく分析すると、結局は日本の「国体」の優越性にあぐらをかいた「共感」「寛容」にすぎなかった。

『大阪朝日新聞』の「老人の杞憂《きゆう》」（一九一一年一一月二四日）は、〈日本の如《ごと》き世界に類例なき一家族国家と支那の如きありふれた君主国とを混同して、その政体の変更がわれに影響せんことを恐るるは実に埒《らち》もなき考え〉であると、中国の共和革命の影響が日本に及ばないかという政府や元老のなかにあった懸念を、ごくあっさりと一蹴《いっしゅう》している。

だが、中華民国政府は、孫文《スンウエン》《そんぶん》・宋教仁《ソンジャオレン》・袁世凱の三人の立て役者のうち、宋が袁世凱によって暗殺され、それに対して孫文が起こした第二革命も失敗し、袁世凱が大総統に就任して国会を解散す

15

●南京に入場する革命軍
一九一二年一月一日、孫文を臨時大総統とする中華民国が南京《ナンキン》で成立した。日本人には、「孫文びいき」が多かった。

るなど、さらに混迷の度合いを深めていった。

一九一四年（大正三）八月四日、イギリスがドイツに宣戦を布告し、七日にはイギリス大使グリーンが、ドイツの武装艦船を攻撃するために日本の対独参戦を要請してきた。イギリスは、日本の行動を海上に限定し、青島《チンダオ》の利権も膠州《ジャオジョウ》湾も日本には引き継がせない方針だった。ところが、八月二三日、日本はドイツに対して宣戦布告をするとともに、中国の局外中立宣言を踏みにじって、九月二日に山東《シャンドン》省上陸を開始し、一一月七日には青島を占領する。それ以前の一〇月一四日、日本軍は、赤道以北のドイツ領南洋諸島の占領も行なった。まさに「火事場泥棒」的な早わざであった。

このような行動を背景に、四月一六日に成立した第二次大隈重信《おおくましげのぶ》内閣は、翌一五年一月一八日、中華民国政府に対して二一ヵ条要求をつきつけた。その内容は、全部で五号にわたり、第一号が山東省におけるドイツ権益の継承、第二号が旅順《リューシュン》《りょじゅん》・大連《ダーリエン》《だいれん》の租借権と南満州鉄道安奉《アンフォン》《あんぽう》線の九九か年の期限延長、第三号が漢冶《はんや》萍公司《へいこんす》の合弁化、第四号が中国沿岸の港湾・島嶼《とうしょ》の日本以外への不割譲、そして第五号が中国政府の政治・財政・軍事関係への日本人顧問の採用や地方警察の日中合同化もしくは日本人警察官の採用などであった。

中華民国政府は、秘密条項であった最後の第五号を暴露し、イギリス・アメリカが日本に抗議を申し入れた結果、日本政府はやむなく第五号を削除し、最後通牒を発して中国側に要求を認めさせたのである。

加藤高明《かとうたかあき》外相がもっとも重視していたのは第二号であったが、第五号の日本人顧問の採用要求は、

16

●二一ヵ条要求に反対する幟《のぼ》り
幟りには「二十一条約を承認せず、旅順・大連の主権を回収しよう」と書かれている。中国政府が承認した日は、国恥記念日とされた。

かつて第二次日韓協約で財政・外交の日本人顧問を採用させて、韓国政府の統治権を骨抜きにしていった歴史をふまえていたものと考えられる。吉野作造《よしのさくぞう》も、二一ヵ条要求を〈我国の最小限度の要求〉であるとし、〈第五項の削除は、甚《はなは》だこれを遺憾《いかん》とする〉と述べていた。

二つの「亜細亜聯盟」——宮崎滔天と北一輝

近代日本のアジア認識という点で好対照をなしているのが、宮崎滔天《みやざきとうてん》と北一輝《きたいっき》である。この二人は、ともに辛亥《しんがい》革命に協力し、中国の革命を日本の革命に転化する必要性を重視していた。宮崎が孫文《スンウェン》《そんぶん》、北が宋教仁《ソンジャオレン》と親しかったという立場の異同はあったものの、この二人の交錯と離別に表わされているアジア認識の違いは、現在の私たちにとってひじょうに参考になる。

北は、一九〇六年（明治三九）に『国体論及び純正社会主義』を出版して一躍有名になった。すぐ発禁処分にされたものの、この著作で展開された国体論批判は痛烈であった。たとえば、〈国体論中の「天皇」は迷信の捏造《ねつぞう》による土偶《どぐう》にして天皇に非《あ》らず〉とか、〈日本国民は万世一系《ばんせいいっけい》の一語に頭蓋《ずがい》骨《こつ》を殴打《おうだ》されて悉《ことごと》く白痴となる〉などと主張していた。このような衝撃的な著作を刊行した北が、宮崎滔天らが創刊した『革命評論』の同人になったのは、一九〇六年一一月三日のことであった。

こうして二人は辛亥革命にともに尽力し、そして仲違《なかたが》いしたわけであるが、二人の思想的共通点はひじょうに多い。それは、北が『国体論及び純正社会主義』で展開したような国体論的忠君愛国主義を、宮崎も痛烈に批判していたことだけにとどまらない。

二人とも、辛亥革命の失敗は日本（政府・人）の干渉が原因であると考えていた。そして、日本人のなかに蔓延《まんえん》する中国蔑視《べっし》感を告発していた。たとえば宮崎は、ふたことめには〈チャンコロ〉という日本人を、〈世界広しといえども、思想感情乃至《ないし》行動に於て、日本人ほど差別的なるもの何処《いずこ》にありや〉と批判していた。

また、イギリスのアジア侵略に対して敵意を抱いていたことや、中国革命と日本の革命を連動して把握し、やがてそれを日本改造のみならず世界改造にまで広げていかなければならないと考えていた点でも一致している。これが、一九一九年（大正八）八月に北が『国家改造法案原理大綱』（のち『日本改造法案大綱』として出版）をまとめた理由でもあった。そして、列強の圧迫・侵略に対抗するための「亜細亜聯盟《あじあれんめい》」の必要性を、二人とも強調していた。

しかしながら、「亜細亜聯盟」の内容をめぐって、二人のあいだには大きな相違が存在していたのである。それを要約するならば、「アジアの日本」か「日本のアジア」かの相違に帰着する。

宮崎は、三《さん》・一《いち》独立運動のあとに「武断政治」から「文化政治」に朝鮮統治方針が転換されたことを批判して、〈徹底的政策は他無《たな》し、完全なる独立自治を許して聯盟国となすにあり〉と述べ、朝鮮民族の民族自決権を承認した。それだけでなく、植民地台湾にも自治を認め、これらと〈亜細亜聯盟の基礎〉をつくれば、中国人の疑いも解けて聯盟に加入し、その他の国も参加して〈完全なる亜細亜聯盟〉がここに成立し、そこで初めて〈人種平等、差別撤廃〉が可能となる、と述べている。

一方、北の「亜細亜聯盟」の考え方は、中国や印度《インド》の「七億の同胞《どうほう》」は、日本の「扶導擁護《ふどうようご》」がなければとうてい自立することは不可能なので、〈高遠なる亜細亜文明のギリシャ〉である日本がまず国家改造を成し遂げ、〈亜細亜聯盟の義旗《ぎき》〉を翻して、到来すべき世界聯盟の牛耳《ぎゅうじ》を取ることである、というものであった。そして、朝鮮民族を自決能力のない民族と見なすとともに、南満州の利権の確保と〈支那保全主義〉を主張していた。

このように、北にとっての「亜細亜聯盟」とは、あくまで日本が盟主となって、自立できないほかの国々を指導していかねばならないという、日本を中心としたものであったのに対して、宮崎のそれは、まず植

17

●宮崎滔天・槌子《つちこ》夫妻と孫文
熊本県荒尾《あらお》の宮崎滔天家にかくまわれた孫文（右）。筆談の様子を再現している。壁には孫文の揮毫《きごう》（直筆）が掛けられている。

18

民地を解放し、日本も対等な立場で聯盟を構築するという構想であった。つまり、北にとってのアジアは「日本のアジア」であり、宮崎にとっては「アジアの日本」であったのである。

石橋湛山の小日本主義

『東洋経済新報』は、一八九五年（明治二八）一一月一五日に創刊された旬刊の雑誌で、創刊号は三〇〇〇部発行された。一九一九年（大正八）一〇月四日号より週刊になる。天野《あまの》為之《ためゆき》や植松考昭《うえまつこうしょう》など、代々の主筆の自由主義的な論調で有名であった。当初、『東洋経済新報』は、日露《にちろ》戦争や軍備拡張政策を肯定したが、やがて三浦銕太郎《みうらてつたろう》と石橋湛山《いしばしたんざん》が「小日本主義」を真っ向から主張しはじめた。

とりわけ石橋は、「大日本主義の幻想」（『東洋経済新報』一九二一年七月三〇日・八月六日・一三日）のなかで、〈朝鮮・台湾・樺太《からふと》も棄《す》てる覚悟をしろ、支那《しな》や、シベリヤに対する干渉は、勿論《もちろん》やめろ〉と植民地の放棄を明確に主張した。経済的利害関係からいうならば、日本の自立にとって重要なのは、むしろアメリカ、インド、イギリスであって、朝鮮や台湾ではない。〈他国を侵略する意図もなし、また他国から侵略せらるる虞《おそ》れもないならば、警察以上の兵力は、海陸ともに、絶対に用はない〉と、徹底した軍備の縮小を要求している。

近代日本の思想家のなかでもきわめて特徴的な石橋の植民地放棄論は、宮崎滔天《みやざきとうてん》と同様、民族自決権の承認のうえに展開されていた。

◉**北一輝**（一八八三〜一九三七）
北が五・四《ごし》運動のデモ隊を見ながらまとめた『国家改造法案原理大綱』は、のちに日本ファシズムのバイブルと目されていった。

〈思うに今後は、いかなる国といえども、新たに異民族または異国民を併合し支配するが如《ごと》きことは、とうてい出来ない相談なるは勿論、過去において併合したものも、漸次《ぜんじ》これを解放し、独立または自治を与うるほかないことになるであろう〉

〈事実においては、いかなる国といえども、支那人から支那を、露国人からシベリヤを、奪うことは、断じて出来ない〉

〈賢明なる策はただ、何らかの形で速やかに朝鮮・台湾を解放し、支那・露国に対して平和主義を取るにある、而《しか》して彼らの道徳的後援を得るにある〉

さすがにエコノミストらしく、石橋は、資本さえあれば海外領土は必要ないと考えていた。しかし、現実には、その資本が豊富でないことが日本資本主義発展の大きな制約であった。それでは、いかにすれば可能なのであろうか。石橋はつぎのように答えている。

〈資本を豊富にするの道は、ただ平和主義により、国民の全力を学問技術の研究と産業の進歩とに注ぐにある。兵営の代りに学校を建て、軍艦の代りに工場を設くるにある。陸海軍経費約八億円、仮りにその半分を年々平和的事業に投ずるとせよ。日本の産業は、幾年ならずして、全くその面目を一新するであろう〉

石橋は、このような小日本主義を実現するためにも、国民のなかに真の個人主義と公共心を確立

19

●石橋湛山（一八八四〜一九七三）
戦後は政界に転じ、一九五六年一二月に首相として石橋内閣を組織したが、病に倒れ二か月で退陣した。最後まで平和の実現を願った。

することが重要であると考えていた。男女平等の思想や徹底した地方分権論、そして普通選挙論など、石橋は、大正から昭和前期にかけての時代を代表するもっとも良質な思想家であった。

日本人にとってのアジア

石橋湛山《いしばしたんざん》のように植民地の放棄をとなえ、さらに一歩進んでアジアにおける対等な連帯を主張した宮崎滔天《みやざきとうてん》の思想は、近代日本のアジア主義の白眉《はくび》であると同時に例外でもあった。

周知のように、アジアという概念はヨーロッパから与えられた。そのヨーロッパに学びつつヨーロッパに対抗していかなければならなかった日本は、事実において列強の帝国主義的な侵略と同じ手法を用いて近隣諸国を支配しつつも、地理的にアジアに位置するということを最大限に利用し、言説においてアジア侵略をカムフラージュしようとしたのである。韓国併合の論理が、まさにそれであった。

ある意味で、興亜会《こうあかい》設立当初から存在していた日本を盟主とするアジア主義は、ヨーロッパに対する劣等感とアジアに対する優越感との接点に成立したものといえるだろう。こうして、アジア民衆の声に耳を傾けようとしない独りよがりな北一輝《きたいっき》的なアジア主義は、一九二四年（大正一三）にアメリカで排日移民法が成立したことを契機にますます昂揚《こうよう》するようになり、やがてアジア・モンロー主義（アジアにおける日本の排他的な覇権確立を追求する思想的立場）的な傾向を強めていった。それが大東亜共栄圏《だいとうあきょうえいけん》構想に転化するのは、あと一歩にすぎなかった。

第一次世界大戦とシベリア干渉戦争

地中海への派遣

一九一四年（大正三）六月二八日、オーストリア皇太子がサラエボでセルビア人に暗殺されるというショッキングな事件が発生した。それを契機に、オーストリア政府のなかで対セルビア開戦論が高まり、それを同盟関係にあったドイツが後押しした。こうして、一か月後の七月二八日、オーストリアがセルビアに宣戦布告を行ない、第一次世界大戦が勃発《ぼっぱつ》した。

第一次世界大戦の最中、イギリスの要請を受けて日本海軍が地中海に艦隊を派遣したことは、あまり知られていない。地中海において、ドイツの潜水艇の攻撃から輸送船や病院船を護送するのがその任務であり、旗艦《きかん》「明石《あかし》」と第一〇、第一一駆逐隊《くちくたい》からなる第二特務艦隊が、一九一七年二月に出港したのである。第二特務艦隊は、マルタ島を拠点に活躍した。

海軍中尉片岡覚太郎《かたおかかくたろう》は、駆逐艦「松《まつ》」に乗船してこの任務にあたった。二月一七日に佐世保《させぼ》を出航した片岡は、何かといえば「ジャップ」と軽蔑《けいべつ》する西洋人に日本人の腕《うで》っ節《ぷし》を見せてやる、と意気込んでいた。特務艦隊は、シンガポールに集合し、コロンボ、アデン、ポートサイドを経て、四月一三日にマルタ島に到着した。およそ二か月の道のりであった。

片岡が初めてドイツ潜水艇との戦闘を体験したのは、五月四日のことである。護送していた大型船「トランシルヴァニア」が、三〇〇〇人の陸兵と兵器を満載してマルセイユからアレキサンドリアに向かっている最中のことであった。ドイツ潜水艇の魚雷が「トランシルヴァニア」に命中したのである。「松」が「トランシルヴァニア」の左舷《さげん》に横付けして八〇〇余名を収容したときに、もう一発の魚雷が命中し、ボートに乗っていた四〇名あまりが粉みじんに吹き飛ばされた。

〈国家の存立という大目的の前に、個々の人間の存在が、いかに価値ないものとして認められているであろう。惨酷《ざんこく》である〉とは、そのときに片岡が抱いた感想である。さらに六月一一日には、僚艦「榊《さかき》」が潜水艇の餌食《えじき》になった。

一九一八年三月二〇日から始まったヨーロッパにおけるドイツ軍の大攻勢を受けて、片岡たちは東方の兵士をヨーロッパ戦線に投入する大輸送作戦に従事した。アレキサンドリアからマルセイユまでが三回、アレキサンドリアからタラントまでが二回。計五回にわたる輸送をすべて日本の駆逐艦隊が護送したのである。この地中海遠征で犠牲になった「榊」の艦長以下五九名の遺骨は、クリート島のイギリス海軍墓地に仮埋葬されていたが、任務の終了を前に、マルタ島の海軍墓地に移された。

20

◉地中海マルタ島に集結する日本海軍旗艦「出雲《いずも》」（九九〇六トン）と駆逐艦。護衛した輸送船は、延べで七八八隻に及び、日本海軍の国際的評価が高まった。

七月、任務を解かれた片岡は帰国の途につき、九月に日本に帰ってきた。片岡は、〈国民としての本分を尽くした〉という自覚から、とても満足していた。

南洋興発の松江春次

第一次世界大戦は、一九一八年（大正七）一一月一一日、ドイツが連合国と休戦協定を結んで終わった。飛行機や戦車が登場したこの戦争で、一〇〇〇万を超す死者と、二〇〇〇万以上の戦傷者が生じた。まさに総力戦の始まりであった。

翌一九一九年一月一八日から、パリで講和会議が開催され、六月二八日にヴェルサイユ条約が調印された。日本は、山東《シャンドン》省の旧ドイツ利権や膠州《ジャオジョウ》湾の租借、それに赤道以北における南洋諸島を国際連盟の委任統治領として獲得した。

このとき、南洋開発に注目したのが松江《まつえ》春次《はるじ》である。それまで台湾の製糖事業に関係していた松江は、年収三万円の椅子を惜しげもなく捨てて一九二〇年

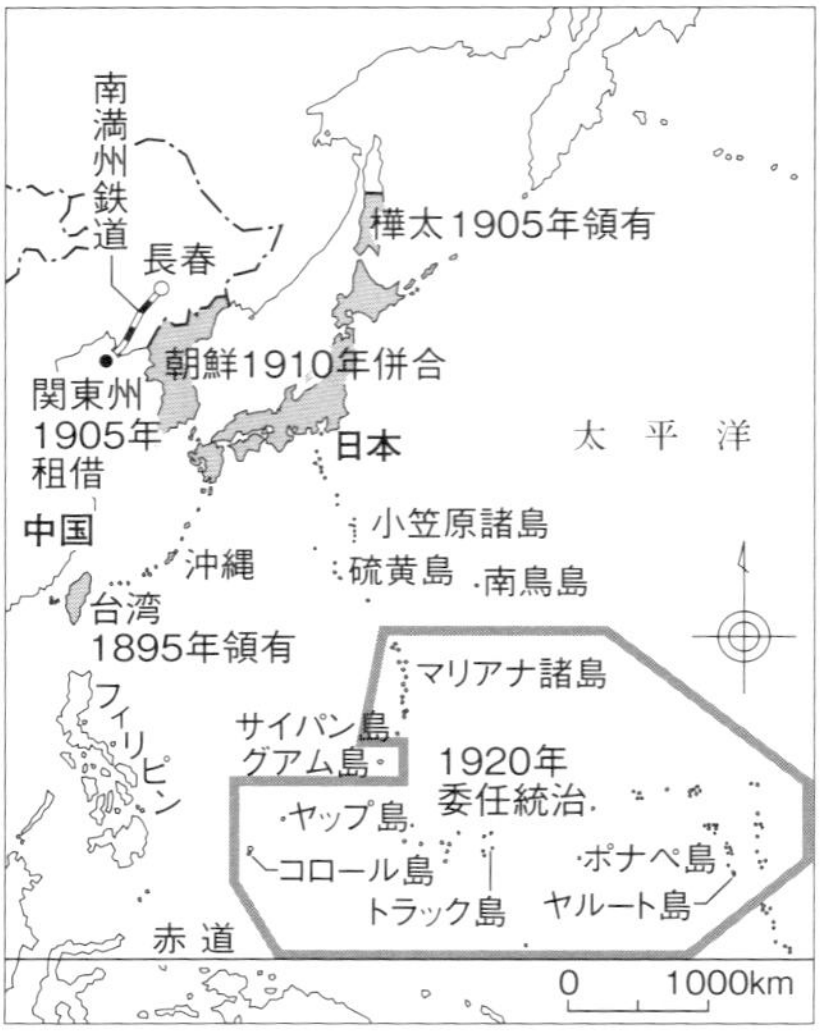

●国際連盟の委任統治領
日本は、パラオ諸島のコロール島に南洋庁を設置し、サイパン、パラオ、ヤップ、トラック、ボナペ、ヤルートに支庁を置いて統括した。島民には日本語教育が行なわれた。

一二月に退社し、翌年二月に南洋諸島の調査に赴いた。そこで松江が目にしたのは、サイパンの西《にし》村拓殖《むらたくしょく》と南洋殖産《なんようしょくさん》の二つの会社の移民（沖縄・奄美《あまみ》大島《おおしま》出身者や朝鮮人）約一〇〇〇名が、製糖事業放棄によって生活の資を断たれ、帰国の途も失い、飢餓状態に陥っている悲惨《ひさん》な姿であった。

委任統治になったばかりで国際関係上も問題になりかねないと感じた松江は、移民の救済を図るためにも製糖事業に乗り出すことにした。こうして、一九二一年一一月に、松江は南洋興発《なんようこうはつ》株式会社を設立し、専務取締役に就任した。資本金は三〇〇万円で、六万の株式のうち四万二〇〇〇株を東洋拓殖《とうようたくしょく》株式会社（以下東拓）が引き受けた。実質的な東拓の子会社で、東拓の投資先が一九二〇年代に朝鮮と南洋にシフトしていったことの反映である。

その後、松江は、一九二三年にサイパンに製糖所を建設し、二九年（昭和四）にはテニアンにも製糖所をつくった。その一方で、酒精工場や鰹節《かつおぶし》生産のための南興水産も設立した。前の会社から引き継いだ移民に加え、新たに沖縄県で移民を募集し、第一回の募集に応じた二〇〇〇人の移民が門《も》司《じ》港を出発した。これを松江は、「征南《せいなん》第一船」と称した。一九二〇年代には南洋ブームも巻きおこり、南洋諸島への移民の数は、一九三一年末には一万六〇〇〇人にのぼった。

シベリア出兵

シベリアの沿海《えんかい》州やアムール州には、多くの日本人が居住し、またそれを上まわる数の中国人や、日本の侵略と植民地支配の過程で朝鮮を逃れた朝鮮人が多数住んでいた。ロシア人に加え、ギリヤーク、オロッコなどの北方少数民族もあわせ、複数民族社会の様相を呈する地域であった。

シベリアにも、一九一七年（大正六）の十月革命の波が、その年の暮れには押し寄せてきた。ウラジオストクやブラゴヴェシチェンスクなどでは、在郷軍人会を中心に日本人居留民が「自警団」を結成し、反革命的な動きを見せはじめた。

一九一八年一月一日、イギリス政府は、珍田《ちんだ》捨己《すてみ》駐英大使に日本・アメリカ・イギリス共同でシベリアに出兵することを申し入れた。海軍は、加《か》藤《とう》寛治《ひろはる》少将を司令官に任命し、一月一二日に軍艦「岩見《いわみ》」と「朝日《あさひ》」をウラジオストクに派遣した。

一方、陸軍は、各地に諜報員を派遣して、カザーク（コサック）軍幹部にはたらきかけ、反ソビエト工作を開始した。すでに五〇歳であった石光真清《いしみつまきよ》も、参謀本部に請われてブラゴヴェシチェンスクに入った。

日本軍は、ブラゴヴェシチェンスクにおけるカザークのガーモフの反乱やセミョーノフのザバイカル侵攻などを支援し、反革命工作を進めたが、大規模な出兵を実現するには口実が不足していた。そのようなとき、「チェコ軍団」の問題が浮上した。

●極東ロシアの人口構成

シベリア出兵前には、全人口の一割を清国人・朝鮮人・日本人が占めていた。撤退後に、在住日本人の人口が急減していることがわかる。

年	全人口(人)	内訳		
		清国人(人)	朝鮮人(人)	日本人(人)
1860	70,000	11,370	13世帯	—
1870	—	12,297	3,321(1869)	50(1875)
1880	140,000	17,128	8,768	271
1890	716,000	28,276(1885)	12,856	603
1897	430,000	42,823	26,100	2,291
1911	855,000	94,124	38,293	4,500
1912	937,000	91,300	60,800	4,200
1916	1,509,200	78,100	60,300	4,900
1917	1,087,600	—	45,718(64,000)	5,001
1926	1,281,000	20,000	132,997	657

イゴリ・R・サヴェリエフ『移民と国家』より作成

ソビエト国内に居留していたチェコ・スロヴァキア人とソビエトの捕虜になった将兵のなかから結成されたチェコ軍団は、ドイツ・オーストリア軍のウクライナ進撃に直面して退却を余儀なくされた。その後、チェコ軍団は、ソビエト政府に反旗を翻し、各地で反革命勢力と協力しながら戦闘を行ない、ウラジオストクに向けて大遠征を試みた。

ここに、ウラジオストクで反革命のクーデターを開始したチェコ軍団を赤軍から救済するという「大義名分」が登場したのである。それにより、出兵に慎重であったアメリカも日本に対して共同出兵を申し入れ、日本・アメリカ・イギリスを基軸とする連合軍の協力体制が整った。その結果、日本は、八月二日に出兵宣言を行ない、小倉《こくら》第一二師団八九一〇名の派遣を決定した。日本・アメリカ・イギリスに加え、フランス、イタリア、中国なども派兵した。

このとき、日本軍が、〈当面七師団の派兵、さらに六個師団の出動準備という途轍《とてつ》もない計画〉を構想していたことが、ロシア史研究者の原暉之《はらてるゆき》によって指摘されている。日本軍は、その後も増強しつづけ、一一月四日時点では、戦闘員四万四七〇〇人、非戦闘員二万七七〇〇人の、あわせて七万を超える連合国軍中最大規模の兵力となった。

当初、日本軍は、反革命政権の樹立を画策したが、革命支持派が本格的なパルチザン運動を展開しはじめると、それに対する掃討作戦を展開していった。一九一九年二月には、ユフタ付近の戦闘で田中《たなか》大隊が全滅するなどの打撃も受けた。パルチザン部隊に手を焼いた日本軍は、村落をまるごと焼き払うなど、民間人も区別ない討伐戦を行なった。

日本軍は、同時にウラジオストクの新韓村など、朝鮮独立運動の拠点を攻撃したり、独立運動の一大拠点であった間島《カンド》地方への出兵を一九二〇年一〇月から一二月にかけて行なった。パルチザン部隊には、日本の侵略に反対する中国人や朝鮮人も参加・協力していたからであった。

しかし、大戦後、チェコスロヴァキア共和国が成立し、チェコ軍団が干渉戦争から離脱し帰国しはじめると、救援の使命は終わったとして、アメリカ軍は一九二〇年一月一〇日より撤退を開始し、四月一日に完了した。だが、日本軍はパルチザン部隊との「宥和《ゆうわ》」を図りながら居座りつづけた。むしろ、アメリカ軍がいなくなれば好き放題できると、ある司令官が放言するほどであった。こうして、四月四日から、日本軍は沿海州全域で総攻撃を開始した（中国では「四月惨変《スーユエツァンビエン》」という）。

名目のない日本軍の駐留は、兵士たちの士気を低下させ、軍紀を弛緩《しかん》させていった。もともと戦争目的が不明確な出兵であった。朝鮮軍司令官は、第三軍の状況について、〈官費満州旅行くらいの心得にて出征しあるもの大部を占むるの有様〉と報告していた。それに加え、ある兵士が〈日本軍の人気の悪いのには、つくづく情けなくなりました〉とこぼしているように、シベリア民衆のほとんどが日本軍を敵視していた。その結果、参謀総長さえも「過激」さを憂うような討伐戦における暴行、略奪に加え、性病が蔓延《まんえん》していった。

現代史研究者の吉田裕《よしだゆたか》は、一九一八年八月から二〇年一〇月までの性病患者が二〇一二名に達することを、同期間の戦死者が一三八七名、負傷者二〇六六名であることと比較せよ、と指摘している。将校たちは、兵士よりもさらに腐敗していた。

尼港事件

駐留しつづける日本軍に対する潜在的な恐怖が、ニコラエフスク（尼《に》港《こう》）事件という惨劇を引き起こす遠因となった。

アムール河河口近くに位置するニコラエフスクは、サケ・マス漁業の本拠地として発展し、すでに一九世紀後半には日本人漁業者が進出していたとされる。そこで、一九二〇年（大正九）五月下旬、パルチザン軍のトリャピーツィンが、ニコラエフスクを撤退するときに「狂気のテロル」を展開したのである。獄中にとらわれていた日本人捕虜約一三〇名（うち居留民一二名）も殺害され、市街の大部分に火が放たれた。こうして、ニコラエフスクは焦土と化し、六〇〇名を超す日本人が犠牲になった。

事件の直後、七月一〇日に出版された溝口白羊《みぞぐちはくよう》編著『尼港事変　国辱記《こくじょくき》』は、陸軍三三二名、海軍四四名の戦死者リストを掲げ、これを〈曠古《こうこ》の国家的

21

◉廃墟と化した尼港市街
当時のニコラエフスクには、約一六〇〇戸、一万四〇〇〇人余の人が住んでいた。パルチザン軍は、市街を焼き払って撤退した。

大屈辱〉であり、〈世界的全人類的の大問題〉であるとした。巻末に慰問のための綴《と》じ込み式葉書を付けたこの本は、八月五日ですでに一〇版を数えている。

国内の新聞は、「野蛮」な過激派を批判する一大キャンペーンをはった。だが、事件の背景には、魚をごっそり獲《と》ってしまう日本式漁法への漁民の反感など、ニコラエフスク市民のなかに深く根を張っていた反日感情が存在していたのである。

一方、極東ロシアに住むロシア人のなかに、反中央、反モスクワ意識が強かったことも事実である。彼らは、シベリアは「植民地」であると認識していた。革命派の中心人物でさえ、同様の認識をもっていた。日本軍は、そうした一部の人びとの期待にこたえる形で、最後には反革命派による「極東共和国」の樹立を画策したのであった。

結局、日本軍が沿海州《えんかいしゅう》からの撤兵を完了したのは一九二二年一〇月二五日で、高橋是清《たかはしこれきよ》内閣からかわった加藤友三郎《かとうともさぶろう》内閣のときであった。米騒動の影響やデモクラシー運動の拡大という国内の政治情勢を考えると、これ以上の駐留は不可能であった。

こうして、五年近くに及んだ日本軍の「シベリア出兵」は、世界中の批判のなかで、無惨な失敗に終わった。居留民の保護を名目とした出兵が、逆に日本人に対する反感を増幅し、現地での生活が困難になり、日本への引き揚げを余儀なくさせてしまう結果となったのである。

三・一独立運動と五・四運動――帝国日本への抵抗

朝鮮植民地支配の実態

三五年に及ぶ日本の朝鮮植民地支配の過程は、一般に一九一九年(大正八)の三《さん》・一《いち》独立運動までを第一期、一九三一年(昭和六)の満州事変までを第二期、そして日本の敗戦＝朝鮮の解放(「光《こう》復《ふく》」)までを第三期に分けることができる。第一期を特徴づけるのは、憲兵や警察だけでなく、学校の先生まで腰に下げていたといわれるサーベルである。こういった憲兵や警察中心のサーベル政治を「武《ぶ》断《だん》政治」と呼んでいる。

その中心に位置していたのが、朝鮮総督である。朝鮮総督は天皇に直隷《ちょくれい》し、事実上日本政府の統制を受けなかった。そして、立法・司法・行政・軍事にわたるすべての権限を有している絶対的権力者であった。台湾総督とは異なって、朝鮮総督には軍人の就任が慣例化し、寺内正毅《てらうちまさたけ》をはじめ朝鮮総督を務めたものが首相に就任する例も多々あった。

総督府は、一九一〇年(明治四三)三月に土地調査局を設置し、八月施行の土地調査法によって土地調査事業に着手したが、本格的展開は一九一二年八月の土地調査令の施行後であった。土地調査事業の眼目は、土地所有権を調査・確認し、国有地と民有地の区別を明確化したうえで、国有地を確保すると同時に近代的土地所有制を確立することにあった。あわせて、地価を確定して地税制度を樹立し、収入を安定させる目的もあった。

土地調査局は、一九一八年一一月四日に廃止されるが、土地調査事業の結果、所有権が明確になった土地の不動産や担保物件としての価値が高まり、土地取引が活発化していった。日本における地租改正が地主的土地所有に帰結したように、朝鮮でもさまざまな理由で広範な農民が没落していき、地主的土地所有に道を開いていったのである。

なかでも、一九〇八年一二月に設立された東拓《とうたく》は、国有地の払い下げなどにより短期間で膨大な土地を集積し、一九一九年時点で七万八五二〇町歩《ちょうぶ》を有する最大の地主になった。日本人地主も高利貸を行なったり、日本国内では禁止されていたアヘンを製造・販売したりして、経営規模を拡大していった。また、日本の植民地支配に協調的であった一部の朝鮮人地主も保護された。こうして、一九一九年の段階で、農民人口に占める三・四パーセントの割合にすぎない地主が、全耕地面積の五〇・四パーセントを所有するという典型的な地主的土地所有が形成されていった。

一方、自小作・小作農民の割合は、七六・九パーセントに及んだ。没落した農民のなかで小作人になれるのはまだましなほうで、山野で焼畑《やきはた》農業を行なって細々と暮らす火田民《かでんみん》や、都市に流入してスラムに居住する貧民も少なくなかった。

総督府は、土地のみならず、所有権が明確でない山林も国有地に編入した。韓国併合後の三年間に総督府が伐採した木材の売上高は、一〇億円以上にのぼったとされる。当時の総督府の年間総予算は、五〇〇〇万から六〇〇〇万円であった。

また、朝鮮南部の農村では稲作《いなさく》を、北部では棉作《わたさく》を強制していった。いわゆるモノ・カルチュア化の進行である。米騒動と前後して、米の日本輸出が急増し、一九一九年には全生産量の二二パーセントが日本に移送された。また、金銀などの鉱産物もほとんどが日本に輸出された。

さらに総督府は、民族産業を抑圧した。一九一〇年一二月に制定された会社令は、会社設立に対する朝鮮総督の許可権、営業に対する監督権、そして禁止権と、総督の権限を広範に認めたものであった。その結果、資本主義発展の萌芽的段階にあった民族産業が大打撃を受け、日本人が経営する規模の大きな会社が保護育成されていった。一九一八年の統計では、工場数においては大きな差はみられないものの、従業員数・生産額では大きな格差が成立している。

労働者の差別賃金も一般化し、日本人労働者の賃金に対して、朝鮮人労働者の賃金は、ほぼ二分の一から、職種によっては三分の一の低さであった。こうした低賃金に第一次世界大戦を契機とするインフレが相まって、深刻な生活苦に陥った朝鮮人労働者たちによる労働争議が激増していった。一九一七年にわずか八件であったのが、二年後の一九年には八四件も発生している。

民族教育や民族文化も弾圧された。民族学校に対する管理統制が厳し

朝鮮における日本人と朝鮮人の経営比較（1918年）

	日本人経営	朝鮮人経営	合計
工 場 数	875か所	815か所	1,690か所
従業員数	33,300人	9,200人	42,500人
生 産 額	1億2,700万円	2,270万円	1億4,970万円

くなり、生徒が集まらずに廃校に追い込まれるところが続出した。伝統的な初等教育機関であった書堂《ソダン》も弾圧を受けた。私立各種学校の数は、一九一〇年に一九七三あったものが、一九一八年には七七八にまで激減し、生徒数も半減した。また、朝鮮語新聞の発行も禁止され、かつての独立協会に代表されるような知識人団体の結成も認められなかった。

このような「武断政治」の結果、三・一独立運動の直前には、民族資本家・農民・労働者・学生・知識人など朝鮮のあらゆる階層の人びとが、「死滅か抵抗か」の二者択一を迫られるような状態に追い込まれていたといっても過言ではなかった。

三・一独立運動

一九一七年（大正六）のロシア革命、一九一八年のウィルソンの「民族自決宣言」、そして一九一九年のパリ講和会議などにみられる世界的なデモクラシーの潮流は、朝鮮総督府の「武断《ぶだん》政治」下であえいでいた朝鮮民衆の独立への渇望をかき立てていった。一九一八年末から、朝鮮の天道《チョンド》《てんどう》教（東学《トンハク》《とうがく》を前身とする）徒やキリスト教徒、東京の留学生のあいだに独自の動きがみられ、一九一九年一月には、天道教のなかで、大衆化・一元化・非暴力化という独立運動の三原則が決定された。

ところが、植民地支配に抵抗するシンボル的存在であった高宗《コジョン》が、一月二二日（朝鮮軍司令官宇都《うつの》宮《みや》太郎《たろう》の日記によれば二一日）に亡くなったことをめぐって、朝鮮民衆のなかに高宗は毒殺されたというううわさが広まり、民族意識に火がついた。高宗の国葬は三月三日に挙行されることが決まった。

東京の留学生たちは、二月八日に六〇〇余名が神田《かんだ》の朝鮮ＹＭＣＡ会館に集まり、そこで独立宣言書を発表した（二・八宣言）。

朝鮮では、二月二五日に開かれた会合で、独立宣言を三月一日にソウル（植民地時代、日本は京城《けいじょう》と呼んでいた）のパゴダ公園（現在のタプコル公園）で発表することが決まり、民族代表の選定に入った。三月三日に予定されていた高宗の国葬を目的に、朝鮮各地からたくさんの民衆がソウルに集まることを予測してのことであった。

そして三月一日を迎えた。独立宣言書に署名した民族代表三三名のうちの二九名が仁寺洞《インサドン》の明月《ミョンウォル》館《グアン》支店泰華《テホア》館に集合し、午後二時を期して独立宣言書を朗読して祝杯をあげた。彼らはそのあとに自首し、すでに包囲していた官憲に逮捕された。民族代表の行動はあっけない幕切れであったが、彼らが発表した独立宣言書は、ソウルから全国の主要都市へ、そして農村へと広がっていった。

当時、平壌《ピョンヤン》高校に在学していた咸錫憲《ハムソクホン》は、連絡係として前日の夜に崇実《スンシル》学校の地下室に行き、独立宣言書を受け取った。三月一日に平壌警察署前でそれをばらまいたあと、デモ行進に参加した。そのために、咸錫憲は二度と高校に戻ることはできなかった。

非暴力をスローガンに掲げた運動のスタイルは、禁止されていた太極旗《テグクキ》《たいきょくき》を掲げ、万歳《マンセ》を叫びながらデモ行進するというものであり、デモ団のなかには乞食《こじき》独立団や芸妓《げいぎ》独立団などもあった。デモの先頭に立って活躍した女学生の柳寛順《ユグアンスン》は、逮捕・投獄されて獄死したこともあって、「朝鮮のジャンヌ・ダルク」と呼ばれ記憶されつづけている。だが、一部の民衆は過激化し、警察署や憲兵駐在所、郡・面《めん》の事務所などを襲った。

朝鮮総督府は、朝鮮民衆のデモに対して、軍隊や警察を総動員して弾圧を加えた。在朝日本人も自警団を組織し、武器を持ってこれに対抗した。三月四日と五日に咸興《ハムフン》で行なわれた独立運動に対して、日本人消防隊は、棍棒《こんぼう》やツルハシ、鳶口《とびぐち》、鉄棒を持って群衆のなかに暴れ込み、多数の死傷者を出した。

一九一九年三月一五日の『九州新聞』に、当時、朝鮮平安北《ピョンアンブ》道《クト》載寧《チエニョン》の郵便局員であった堀田三四麿の「暴徒来襲実見記」という体験記が掲載されている。三月九日午後四時頃から約五〇〇名の朝鮮人が、手に手に大小の太極旗を持って「独立万歳」を連呼しつつデモ行進を始めた。それに対して、朝鮮人に変装した二名の憲兵が先頭の太極旗を奪ったために、朝鮮人が猛烈に反発し、警戒にあたっていた官憲にさかんに瓦礫《がれき》を投げつけはじめた。

そこで、官憲は、抜剣したりピストルをかざしたりして群衆のなかに分け入り、鎮圧に努めたが、ますます抵抗が激しくなったので、ついに発砲して数人を倒した。堀田は、〈剣の閃《ひらめ》き、ピストルの音、小銃の響き、初めて見る修羅《しゅら》の巷《ちまた》まるで実戦を見るの心

22

●デモ隊の先頭に立つ柳寛順
ソウルのパゴダ（現タプコル）公園にある三・一独立運動を記念したレリーフのひとつ。弾圧にも屈せず、胸を張って太極旗を掲げている。

地せり〉と書いている。
六〇余名の朝鮮人を逮捕して暴動はひとまず鎮定したが、その夜、日本人は家族と一緒に憲兵隊に集合し、武装して襲撃に備えた。堀田も武装して郵便局の守備にあたったという。在朝日本人にとって、これは「小さな戦争」にほかならなかった。

独立運動は、三月下旬から四月上旬にかけて朝鮮全土に展開していった。運動のピークであった四月一日には、六七回もの示威運動が行なわれている。韓国の歴史家千寛宇《チョングアヌ》は、参加者の分析をもとに、三・一独立運動を、〈地方別・宗教別・職業別・年齢別・男女別を超越した、それこそ民族全体の決起であった〉と評している。

最近では、三・一独立運動を民族主義一色でとらえることを批判し、民族代表などの知識人と一般民衆とのあいだに存在した意識のズレを強調する見解もある。だが、それは日本のデモクラシー運動にもみられるもので、なんら不思議なことではない。むしろ私は、大きな相違をはらみつつも、「独立」への熱い想いで一致して大規模な運動が展開されたことを重視したい。

堤岩里事件

当時、朝鮮軍司令官であった宇都宮太郎《うつのみやたろう》は、三月一日の午後三時頃、電話で「形勢不穏」の連絡を受けた。そして、歩兵一中隊をソウルに派遣した。

それより先の二月一一日、紀元節《きげんせつ》の祝日に、ソウルの朝鮮人の店舗に「日の丸」を出しているとところが一軒も見当たらないことを目のあたりにした宇都宮は、〈これ偽らざる朝鮮の現状にはあらざるか〉と感じていた。だから、独立運動勃発《ぼっぱつ》の報《しら》せを受けた宇都宮は、そもそもの原因は朝鮮人に対する蔑視《べっし》や差別待遇にあることを指摘し、〈此度《こたび》は勿論《もちろん》鎮圧し得ることは疑なき所なれども、その根底は頗《すこぶ》る深く、将来の形勢は甚《はなは》だ憂うべきもの無きにあらず〉と日記に書き、〈根本的の改善を断行する〉必要性を強調していた。そして、〈これ畢竟《ひっきょう》彼等一派の誤れる対韓根本政策〈無理に強行したる併合〉〉がそもそもの間違いであったとして、〈彼等一派〉＝長州閥《ちょうしゅうばつ》を痛烈に批判した。

　宇都宮の頭をもっとも悩ませたのが、四月一五日に水原《スウオン》郡の堤岩《チェアム》教会で起こった虐殺事件である。当時二七歳の夫を殺害された田同禮《チョンドンネ》は、駐在所長と巡査が、「いままでのことを謝りたいから、村の一五歳以上の男子は、二時に教会に集まってくれ」と触れてまわったことを記憶している。半信半疑で集まった男たちに対し、日本軍は、教会の窓やドアをきつく閉めて石油をかけ、火を放った。壁を打ち破って逃げ出そうとする者も射殺された。夫の身を案じて駆け付けた妻も殺されたという。そして、強い風にあおられて、村はたちまち炎に包まれていった。

　宇都宮は、四月一八日の夜に長谷川《はせがわ》総督を訪問したとき、この事件を知った。有田《ありた》中尉が、〈同村の耶蘇《やそ》教徒、天道《チョンド》《てんどう》教徒三十余名、耶蘇教会堂内に集め、二、三問答の末その三十二名を殺し、同教会並《ならび》に民家二十余戸を焼棄〉したというのである。宇都宮ら朝鮮軍と総督府の幹部は、さっそく善後策の協議を行なった。彼らが下した結論は、以下のようなものであった。

事実を事実として処分すれば尤《もっと》も単簡《たんかん》なれども、かくてはさらぬだに毒筆を揮《ふる》いつつある外国人等に虐殺放火を自認することとなり、帝国の立場は甚しく不利益となり、一面には鮮内の暴民を増長せしめ、かつ鎮圧に従事しつつある将卒に疑惑の念を生ぜしむるの不利あるを以《もっ》て、抵抗したるを以て殺戮《さつりく》したるものとして、虐殺放火等は認めざることに決し、夜十二時散会す。

しかし、総督より、いくぶんは過失を認めて行政処分をするほうが「得策」ではないかという打診があり、結局、虐殺放火の事実はあくまで否認するが、「鎮圧の手段方法」が適当でなかったことは認め、有田中尉を重謹慎三〇日に処することになった。

朴殷植《パクウンシク》の『朝鮮独立運動之血史』によれば、三月一日から五月末日にかけて、二〇二万余の朝鮮人が運動に参加し、死亡者は七五〇九名、負傷者は一万五九六一名、逮捕者が四万六九四八名にのぼったとされている。ところが、日本政府の発表は、死亡

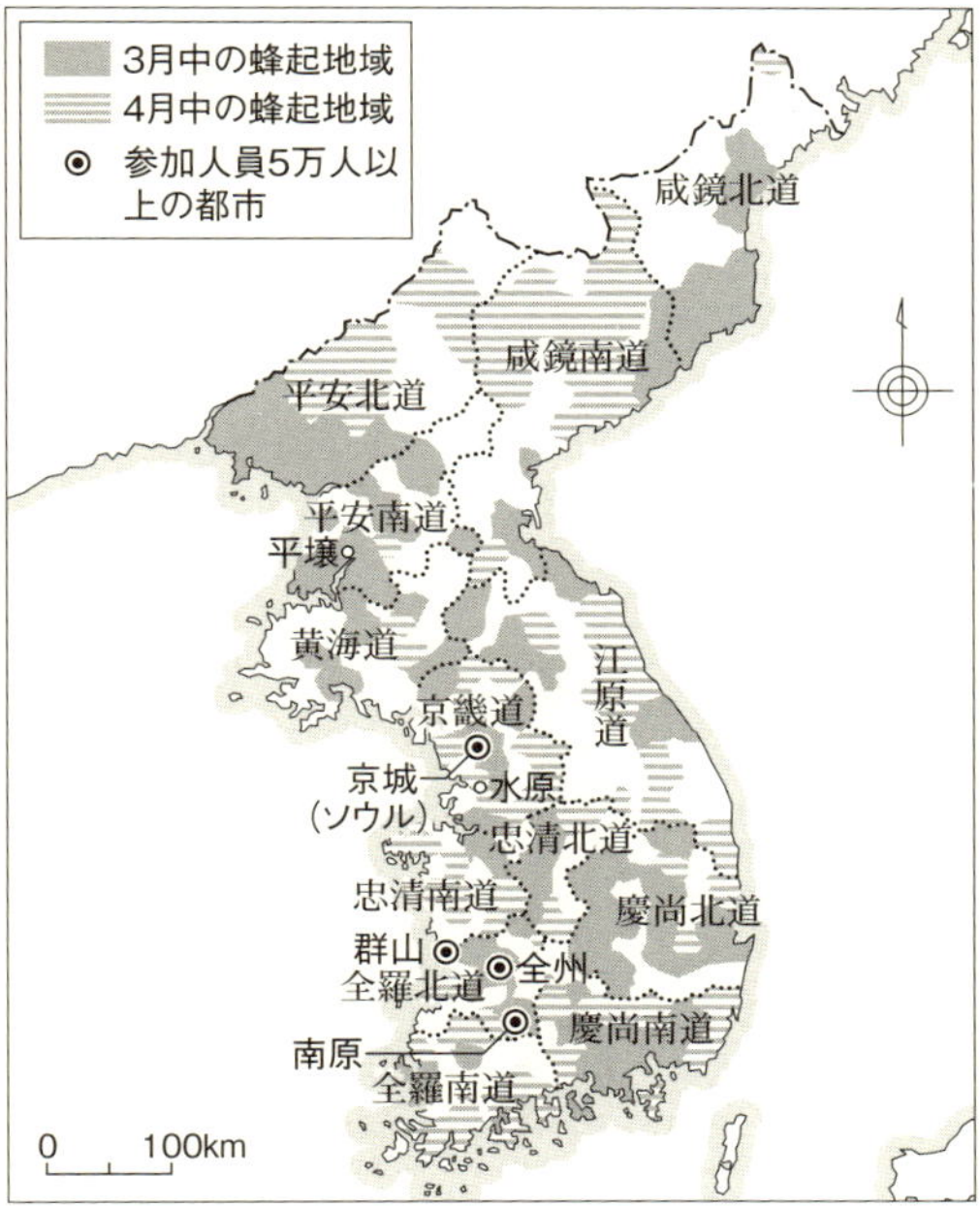

◉三・一独立運動の発生
運動は、中国やソビエト沿海州、アメリカにまで飛び火し、約一年間継続した。京城とは、「韓国併合」時に日本政府が首都地域に付けた呼称。

が三五〇人から六三〇人、負傷者が八〇〇人から一九〇〇人で、日本人にも憲兵六名、警官二名の死者があったというものであった。『原敬日記《はらたかし》』には、政府が、〈内外に対し極めて軽微なる問題となす〉方針で、厳しい報道管制をしいたことが記されている。

報道管制の影響もあっただろうが、当時のジャーナリズムは、三《さん》・一《いち》独立運動の本質を正しく伝えようとはしなかった。どの新聞を見ても、「暴徒」「暴動」という言葉が見出しを飾っていた。運動は外国人宣教師の煽動《せんどう》によるものであって、朝鮮民衆の自発的なものではない、日本が与えた恩に仇《あだ》で報いる恩知らずの運動であるとして、徹底した弾圧を要求していた。

三・一独立運動のあとで、原内閣は、朝鮮支配の方針を「文化政治」に変更していった。朝鮮語新聞の刊行を許可するなどの一定の変化を見せていくが、実質的には憲兵のかわりに警察官を増加するなど、よりきめ細かく支配する体制を整えたのだった。

五・四運動

朝鮮で三《さん》・一《いち》独立運動が発生したことを知った陳独秀《チエンドウシユウ》は、〈朝鮮民衆の光栄をおもう一方、わが中国民族の萎靡《いび》不振について屈辱を感じざるを得ない。…我々は朝鮮人に比べてまことに慚愧《ざんき》の想いにたえぬ〉と書いた。陳は、「国民性の改造」をうたった新文化運動の中心人物であった。

このように、中国でもようやく民族的な自覚が高まりつつあった。それに火をつけたのが、日本による二一ヵ条の要求であり、第一次世界大戦下の山東《シヤンドン》出兵と青島《チンダオ》占領であった。

そして、パリ講和会議で、中国側が膠州《ジャオジョウ》湾のみならず鉄道その他の利権の還付を要求したのに対し、日本政府の小幡酉吉《おばたゆうきち》駐華公使が圧力をかけたとして、中国国内に反対運動が巻きおこっていた。その後、四月三〇日に、アメリカ・イギリス・フランス・日本の四か国会議で、山東半島の権益を日本に譲渡することが決定すると、学生たちの憤懣《ふんまん》は一気に高まっていった。

こうして、北京《ペキン》の学生と知識人を中心とする五《ご》・四《し》運動が発生した。五・四運動も、基本的に「非暴力主義」を掲げた運動であった。学生たちは、「到民間去」（人民のなかへ）を掲げ、集会やデモでビラを配布し、街頭演説を行なって、青島の返還を要求し、日本製品のボイコット運動を呼びかけた。反日をテーマにした演劇の上演もなされた。そして、曹汝霖《ツアオルーリン》や章宗祥《ジャンゾンシャン》、陸宗輿《ルーゾンイー》など親日派と目される大臣高官を「国賊」とし、一部の学生が曹の屋敷を襲撃した。同時に「北京学生界宣言」や「北京学生より日本国民に送る書」などを発表した。

こういった五・四運動に対する日本のジャーナリズムの反応は、三《さん》・一《いち》独立運動のときとほぼ同じであった。やはり、学生たちに〈暴徒〉〈学匪《がくひ》〉というレッテルを貼《は》り、〈背信〉〈忘恩〉

23

◉**五・四運動で散布されたビラ**
運動の参加者が上海《シャンハイ》の南京《ナンキン》路でまいた無数のビラ。日本製品のボイコットを呼びかけたものと思われる。

呼ばわりするのが一般的であった。当時、九州帝国大学医学部に留学していた郭沫若《グオモールオ》《かくまつじゃく》は、日本の新聞が〈学匪〉と書いているのを見て、おおいに憤った。このようなマスコミ論調にあおられて、日本民衆のなかには、ますます中国に対する強硬論（「支那膺懲論《しなようちょうろん》」）が高まっていった。

届かなかったメッセージ

三《さん》・一《いち》独立宣言書は、つぎのような文章から始まっている。

〈われらはここに、わが朝鮮国が独立国であること、および朝鮮人が自由の民であることを宣言する。このことを世界万邦に告げ、人類平等の大義を闡明《せんめい》し、これをもって子孫万代に告げ、民族自存の正当なる権利を永久に有するものである〉

ここに明確に民族自決権が主張されているが、私たちが注目すべきなのは、この宣言書のなかの日本人に対して呼びかけた部分である。

そこには、一八七六年（明治九）の日朝修好条規締結以来、日本は数々の条約のなかで朝鮮が独立国であること、そしてその独立を保障することをうたってきた。それにもかかわらず、日本は朝鮮の独立をふみにじり、植民地として支配し、朝鮮人民を圧制下に苦しめているが、自分たちは日本を責めようとは思わない。なぜなら、日本には、一日も早く侵略主義という「邪悪なる路」を捨て、「東洋の平和」を維持していく重責を果たしても

◉三・一独立宣言書
韓国の詩人金芝河《キムジハ》は、自民族だけでなく、加害者である日本民族をも同時に救うことを願ったものであると高く評価している。

らいたいと願っているからだ、と述べられていた。

このように、この独立宣言書は、民族自決権を強調しただけではなく、日本や中国とともに朝鮮民族が平和的に生存する権利をもうたった人権宣言ともいうべきものであった。

中国の五《ご》・四《し》運動で発表された「北京《ペキン》学生より日本国民に送る書」にも、日本製品のボイコットを呼びかけた理由がつぎのように書かれていた。

ひとり日本の軍閥《ぐんばつ》だけは頑迷固陋《がんめいころう》で、依然として侵略主義を堅持してわれわれに対している。これはたんに中国国民の害であるのみならず、日本国民にとってもおおいに不利なものである。われわれ中日両国国民は、その地位も等しく利害も一致している。〈わが国民は、東亜の真の平和、中日両国の真の友好を求めるならば、なによりも貴国国民の覚醒《かくせい》を促し、ともに起《た》って侵略主義に抵抗することが第一と考え、もっとも簡単かつ有効なボイコット運動を、貴国国民の覚醒を促す利器としたのであります〉、と。

朝鮮の独立宣言書と同様に、ここでも日本国民に向かって、

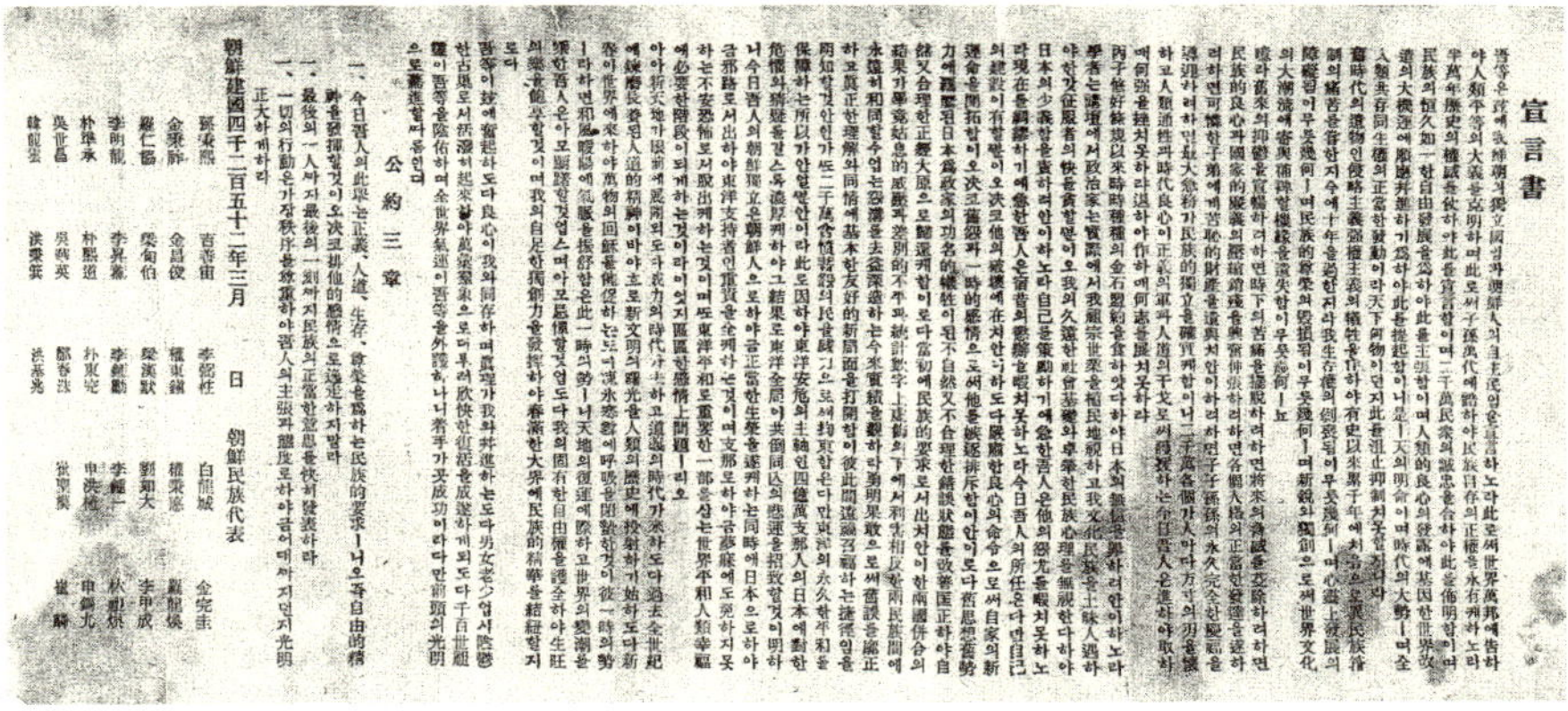

宣言書

公約三章

朝鮮建國四千二百五十二年三月　日　朝鮮民族代表

24

一日も早く覚醒してともに侵略主義に抵抗し、東アジアの真の平和と中日両国の友好を追求していこうというメッセージが発せられている。しかし、残念なことに、朝鮮や中国からの日本人へのメッセージは、報道管制のためもあって当時の日本人には届かなかった。

吉野作造と柳宗悦

これらのメッセージをきちんと受け止めようとしたのは、中国人・朝鮮人留学生と交流があった吉野《よしの》作造《さくぞう》・柳宗悦《やなぎむねよし》ら、ごく少数の知識人だけであった。吉野は、『中央公論』六月号に「北京《ペキン》学生団の行動を漫罵《まんば》する勿《なか》れ」を、『新人』六月号にも「北京大学学生騒擾《そうじょう》事件に就《つい》て」を発表した。運動の方法にこそ感情的反感を隠さなかったが、吉野は、運動が「自発的」なものであり、反日のみならず反封建という性格をあわせもっていたことを見通していた。

「朝鮮の友に贈る書」（一九二〇年（大正九））や『朝鮮とその芸術』（一九二二年）などにみられる柳の朝鮮観の特色は、つぎの四点にまとめられる。

第一に、日本と朝鮮の歴史的関係をふまえた「同情」と「謝罪」である。柳は、豊臣秀吉《とよとみひでよし》の朝鮮侵略を〈罪深い行ない〉であったと述べ、独立運動を〈暴動〉とみることを批判した。第二に、「愛」と「人情」の観点からする植民地支配の批判である。第三には、世界的なデモクラシーの潮流に対する確信であり、やがては朝鮮においても「自由」「人道」「正義」などの「真理」が実現するであろうとする見通しであった。柳はまた、民族芸術の理解を通して、両国人民の和解と結合が可能であると信じていた。これが第四の特色である。

特高警察に尾行される生活を送りながらも、豊臣秀吉《とよとみひでよし》の朝鮮出兵で焼失し、のちに再建された光化門《クァンホアムン》の保存など、朝鮮のために尽力した柳には、「朝鮮の美」の特徴を亡《ほろ》びゆくものの「悲哀の美」に求めたり、「道徳」や「芸術」を重視するあまりに現実が見えなくなってしまう傾向などの限界はあったが、つぎのような指摘には鋭いものがあった。

〈まさに日本にとっての兄弟である朝鮮は日本の奴隷であってはならぬ。それは朝鮮の不名誉であるよりも、日本の恥辱《ちじよく》の恥辱である〉〈軍国主義を早く放棄しよう。…他人の自由をも尊重しよう。もしもこの人倫を踏みつけるなら…亡びるのは朝鮮ではなくして日本ではないか〉

25

◉柳宗悦が蒐集した朝鮮白磁
李王朝時代の陶磁器の美に魅せられた柳が蒐《しゅう》集《しゅう》したもの。写真は、一八世紀前半の「白磁《はくじ》辰《しん》砂虎鵲文壺《しゃとらかささぎもんつぼ》」。

在朝日本人の諸相

浅川巧《あさかわたくみ》という人物がいた。一八九一年（明治二四）一月に山梨県で生まれた。兄は伯教《のりたか》。一九一四年（大正三）五月一七日に朝鮮に渡り、総督府農商工部山林課に就職した浅川は、林業試験場に勤め、養苗《ようびょう》・造林技術の開発に従事していた。

浅川は、いつも朝鮮服を身にまとい、朝鮮語を話して、朝鮮人同僚と生活した。あるとき、彼が朝鮮服姿で電車に乗り、座席に腰を掛けていたとき、あとから乗り込んできた日本人に、「ヨボ、どけ」と言われ、浅川は黙って席を譲った。「ヨボ」とは、「鮮人」と同様に、植民地支配下で使用された朝鮮人に対する蔑《べつ》称《しょう》のひとつであったが、浅川は「私は日本人だ」と抗弁しようともしなかった。

浅川は、被支配民族である朝鮮人の心情が理解できた数少ない日本人のひとりであった。一九三一年（昭和六）四月二日に急性肺炎で亡くなったとき、彼の同僚であった朝鮮人たちは、朝鮮服のままの遺体を朝鮮人の共同墓地に葬った。

浅川の最大の業績は、朝鮮民芸の研究であった。兄伯教とともに、柳宗悦《やなぎむねよし》に大きな影響を与えた。浅川がまとめた『朝鮮の膳《ぜん》』（一九二九年）や『朝鮮陶磁《とうじ》名考《めいこう》』（一九三一年）などは、日常生活で使用しているもののなかにこそ朝鮮民衆の美が凝縮されているとして、朝鮮人の民族意識を鼓舞《こぶ》する役割を果たした。たくさんの民芸品を蒐集《しゅうしゅう》したが、彼はひとつも個人所有にはせず、すべて朝鮮民族美術館に寄贈している。寺内正毅《てらうちまさたけ》総督

26

◉浅川巧の墓と朝鮮人たち
巧の遺体には白い朝鮮服が着せられ、朝鮮人の共同墓地に土葬された。村人の多くが巧の棺《ひつぎ》を墓地まで担ぐことを希望した。

をはじめとして、日本人に略奪的蒐集が多かったことを考えると、稀有《けう》のものといえよう。

浅川の葬式で聖書を読んだのが、曾田嘉伊智《そだかいち》であった。曾田は、山口県熊毛《くまげ》郡に生まれ、日露《にちろ》戦争後の一九〇五年六月、朝鮮に渡った。そこでYMCAの英語教師になり、一九二一年四月からは、鎌倉保育園の「京城《けいじょう》」支部長として、棄児《すてご》と迷児《まいご》の保育事業に一生を捧げている。

一九二八年四月二四日、懐中に五〇銭を入れただけで、貨物船に乗って朝鮮に渡った人物がいた。二〇歳になったばかりの織田楢次《おだならじ》である。渡航の目的はキリストの福音を伝道することにあった。知り合いもなく、頼るべき教会もない、まさに徒手空拳《としゅくうけん》の渡航である。

朝鮮で織田は、野宿を重ねながら、また炭鉱夫として働きながら、朝鮮服を着、朝鮮語で伝道を続けた。一九三二年四月頃には、警察に捕まって拷問《ごうもん》を受けている。三八年一月には、神社参拝に反対したために逮捕され、五か月間にわたって、水責め、天井逆吊《さかさづ》りなどのありとあらゆる拷問を受けた。そのときのことを、織田はつぎのように回想する。

〈私も朝鮮に行って朝鮮人と一緒にぶち込まれて、血みどろになって、ぎゅうぎゅういわされて、そらね、朝鮮人牧師と一緒に豚箱でなぐられて、裁判所へ連れて行かれるとき、手錠をはめられ網笠をかぶせられて、雪の上を留置場のわらじで、素足でこつかれながら歩かせられてみなさい。ああ朝鮮人、これが朝鮮人の運命かと、歯を噛みしめ、くそ！　日本帝国、おれは死んでも朝鮮人で、日本帝国主義と戦うんだという気持ちが、胸がはり裂けるような思いでこみ上げてきますよね〉

その後、弾圧が激しくなり、一九四〇年八月に織田は日本に戻り、四二年一月に在日朝鮮三河島《みかわしま》教会牧師に就任する。そして、四四年に呉《くれ》海兵隊に召集され入隊して敗戦を迎えたあと、福岡教会の牧師になった。そのとき、織田は「田永福《チョンヨンボク》」という朝鮮名に名を改めている。

浅川巧、曾田嘉伊智、織田楢次の三人は、植民地朝鮮にあって、支配する側の民族でありながら、支配される側の民族に共感し、その一員になりきろうとする人生を送った人物である。彼らは、声高に帝国日本を批判したわけではない。ただ、朝鮮民衆とともに生きようと心がけ、朝鮮服を着て、朝鮮語を学び話して、朝鮮人と交わって生きただけである。

しかし、それが稀有な事例に属するということは、当時、朝鮮に住んでいたたくさんの日本人が、いかに民族的な優越意識にとらわれていたかの証拠でもあろう。多くの日本人は、朝鮮に暮らしながら、朝鮮の言葉も文化も風俗も軽蔑し、朝鮮人を人間と思わず、支配される側の民族の気持ちを思いやろうともしなかったのである。

関東大震災

震災の発生

一九二三年（大正一二）九月一日午前一一時五八分四四秒、関東地方をマグニチュード7・9の直下型大地震が襲った。お昼時であったために、炊事用に火を使っていた家庭が多く、あちこちから火の手が上がり、若狭《わかさ》湾を進行中の台風による強風にあおられて、またたくまに火災が広がっていった。火災は夜になってもおさまる気配を見せなかった。長野県の軽井沢からも真っ赤に焼けた空が見えたという。こうして、死者九万一三四四人、全壊焼失した家屋が四六万四九〇九戸という大惨事となった。

朝鮮から東京に来て師範学校の受験準備をしていた咸錫憲《ハムソクホン》は、上野の不忍池《しのばずのいけ》のほとりで恐怖にブルブル震えながら夜を明かした。

27

●地震直後の東京・日比谷《ひびや》交差点付近
必死に逃げる人びとの後ろの建物は倒壊している。すでに有楽町方面に火の手が上がっている。都心は地震と大火で廃墟《はいきょ》と化し、郡部では地すべりなどによる被害も多かった。

政府は、翌二日正午に戒厳令《かいげんれい》を施行した。戒厳令の施行を要請したのは九月一日の午後二時頃であったが、閣議を開けるような状況ではなかったために、枢密院《すうみついん》議長の承認のみで施行を決定したのである。こうして、福田《ふくだ》雅太郎《まさたろう》を司令官とする関東戒厳司令部が設置され、約五万人の兵員が兵器使用を解禁された。無差別的人権抑圧の権限、警察や自警団に対する指示命令権も与えられた。

戒厳令は、壬午《イモ》《じんご》軍乱を契機に、一八八二年（明治一五）八月五日に制定され、適用は「戦時」に限定されていた。「戦時」とは「外患《がいかん》または内乱《ないらん》」のことである。地震は「戦時」ではないはずなのに戒厳令を施行したのは、いったい誰を「敵」と見なしてのことだったのだろうか。

当時の内務大臣水野《みずの》錬太郎《れんたろう》、警視総監赤池濃《あかいけあつし》のコンビは、直前に、朝鮮総督府の政務総監・警務局長として、三《さん》・一《いち》独立運動後に朝鮮人の独立運動の弾圧にあたっていた。そのため赤池は、大震災が発生した〈その瞬間に一部不逞《ふてい》鮮人は必ず不穏計画や暴挙を行うだろう〉と直感して、米騒動のような暴動の発生を恐れ、先手を打って戒厳令の施行を奏請したという。

つまり、政府関係者にとって主要な敵は朝鮮人であった。同時に「主義者」も敵と目された。こうして赤池は、かつて朝鮮の三・一独立運動の際に、在朝日本人の自警団を組織した経験をふまえ、関東一円に三六八九もの自警団を組織したのである。

混乱のなかで、九月四日には、川合義虎《かわいよしとら》・平沢計七《ひらさわけいしち》ら一〇人の労働運動家が殺害された亀戸《かめいど》事件が、一六日には、憲兵大尉甘粕正彦《あまかすまさひこ》によって大杉栄《おおすぎさかえ》・伊藤野枝《いとうのえ》夫妻とまだ六歳だった甥《おい》の橘《たちばな》宗一《そういち》の三人が扼殺《やくさつ》されるという事件が発生している。

朝鮮人・中国人の虐殺

大震災とその後の大火のなかで混乱を極め、相次ぐ余震におびえていた民衆のなかに、いつしか、朝鮮人が暴動を起こした、放火しまくっている、爆発物を持ってうろついている、井戸に毒薬を混入したなどの流言が発生した。現在確認できるもっとも早い流言は、戒厳令の施行を要請した直後の、九月一日午後三時頃のものとされている。警視庁の調査によれば、このとき、すでに〈社会主義者及び鮮人の放火多し〉といううわさが流れ、夜に入ると〈鮮人暴動〉説が流布されている。そして、翌二日の午前中になると、うわさは爆発的に広がっていった。

流言の発生をめぐっては、民衆の深層心理に一般化していた朝鮮人差別感が異常事態に直面して噴出したとする「自然発生説」と、権力が戒厳令施行の名目として朝鮮人蜂起《ほうき》を故意に流布させ、国民の不満を排外心に転嫁しようとした「官憲捏造《ねつぞう》説」などが提示されている。そのどちらが原因であるにしても、官憲が大規模な伝播《でんぱ》工作を行なったことは否定できない事実である。

東京帝国大学法学部教授の上杉慎吉《うえすぎしんきち》も、流言が広まったのは、主として警察官憲が自転車やポスターなどを使って大げさに宣伝したからで、それは〈市民を挙げて目撃体験せる疑うべからざる事実〉であると指摘している。

28

◉警告して歩く警官
通信網が遮断されたため、メガホンやプラカードなどを持って、安全な避難地帯を知らせた。「朝鮮人暴動」への警戒も呼びかけた。

戒厳軍の上官のなかには、「敵は朝鮮人」と公言し、殺害を公認したケースもあった。ある陸軍少将は、「朝鮮人とみれば片っ端からたたき切ってしまえ」と命令した。

軍隊による朝鮮人の大量殺害は、東京の下町、とくに荒川《あらかわ》以西に集中している。この地域は、第一次世界大戦後に急速に工業化が進展した地域で、零細工場が多かった。労働者の多くは、農家の次男、三男などであった。

第一次世界大戦後、そこに労働者不足を補うために、たくさんの朝鮮人労働者が採用されるようになった。彼らは、日本人労働者に比べて低賃金で雇用できた。資本家にとって、人件費を抑制できることは、生産品の価格を抑え競争力を高めるために願ってもないことであった。しかも、日本人労働者と競わせることでストライキの抑止力にもなったし、いざ不況ということになれば真っ先に首を切ることができた。朝鮮人労働者は、まさに経営の「調節弁」だった。その結果、震災前には、関東で約二万人、東京だけで約八〇〇〇人の朝鮮人が居住するようになっていた。

しかし、日本人労働者にしてみれば、朝鮮人労働者が増えることで賃金は抑圧され、失業の危機にさらされることになる。こうして、労働現場における日本人労働者と朝鮮人労働者との軋轢《あつれき》が高まり、朝鮮人に対する敵愾心《てきがいしん》も昂揚《こうよう》していたのである。

荒川四ツ木《よつぎ》橋で、習志野《ならしの》騎兵連隊が数百名の朝鮮人を土手に並べて射殺し、遺体に石油をかけて焼却し埋めたとされる事件や、亀戸《かめいど》・小松川《こまつがわ》などでたくさんの朝鮮人が殺害されたことの背景には、以上のような事情が存在していた。

また、軍が直接手を下すのではなく、自警団に武器を下げ渡し殺害させた事例もあった。各地の自警団は、在郷軍人などに指揮されながら、日本刀や竹槍《たけやり》や棍棒《こんぼう》を持って警戒にあたり、通行人を厳しくチェックした。一軒から一人ずつ、自警団に強制的に参加させられたところもある。殺害された大杉栄《おおすぎさかえ》も、震災直後は自警団の一員として行動していた。

　このとき、日本人であるか否《いな》かの判別に使われたのが、教育勅語や歴代天皇名、「君が代」、それに「一五円五〇銭」などの言葉であったという。日本人ならば教育勅語や歴代天皇名は暗唱できるはずだと考えたからであろう。日本人であることのアイデンティティの奥深くに、天皇制はそれほどまでに食い入っていた。

　通行人に「一五円五〇銭」と言わせることは、いったい誰が考え出したことなのであろうか。言葉の最初に濁音がこないという朝鮮語の構造を熟知していた人でなければ、こんなことは思いつかないであろう。あるいは、すでに民衆のなかで、朝鮮人が話す「変な日本語」が、日常的にからかいの対象になっていたのかもしれない。

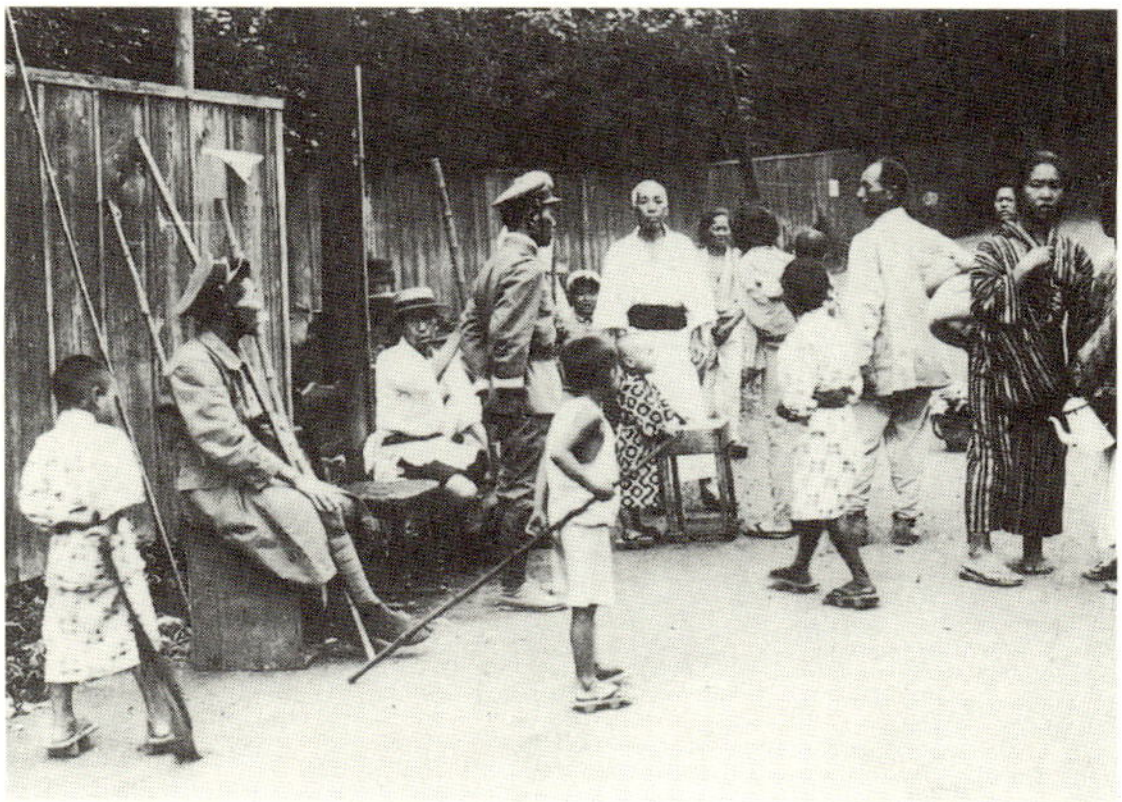

29

◉**武装し警戒する自警団**（東京・麻布《あざぶ》方面）自警団は在郷軍人会、青年団、消防組などを中心に組織された。軍服姿は在郷軍人であろう。子供まで竹槍《たけやり》を手にしている。

黒澤明と咸錫憲

当時一四歳であった黒澤明《くろさわあきら》少年の父は、長いひげをはやしているというだけで、朝鮮人に間違われ、長い棒を持った人たちに取り囲まれたという。ここで、自警団に駆り出されたひとりであった黒澤明の回想をみてみよう。


町内の家から一人ずつ、夜番が出ることになったが、兄は鼻の先で笑って、出ようとしない。仕方がないから、私が木刀を持って出ていったら、やっと猫が通れるほどの下水の鉄管の傍《かたわら》へ連れていかれて、立たされた。

ここから朝鮮人が忍びこむかも知れない、と云うのである。

もっと馬鹿馬鹿しい話がある。

町内の、ある家の井戸水を、飲んではいけないと云うのだ。

何故《なぜ》なら、その井戸の外の塀に、白墨《はくぼく》で書いた変な記号があるが、あれは朝鮮人が井戸へ毒を入れたという目印だと云うのである。

私は惘《あき》れ返った。

何をかくそう、その変な記号というのは、私が書いた落書だったからである。

私は、こういう大人達を見て、人間というものについて、首をひねらないわけにはいかなかった。


（黒澤明『蝦蟇《がま》の油』）

黒澤の回想にあるように、人びとは、家の塀や壁板に書かれた記号を見て、疑心暗鬼に陥った。「ヤ」は殺人、「ヌ」は爆弾、「A」は放火、「个」が毒薬投入のしるしだというのである。なんのことはない。警察署の調べでは、それらは、屎尿汲取《しにようくみとり》業者の従業員が付けた目印にすぎなかった。

不忍池《しのばずのいけ》のほとりで不安な一夜を明かした咸錫憲《ハムソクホン》は、翌二日、友人と晩ご飯の買い出しにいったところ、群衆がワーッと走り寄ってきて、またたくまに取り囲まれてしまった。〈こいつらは間違いないぞ、こいつらはそうにちがいない〉と口々に叫ぶ群衆の手には、キラキラ光る短刀や太刀《たち》、それに鉄棒などが握られていた。何がなんだかわからずに恐怖に怯《おび》えていると、巡査がやってきて群衆を解散させた。そして、二人は警察署まで連行され、留置場に入れられた。留置場の中は朝鮮人であふれていた。朝鮮人と間違われた中国人や日本人も一人二人いた。

このようにして咸錫憲は、運よく殺害されることをまぬがれた。

自警団の暴走

〈抗《あらが》わぬ朝鮮人に打ち落ろす　鳶口《とびぐち》の血に夕陽照りにき〉

このとき一六歳だった男性が、目撃した虐殺事件をのちに詠んだ歌である。

自警団の暴走は、各地でみられた。警察署などに保護されている朝鮮人を、自警団が襲撃して殺害したケースも多々あった。自警団による朝鮮人殺害は凄惨《せいさん》を極めた。生きながらの火葬、集団的リンチ、ノコギリ引き、電柱などに縛りつけて通行人に殴殺させたほか、女性に対しては股裂《またさ》きや凌辱《りょうじょく》などの性的暴行が行なわれたという。そして、朝鮮人を殺すたびに「万歳《ばんざい》」を叫んだとされている。これは、もはや戦争であった。

さらに、千葉県における調査の記録『いわれなく殺された人びと』によって明らかにされたショッキングな事実がある。それは、千葉県の習志野《ならしの》収容所に収容された朝鮮人を、軍が周辺の村に「払い下げ」て殺害させたというものである。

ある村の自警団員の日記には、〈午后《ごご》四時頃、バラックから鮮人をくれるから取りに来いと知らせがあった〉〈また鮮人を貰《もら》いに行く九時頃に至り二人貰って来る、都合五人…穴を掘り座せて首を切る事に決定〉〈夜また全部出動十二時過ぎまた鮮人一人貰って来たと知らせある。これは直《ただち》に前の側に穴を掘ってあるので連れて行って提灯《ちょうちん》の明りで、切る〉などといった文章が、連日のように記載されている。

千葉県へは、東京や神奈川からたくさんの避難民が流入していた。それらの朝鮮人を収容したのが習志野収容所であった。九月一〇日時点で、三二〇〇人の朝鮮人が収容されていた。ところが、一〇月一九日に釈放されたとき、朝鮮人の数は二八六七人に減っていたのである。一か月余で三二〇

◉惨殺された朝鮮人の死体
東京・本所の隅田川岸に引き揚げられた死体の数々。死体は、後ろ手に縛られていた。
30

○人以上も減少した理由は、前述の事実を抜きにしては説明できない。

もちろん、すべての日本人がそうであったわけではない。たとえば、朝鮮人留学生を下宿させていた東京のある主婦は、引き渡しを求めて押しかけた自警団を前に、命がけで留学生を護《まも》った。また、村に住む二人の朝鮮人を護るために武装した二〇余戸の集落もあった。しかし、朝鮮人をかばったために、あるいは朝鮮人の検束《けんそく》に抗議したために殺された日本人もいたのである。当時の関東地方の民衆は、朝鮮人をかばいだてすると自分の身が危険にさらされるという状況にあった。つまり、日本人のほんとうの「敵」は、日本人だったのである。

結局、関東大震災では、一〇万人近い犠牲者のほかに、軍隊や自警団などの手によって六〇〇〇人以上の朝鮮人が虐殺され（近代史研究者山田《やまだ》昭次《しょうじ》の推計では六六一三人）、ほかにも二〇〇人から五〇〇人前後の中国人が殺害された。

政府の隠蔽工作

関東大震災下の朝鮮人・中国人虐殺《ぎゃくさつ》は、まぎれもなく日本歴史の一大汚点である。しかし、さらに問題であったのは、その後の日本政府の対応であった。虐殺の真相糾明を妨害したばかりか、国際世論の批判を緩和させようと、朝鮮人による大逆事件《たいぎゃくじけん》を仕立てあげたのである。

一九二三年（大正一二）九月五日、臨時震災救護事務局警備部打ち合わせが開催され、暴走する自警団の取り締まりに加え、国際的非難を恐れての宣伝の方針が決定された。それは、「赤化日本人」

と「赤化鮮人」の煽動《せんどう》があった事実を強調することと、朝鮮人の被害を少なく、日本人の被害を多く宣伝するというものであった。こうして、関係者に対する口止めと隠蔽《いんぺい》工作が始まる。

だいぶあとのことになるが、野戦重砲兵第一連隊第六中隊の久保野茂次《くぼのしげじ》は、一一月二八日に、中隊長から〈震災の際、兵隊が沢山《たくさん》の鮮人を殺害したそのことにつきては、夢にも一切語ってはならない〉と訓示されたことを日記に記している。

政府は、朝鮮人の犠牲者数を、内務省警保局が二三一名、司法省が二三三名（加えて東北・沖縄出身の日本人五九名が犠牲になったと）、朝鮮総督府が八三二名と発表した。朝鮮から来た金承学《キムスンハク》を代表とする罹災《りさい》同胞慰問団は、官憲の妨害や、新聞社、一般民衆の非協力のなかで調査を進め、最終的に六六六一人の同胞が犠牲になったと発表した。こうした政府の姿勢は、政府に協力的であった右翼の内田良平《うちだりょうへい》さえ批判していたのである。

それに加えて政府は、自警団に責任を転嫁しようとして、一〇月一日から自警団員の大量検挙を始めた。しかし、因果を含めての検挙であったことは、そのほとんどが無罪か執行猶予付きの判決であり、収監された人も、一九二四年一月二六日の皇太子結婚の恩赦で釈放されていることから判明する。なおかつ、一九二六年には、叙勲されたり恩賞をもらったりしているのである。

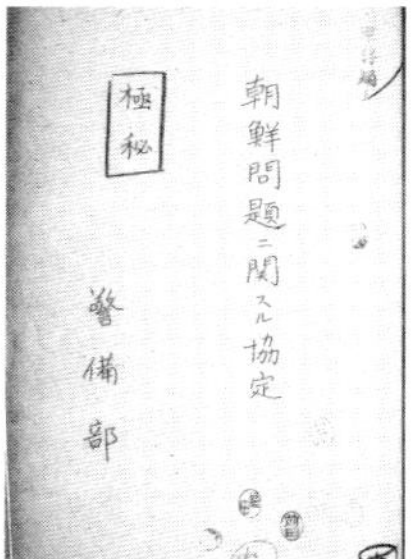

31

●「朝鮮問題ニ関スル協定」九月五日の打ち合わせで決定した善後策を記した極秘文書。朝鮮人虐殺に対する国際的な非難をかわそうと腐心している。

布施辰治らの告発

朝鮮人虐殺《ぎゃくさつ》について、日本人の側からの批判はまったくなかったのであろうか。数は少ないものの、声をあげた日本人がいたことも忘れてはならない。

吉野《よしの》作造《さくぞう》は、虐殺事件を〈世界の舞台に顔向けの出来ぬほどの大恥辱〉であるととらえ、流言を伝播《でんぱ》させた官憲の責任を追及すると同時に、女婿《じょせい》の赤松克麿《あかまつかつまろ》を使って独自に犠牲者の調査を行なった。そして吉野は、合計二六一三人の朝鮮人が虐殺されたとしたが、そのことによって軍部に抹殺されそうになった。真相を暴露するために「圧政と虐殺」と題する文章を『大正大震火災誌』（一九二四年〔大正一三〕）に寄稿しようとしたが、これも内務省より公表を差し止められた。

吉野以外で注目できるのは、弁護士の布施《ふせ》辰治《たつじ》である。布施は、一九二〇年五月に「自己革命」宣言を行ない、社会運動の闘士として、法廷よりも社会で活動することを宣言すると同時に、法廷で取り扱う事件も、官憲に無実の罪を押しつけられた冤罪《えんざい》事件、弾圧と闘う無産階級の事件、人間差別と闘う事件、朝鮮人・台湾人の利益のために闘う事件などの六項目に限ることを誓っていた。

朝鮮人虐殺事件に関して、布施が所属する自由法曹団は真相調査を行なうことを決定し、〈少なくも六七千の問題数が残る〉と犠牲者の数を推定している。そして、布施は〈×《（殺）》されたものの霊を弔《とむら》うの前に先《ま》ず×《（殺）》したものを憎まねばならぬ、呪わねばならぬ、そしてその責任を問うべきである〉と激しく批判した。さらに、朴烈《パクヨル》・金子《かねこ》文子《ふみこ》大逆事件の弁護を買って出て、二人は朝鮮人虐殺事件の「弁疏《べんそ》」のために検挙されたと指摘した。

脚本家で児童文学者であった秋田《あきた》雨雀《うじやく》も、『芸術新潮』一九二四年四月号に発表した戯曲「骸骨《がいこつ》の舞跳《ぶちよう》」のなかで、ひとりの青年に、自警団こそ国家の権威に盲従し、国家に繰られている〈生命のない繰り人形〉すなわち「骸骨」であることを指摘させ、〈日本人を苦しめているものは／朝鮮人じゃなくて日本人自身だということ、／そんな簡単な事実が諸君には解《わか》っていないのか？〉と語らせている。

もうひとり、プロレタリア作家の中西《なかにし》伊《い》之《の》助《すけ》をとりあげてみよう。中西は、実際に、一九〇九年（明治四二）から一五年まで朝鮮に居住し、『赭土《あかつち》に芽《め》ぐむもの』（一九二二年）をはじめ、朝鮮や朝鮮人を素材としたたくさんの作品を書いている。中西が『婦人公論』一九二三年一一月・一二月合併号に発表した「朝鮮人のために弁ず」は、新聞報道によって垂れ流される〈不逞《ふてい》鮮人〉イメージを批判し、今回の虐殺事件の背景は、ジャーナリズムによって形成された日本人の潜在意識のなかにある〈黒き恐怖の幻影〉が〈爆発〉したものではなかったかと指摘した。

中西は、朝鮮人との連帯を模索しつつも、日本人としての自分と朝鮮人とのあいだにはなお容易

32

●布施辰治（一八八〇～一九五三）宮城県出身。韓国で「日本人シンドラー」と評される。一九五三年の三・一革命記念大会（在日朝鮮統一民主戦線主催、隅田《すみだ》公園）で、参加者に手を振る。

に越えられない断層があるとして、その点にこだわりつづけた。そして、たんに植民地支配の重圧に押しひしがれている存在としてではなく、苦闘のなかでそれを跳ねのけるだけの主体性が、朝鮮人のなかに形成されていることを見いだしていった。

一九二三年一二月二七日、東京虎ノ門《とらのもん》で皇太子に対して至近距離からステッキ銃を発射し逮捕された難波大助《なんばだいすけ》は、事件前、東京深川《ふかがわ》の木賃宿《きちんやど》で中国人や朝鮮人労働者と雑居していた。そして、朝鮮人が何もしていないのに警官に殴られるシーンをたくさん見てきた。五月一日のメーデーで、ひとりの朝鮮人が演説をしようとしたところ、それを許そうとしない官憲の横暴に憤慨した大助は、演壇に突進して警官と殴り合った。彼が天皇制の否定に至るのは、このような朝鮮人に対する圧政を他人事とは思えず、彼らの怒りを共有するようになっていたからである。

事件は、運転手の機転でとっさにハンドルを切ったために、幸い皇太子は無事であったが、大助は大逆罪《たいぎゃく》で死刑となった。衆議院議員であった父親はただちに辞職し、長兄も会社を辞めた。

朴烈・金子文子大逆事件

政府は、朝鮮人虐殺《ぎゃくさつ》の国際的非難をかわそうとして、朴烈《パクヨル》・金子文子《かねこふみこ》大逆事件《たいぎゃくじけん》をおおいに利用した。この事件は、『太い鮮人』を発行していたアナーキストの朴烈らが、震災直後の九月三日に逮捕収容されたことに端を発する。朴烈らは、当時、植民地支配に抵抗する朝鮮人が「不逞《ふてい》鮮人」と呼ばれていたのを逆手にとって、「不逞社」というグループを結成していた。その後、一〇月二〇日に

「不逞社」のメンバー一六名全員が治安警察法違反で起訴されたのち、翌一九二四年（大正一三）二月一五日に、皇太子に対して爆弾を投げつけようとする計画があったとして、爆発物取締規則違反で朴烈・金子文子ら三人を起訴して、大逆事件に仕立てあげていったのである。

一九〇二年（明治三五）生まれの朴烈は、三《さん》・一《いち》独立運動に参加したのち、追及の手を逃れて東京に来た。そこで、新聞配達、郵便配達、人力車夫、夜警などをして働く一方、大杉栄《おおすぎさかえ》や岩佐作太郎《いわささくたろう》などの影響を受けてアナーキズムに傾倒し、数々の弾圧を受けるなかで、帝国日本の権力をすべて否定し破壊する思想を抱くようになった。一九二三年四月二五日に朝鮮で被差別民衆が解放を求めて衡平《ヒョンピョン》《こうへい》社を結成したとき、朴は祝電を打っている。彼は、帝国日本を批判しただけではすまない問題が、朝鮮人自身のなかにも存在することを見据えていた。

金子文子は、一九〇三年一月に横浜で生まれた。しかし、父の佐伯文一《さえきふみかず》が母金子きくのを入籍せず、きくのが非嫡出子《ひちゃくしゅつし》として届けようとするのも許さなかったために、戸籍に名前がない「無籍者」であった。自伝『何が私をかうさせたか』には、文子がアナーキズム思想に赴いた理由として、自分の生い立ちと朝鮮体験があげられている。文子は、「無籍者」であったために小学校にも通えなかった。それが、「わたし」という存在よりも法律を優先させる国家という制度に対する反逆の原体験になった。

一九一二年秋、文子は叔母《おば》の岩下《いわした》夫妻の養女として、朝鮮に渡った。文子が行った忠清北道清州《チュンチョンブクトチョンジュ》郡（現在の清原《チョンウォン》郡）の芙蓉《プヨン》は、一九一三年頃で日本人七二戸、朝鮮人二一六戸、中国人三戸が居住する人口一一七三人の村であった。そのなかでも有力者であった岩下家は、地主と高利貸のほか、アヘンの密売も行なっていたという。養女とはいうものの、結局は体《てい》のよい女中としてこき使われ、文子は自殺しようと踏切や川岸をさまよった。そのころ、三《さん》・一《いち》独立運動も目撃している。

　彼女に自殺を思いとどまらせたのは、知り合いの朝鮮人のおばさんに勧められた一膳の麦御飯に込められた深い人間愛と自然の美しさだった。結局、文子は朝鮮に七年余住み、〈いじけたひねくれもの〉として日本に帰ってくる。そして、一九二〇年四月に東京に行き、「社会主義おでん」として有名であった小料理屋岩崎《いわさき》で働いた。そのときに朴烈を知り、運命的なものを感じて同棲《どうせい》生活を始めるようになる。こうして二人は、運動の同志となり、思想的にも同じ方向をめざすようになった。

　しかし、二人には、一九二六年三月二五日、大審院《だいしんいん》で死刑判決が下された。朴烈は秋田刑務所に、文子は栃木刑務所にそれぞれ収監された。四月五日に、無期懲役に減刑されたが、文子はそれを拒否し、七月二

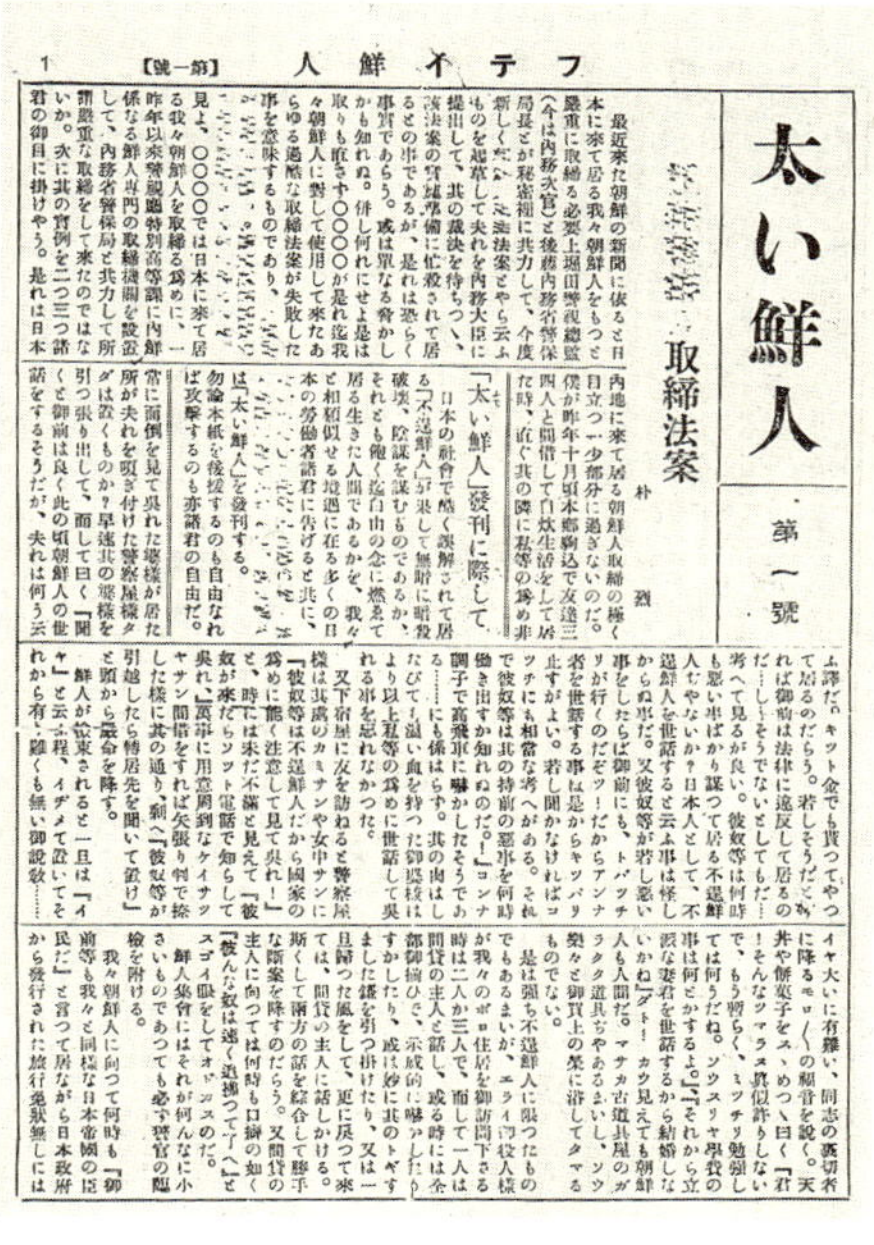
フテイ鮮人　【第一號】　1

太い鮮人

第一號

朝鮮人取締法案

朴　烈

　最近來た朝鮮の新聞に依ると日本に來て居る我々朝鮮人をもつと嚴重に取締る必要上堀田警視總監(今は内務次官)と後藤内務省警保局長とが秘密裡に共力して、今度新しく法案とやら云ふものを起草して夫れを内務大臣に提出して、其の裁決を待ちつゝ、該法案の實施準備に忙殺されて居るとの事であるが、是れは恐らく事實であらう。或は單なる脅かしかも知れぬ。併し何れにせよ是は取りも直さず○○○○が是れ迄我々朝鮮人に對して使用して來たあらゆる過酷な取締法案が失敗した事を意味するものであり、……

　見よ、○○○○では日本に來て居る我々朝鮮人を取締る爲めに、一昨年以來警視廳特別高等課に内鮮係なる鮮人專門の取締機關を設置して、内務省警保局と共力して所謂嚴重な取締をして來たのではないか。次に其の實例を二つ三つ諸君の御目に掛けやう。是れは日本内地に來て居る朝鮮人取締の極く目立つ一少部分に過ぎないのだ。

　僕が昨年十月頃本郷駒込で友達三四人と間借して自炊生活をして居た時、近ぐ其の隣に私等の爲め非常に面倒を見て呉れた塚様が居た所が夫れを嗅ぎ付けた警察屋様々々は澁くものか？早速其の塚様を引つ張り出して、而して曰く『聞くと御前は良く此の頃朝鮮人の世話をするそうだが、夫れは何う云ふ譯だ。キット金でも貰つてやつて居るのだらう。若しそうだとすれば御前は法律に違反して居るのだ……しかそうでないとしてもだ……考へて見るが良い。彼奴等は何時も惡い事ばかり謀つて居る不逞鮮人じやないか？日本人として、不逞鮮人を世話すると云ふ事は怪しからぬ事だ。又彼奴等が若し惡い事をしたらば御前にも、トバッチリが行くのだぞッ！だからアンナ者を世話する事は是からキッパリ止すがよい。若し聞かなければコッチにも相當な考へがある。それで彼奴等は其の持前の惡事を何時働き出すか知れぬのだ。！』コンナ調子で高飛車に嚇かしたそうである……にも係はらず。其の肉はしなびても温い血を持つた御塚様はより以上私等の爲めに世話して呉れる事を忘れなかつた。

　又下宿屋に友を訪ねると警察屋様は其處のカミサンや女中サンに『彼奴等は不逞鮮人だから國家の爲めに能く注意して見て呉れ！』と、時には未だ不滿と見えて『彼奴が來たらソット電話で知らして呉れ。』萬事に用意周到なケイサツヤサン間借をすれば矢張り例で捺した樣に其の通り、剩へ『彼奴等が引越したら轉居先を聞いて置け』と頭から嚴命を降す。

　鮮人が檢束されると一旦は『イヤ』と云ふ程、イヂメて置いてそれから有難くも無い御說教……イヤ大いに有難い、同志の裏切者に降るモロ／＼の福音を說く。天井や餅菓子をス、めつゝ曰く『君！そんなツマラヌ眞似許りしないで、もう暫らく、ミッチリ勉强しては何うだね。ソウスリャ學費の事は何とかするよ。』『それから立派な妻君を世話するから結婚しないかね』ダト！　カウ見えても朝鮮人も人間だ。マサカ古道具屋のガラクタ道具ぢやあるまいし、ソウ樂々と御買上の榮に浴してタマるものでない。

　是は强ち不逞鮮人に限つたものでもあるまいが、エライ御役人様が我々のボロ住居を御訪問下さる時は二人か三人で、而して一人は間貸の主人と話し、或る時には全部御揃ひで、示威的に嚇かしたりすかしたり、或は妙に其のトゲすました鎌を引つ掛けたり、又は一且歸つた風をして、更に戻つて來ては、間貸の主人に話しかける。斯くして兩方の話を綜合して勝手な斷案を降すのだらう。又間貸の主人に向つては何時も口癖の如く『彼んな奴は速く追拂つて了へ』とスゴイ眼をしてオドカスのだ。

　鮮人集會にはそれが何んなに小さいものであつても必ず警官の臨檢を附ける。

　我々朝鮮人に向つて何時も『御前等も我々と同樣な日本帝國の臣民だ』と言つて居ながら日本政府から發行された旅行免狀無しには

「太い鮮人」發刊に際して

　日本の社會で酷く誤解されて居る「不逞鮮人」が果して無暗に暗殺、破壊、陰謀を謀むものであるか、それとも飽く迄自由の念に燃えて居る生きた人間であるかを、我々と相類似せる境遇に在る多くの日本の勞働者諸君に告げると共に、……は「太い鮮人」を發刊する。

　勿論本紙を後援するのも自由なれば攻撃するのも亦諸君の自由だ。

33

◉『太い鮮人』第一号
朴烈と金子文子が発行した雑誌。官憲から「太《ふて》い奴《やつ》だ」と罵《ののし》られたのをヒントに、「太い」と「不逞」をかけて誌名とした。検閲の跡が見える。

三日に栃木刑務所でみずからいのちを絶った。〈生を脅かそうとする一切の力に対して、憤然と反逆する〉こと、〈自分の意志で動く〉ことをめざしていた文子は、最終的に〈権力の前に膝《ひざ》を折って生きるよりは寧《むし》ろ死んであくまで自分の裡《うち》に終始〉することを選択したのであった。

融和運動の展開

一九二〇年（大正九）に始まった朝鮮の産米増殖計画は、日本国内の米不足を解消し、かつ低米価政策を維持することを目的に実施されたものであったが、朝鮮農民の階層分化と貧困化を推し進め、没落する農民が相次いだ。そのため、朝鮮総督府が日本への渡航制限を強化する政策をとったにもかかわらず、現金収入の道を求めて日本に渡航する朝鮮人は、増大する一方であった。それは、関東大震災後も変わらなかった。

たとえば、一九二五年において、一般の失業率が四パーセント程度だったのに対し、朝鮮人日雇《ひやとい》労働者の失業率は二〇～三〇パーセントと高率であった。また、一九三〇年（昭和五）に

在日朝鮮人の人口推移

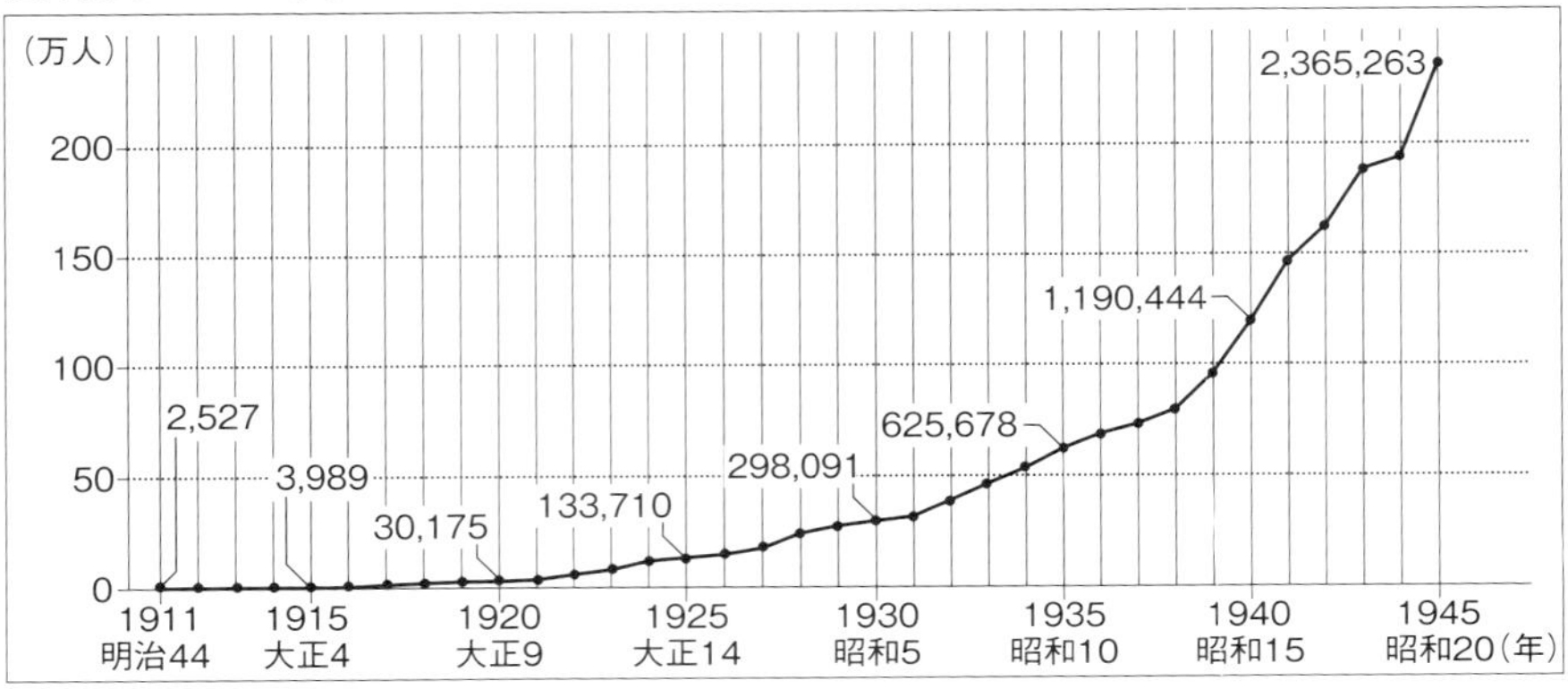

おける大阪府東成区《ひがしなり》の朝鮮人密住地区では、一戸平均で一八・二人、一人あたり〇・五五畳というありさまであった。六畳一間に一一人居住するという劣悪な住環境にあったが、それでも家を借りられるのは、まだよいほうだった。大阪などでは、朝鮮人には家を貸さないという傾向が強かったために、公園や川縁に掘立《ほったて》小屋を建てて住む朝鮮人が多かった。

こうして、人びとが震災後の復興にいそしんでいる時期に、在住朝鮮人の存在が社会問題化し、「内鮮融和運動」(日本人と朝鮮人との融和を名目に、官民合同で取り組まれた朝鮮人統制・同化政策)が展開していった。熊本でも、一九二七年に内鮮親和会が結成され、西松《にしまつ》組と鉄道工業が一〇〇〇円、鹿島《かじま》組が六〇〇円、間《はざま》組などが三〇〇円の基金提供を申し込んでいる。内鮮親和会は、これらの企業が担当している鉄道工事などに、朝鮮人労働者を斡旋《あっせん》していたのである。

一九二〇年代の「内鮮融和運動」は、一九三〇年代に本格的に展開される同化政策の先駆的表現であったが、そのころになると、日本生まれの「在日二世」が誕生するなど、日本への定住化傾向がみられるようになる。この人たちが、現在の在日韓国・朝鮮人のルーツである

山東出兵

ヴェルサイユ・ワシントン体制

第一次世界大戦を経て、帝国主義諸国を中心とする世界秩序は大きな変容を見せた。ひとことで言えば、イギリス・フランス・ロシアの三国協商対ドイツ・オーストリア・イタリアの三国同盟という対立図式から、ヴェルサイユ・ワシントン体制への移行である。国際連盟の発足も相まって、帝国主義諸国は、これまで以上に国際協調をアピールするようになり、それが日本の大陸政策を大きく拘束していった。

ワシントン会議は、一九二一年（大正一〇）一一月一二日に開催され、一二月一三日に、太平洋方面における島嶼《とうしょ》領地に関する相互尊重を約した日本・イギリス・アメリカ・フランスによる四か国条約が、翌年二月六日には、海軍軍縮条約と中国の門戸開放を原則とした九か国条約が調印されている。

軍部も、世界的な軍縮の流れと、軍縮を求める国内世論を無

◉ワシントン会議初日の風景
加藤友三郎《かとうともさぶろう》海相（首席全権）や徳川家達《とくがわいえさと》などの全権団が出席。海軍軍縮条約については、対米比率七割の当初要求を下まわる六割で妥協した。

視することはできず、三年後、第一次加藤高明《かとうたかあき》内閣の陸軍大臣宇垣一成《うがきかずしげ》によって軍縮政策が進められた。一九二五年に実施された「宇垣軍縮」は、四個師団の廃止と人員三万四〇〇〇人削減という大規模なものであったが、飛行連隊や戦車隊の新設など、むしろ軍備の近代化に主眼があった。

協調外交と強硬外交

このような国際情勢の変化に対応して、日本のなかに、英米協調主義とアジア・モンロー主義という二つの外交姿勢が登場し、対立するようになった。一九二〇年代の日本では、英米協調主義が主流であったが、軍部の一部、とりわけ宇垣陸軍大臣に批判的な勢力のなかに、アジア・モンロー主義が強まりつつあった。

これまでは、一九二〇年代の日本の外交を、憲政党《けんせいとう》（民政党《みんせいとう》）内閣の幣原喜重郎《しではらきじゅうろう》外務大臣の英米協調主義による協調外交と、政友会《せいゆうかい》内閣の田中義一《たなかぎいち》首相兼外務大臣の強硬外交とを対立させてとらえることが多かった。しかし、当時にあっても、石橋湛山《いしばしたんざん》は、「対支強硬外交とは何ぞ」（一九二八年〔昭和三〕九月二二日）などの論説で、〈素顔の地声〉か〈猫撫声《ねこなでごえ》〉を使うかの違いだけであって、協調外交も強硬外交も、中国の既得権益の擁護を本質とする点では変わらないと指摘していた。

田中外交も日米関係を重視していたことに変わりはなく、そもそもワシントン体制自体が、帝国日本がイギリス・アメリカと協調して、東アジア（中国）の共同支配を継続していく可能性を追求するものであった。したがって、必要以上に幣原外交と田中外交の違いを強調するのは正しくない。

山東出兵

もっとも、田中義一《たなかぎいち》内閣が、中国国民党軍の「北伐《ほくばつ》」に対応して強行した第一次から第三次にわたる山東《シャンドン》出兵は、強硬外交の象徴と見なされるかもしれない。だが、山東出兵は、二大政党制の副産物でもあったのである。すでに、田中は、一九二七年（昭和二）四月一六日の政友会臨時大会での演説で、中国政策の刷新を宣言していた。いたずらに内政不干渉を理由に手をこまねいていては、「東亜の盟主」としての帝国の地位を放棄するものである、というのである。

　そして、最初の普通選挙となった一九二八年二月二〇日の総選挙の結果、政友会二一七、民政党二一六と、二大政党の伯仲状態が出現した。その結果、中国の北伐問題に対する国民的関心が低かったにもかかわらず、田中は、民政党（幣原《しではら》外交）との政策上の違いをきわだたせるために、山東出兵を強行せざるをえなかったというのが、中国史研究者小林道彦《こばやしみちひこ》の分析である。軍部のなかにも慎重論が存在し、世論も「党派的出兵政策」であるとして批判していたのである。二大政党制の落とし穴ともいえよう。

　この山東出兵は、中国の「赤化」を懸念した日本が、山東省の約一万八〇〇〇人の日本人居留民保護を名目に出兵したものであった。しかし、一九二八年の第二次出兵に際して、五月三日に日中両軍が全面衝突する済南《ジーナン》事件が発生し、居留民も含めて一四名の日本人が犠牲になった。中国側が「五・三惨案《ツァンアン》」と呼んでいるこの事件で、中国軍民がこうむった被害もたいへんなものであった。中国側の歴史書には、日本軍が行なった残虐行為や略奪行為の数々が記されており、済南だけで三九四五人の軍民が死亡したとされている。

第二次出兵で動員されたのは、熊本の第六師団の約五〇〇〇名の兵力であった。このとき、陸軍には「尼港事件症候群《にこうじけん》」〈小林道彦〉があり、小規模出兵では「尼港事件」の二の舞になるのではないかという懸念が強かったという。

第六師団に加え、第三次出兵では第三師団も動員されたが、そのなかで天津《テイエンジン》《てんしん》に派遣された第一八連隊第九中隊所属の兵士たちの希望事項を、一九二八年七月一三日の『浜松新聞』が報道している。それによれば、兵士たちが希望したのは、〈外出希望〉全員、〈偽便衣隊《にせべんいたい》の首斬り見物〉二三人、〈羽布団《はねぶとん》〉二五人、〈早く帰りたい〉二八人、〈「サック」の官給〉二〇人などであったという。冗談半分の回答もあっただろうが、ここからは日本兵の士気の低下が見てとれよう。

軍部出身で、「養子総裁」と揶揄《やゆ》され、党内基盤が弱く、かつ、これまで日本政府が利用してきた張作霖《ジアンツオリン》《ちょうさくりん》率いる奉天軍閥《ほうてんぐんばつ》に対する認識でも関東軍と対立していた田中は、結局、関東軍の河本大作《こうもとだいさく》大佐らが独断専行して張作霖を爆殺した事件の上奏をめぐって天皇に叱責《しっせき》され、退陣に追い込まれた。

34

◉済南城に日章旗を掲げる日本軍
三次にわたる山東出兵は、中国国民革命が北方に波及して張作霖政権に影響が及ぶのを懸念して強行されたが、逆に中国国民の憤激を買った。

満州の日本人

広田《ひろた》寿子《ひさこ》は、一九二一年（大正一〇）一月に大連《ダーリエン》《だいれん》の満鉄《まんてつ》病院で産まれた。父は満鉄の社員で、一家は、父母と姉弟（産児調節を実施した）だけの核家族であった。大連郊外の大住宅地桜花台《インホアタイ》《おうかだい》に、外観は洋風、内装は和風という和洋折衷の家を、満鉄のローンで建てて住んだ。電気・ガス・水道・下水道も完備し、快適な生活空間が与えられていた。

大連のヤマトホテルのサンドイッチと大連航路大型客船の食堂のグラタンの味、〈家族揃《そろ》って電車で「電気遊園」に出かけ、メリーゴーラウンドに乗ってわくわくしたこと、その後中華料理店の丸テーブルで必ず食べさせてもらった水餃子や八宝菜の美味《おい》しかったこと〉などは、寿子にとって忘れることができない思い出である。一九三五年（昭和一〇）に帰国するまで生活していた満州を、寿子は、〈幸せ一杯が大連時代を一貫していました〉と回想している。

南満州における日本人の自由な居住が承認されたのは、対華二一ヵ条要求を受けて、一九一五年に締結された南満東蒙《なんまんとうもう》条約によってであった。満鉄付属地に住む日本人は、一九一四年には約三万二〇〇〇人にすぎなかったが、一九三一年時点では、一三の付属地に九万一九七六人が住むようになった。だが、日本人が多い付属地は奉天《フォンティエン》《ほうてん》と営口《インコウ》だけで、ほかは中国人のほうが多かった。

日本人は、〈広大な満洲の一部分に、へばりつくように生活していた〉。満州の中国人社会では銀《ぎん》建《だ》ての通貨が使用されていたにもかかわらず、日本人は金建《きんだ》ての日銀券を使用し、日本人のみを相手にしていたサービスも悪く値段も高い日本人商店で買い物をするのが日常的だった。中国語も学ぼうとせず、日本では不可能な使用人を置いた派手な生活を送っていた。そんな満州で育った日本人小学生が日本に修学旅行に来ると、日本の女性はなぜあんなに働くのだろうと不思議に思い、人力車夫や荷物運搬夫などを見ては、日本には日本人の苦力《クーリー》が多い、と感じたという。

お金を稼ぐことを目的に満州に来た日本人が多かったので、その目的が達成できれば帰国する人が多く、人口の流動が激しかった。一九二〇年時点での在満州日本人一四万九二九人のうち、一〇年以上満州に居住しているのはわずかに二〇パーセントにすぎず、六二パーセント以上は五年未満であった。そのため、日本人同士の近所づきあいも希薄で、大連では朝夕の挨拶《あいさつ》を交わしたことがない隣人も多かったという。

そのような満州の日本人社会をリポートした水野葉舟《みずのようしゅう》の「満洲で見た日本婦人」が、『婦人公論』一九二六年一一月号に掲載された。水野は、満州の日本人が、自分たちの区域のなかに、〈まるで蠣《かき》のようになって閉ぢこもって〉〈鎖国〉していることを指摘し、現地の生活に適応しようとはせずに、酷寒の満州に行っても和服で通して身体をこわす日本婦人や、内陸部に居住しながら白米や刺身などの新鮮な魚にこだわる日本人の姿を描いた。

35

●大連の満鉄本社
一九〇七年四月に設立された南満州鉄道株式会社は、総距離四五〇km近くの路線を有し、日本の満州侵略の拠点となった。

水野のレポートに触発された山川菊栄《やまかわきくえ》は、「日本民族と精神的鎖国主義」と題する文章を、『婦人公論』一九二七年一月号に発表した。

山川は、この世に生まれ落ちたときから、日本は〈地上の楽園〉であり、日本人は世界一優秀な民族で、それ以外の国や民族は〈辺土《へんど》〉であり〈皇化《こうか》に浴せぬ蛮人〉であるということを聞かされつづけてきた日本人が、植民地に行って、〈どうして虚心坦懐《きょしんたんかい》、謙抑《けんよく》平静な心をもって、異種族に学び、異郷の風土に適順しようとする心持になりえよう?〉〈敵意と排他心以外の感情をもって、他国と他国人とに対することがどうしてできようか〉と述べた。

そして、日本人にとっての真の問題は、〈植民的能力の問題〉以前に、〈偏狭な郷土的愛国心と民族的優越感の問題〉であるとして、それが〈日本人自身の解放の最大の障害になっている〉と指摘したのであった。

植民地で生活した日本人にほぼ共通することであったが、満州の日本人には、異文化に適応し、異民族から学ぼうとする姿勢が、決定的に欠けていたのである。

抗日霧社蜂起――いのちの叫び

台湾総督府の「理蕃」政策

現在、台湾の人口の二パーセントを占めるオーストロネシア語系の種族は、タイヤル、サイセット、ブヌン、ツォウ、ルカイ、パイワン、ピュマ、アミ、ヤミの九種族とされている。戦前の日本植民地時代では、ルカイ、ピュマの二種族は分類されず、残りの七種族が「生蕃《せいばん》」と呼ばれていた。山地に居住するこれらの先住民族は、半猟半農の生活を営みながら、清《しん》朝の支配に対しても、祖先伝来の土地を守ってきた。

台湾を領有した総督府が着目したのは、世界市場における樟脳《しょうのう》の重要性であった。樟脳は薬用防虫剤や火薬の原料になるだけでなく、当時振興しつつあったセルロイド産業にも欠かせないものであった。台湾の北部山地には、樟木《くすのき》がふんだんに茂っていたのである。

台湾を領有してすぐの一八九六年（明治二九）四

先住民族の分布

月、台湾総督より首相に宛《あ》てた「撫《ぶ》墾署《こんしょ》設立ノ稟議《りんぎ》」には、つぎのようにあった。〈殊《こと》に樟脳の如《ごと》きは本島及び日本内地の外、他に産出せざるを以《もっ》て世界市場に殆《ほとん》ど専売の特権を有し将来もっとも有益の事業なるにかかわらず、その樹木は独り蕃地に存在し、蕃民の所有たる有様なるが故《ゆえ》に、従前の慣例によるときはまず蕃民の心を収攬《しゅうらん》するにあらざればその製造に着手するを得ず〉

　こうして総督府は、その年の七月二三日に埔里《プーリー》社を開署して北部山地の侵略を開始したが、そこはタイヤル族とサイセット族の土地であった。彼らは、自分たちの土地を守るために、樟脳の利益を求めて入山してきた人びとを撃退した。その結果、南部山地に居住する種族と異なり、タイヤル族とサイセット族は「北蕃」として「討伐」の対象とされ、一方「南蕃」には「撫育《ぶいく》」政策が施されることになった。総督府は、彼らを、〈野蛮の深淵中に彷徨《ほうこう》する白痴《はくち》瘋癲《ふうてん》に均《ひと》しき無能力者〉と表現してはばからなかった。

　総督府は、一八九九年六月に樟脳局を設置して樟脳専売制を実施するとともに、〈頑蠢馭《がんしゅんぎょ》し難く野性禽獣《きんじゅう》にひとし〉い「北蕃」の「討伐」のために、清朝時代に由来する「隘勇《あいゆう》制度」を導入した。「隘勇」とは山地警備員のことで、山地につくった隘路に塹壕《ざんごう》のようなものを設けて住み、山地民族の来襲に備えるのが仕事であった。

　一九〇〇年四月、総督府は「隘勇傭使《あいゆうようし》規《き》定《てい》」を発布したが、「隘勇」に採用されたのは、もっぱら漢民族系住民や「熟蕃《じゅくばん》」といわれた平埔《へいほ》族、帰順した「生蕃」であった（沖縄出身者もいた）。政策の基本に、「夷《い》を以て夷を制する」という考え方が存在していたのである。このような先住民族を帰順させる政策を、当時は「理蕃《りばん》」政策と称した。

総督府は、隘勇によって守られる隘勇線を徐々に北進させる一方で、電流を通した鉄条網を設置したり、山砲・野砲・地雷などの近代的兵器で隘勇線の防御を固めていった。隘勇線は、さまざまな反抗を抑えつつ埔里から霧社《ウーシエー》《むしゃ》まで進み、霧社を確保することが総督府の山地侵略の鍵《かぎ》となった。

「討伐」回数は、一九〇〇年代に入ると急増し、一九〇二年から〇七年にかけては、毎年一〇回以上実施された。「討伐」がうまくいかないとみるや、総督府は、霧社先住民族（セーダッカ）に対する経済封鎖を実施し、鉄や塩などの交易を禁止した。また、ブヌン族の干卓万社《かんたくばんしゃ》をそそのかして、長年敵対関係にあった霧社との和解をもちかけ、総督府が提供した酒や魚をぞんぶんにふるまい、足腰が立たなくなったところを見計らって襲撃し、霧社の壮丁《そうてい》一三〇余人を馘首《かくしゅ》するという事件を起こした（姉妹ケ《しまいが》原《はら》だまし討

36

◉当時の霧社の全景

海抜一一二〇mの山地にある。両側の渓底から立ち昇る水蒸気が、高地の冷気で霧となって立ちこめたところから、台湾人が霧社と命名した。

ち事件）。

その結果、霧社の一二の部族は、一九〇六年五月三一日に、官命を絶対遵守することや、隘勇線の中には立ち入らないことなどを約束して、帰順式を実施した。霧社にも、一九〇八年に蕃務官吏駐在所が設置された。

霧社の文明化

総督府は、一九一〇年（明治四三）の「五か年理蕃事業計画」をもとに、山地民族の武装解除を進めた。半猟半農の生活を送っていた山地民族の命の綱ともいうべき銃を取り上げ、貸与制に変更するとともに、各地の駐在所を中心とする警察官の支配を強めていった。銃の提出に応じない者は見せしめのために死刑にされたり、銃を隠匿《いんとく》していたものは家族もろともに焼き殺されたという。総督府の最終的なねらいは、一九一四年（大正三）に大津《おおつ》鱗平《りんぺい》がまとめた『理蕃政策原義』にあるように、山地民族を移住させて水田耕作に従事する農民にすることであった。

興味深いことに、〈大正二年三年に於《おい》て台湾蕃匪《ばんぴ》討伐《とうばつ》に関し死没したる警察官を特例を以《もっ》て〉靖国《やすくに》神社に合祀《ごうし》するとして、一九一五年四月に二六九名が推挙されている。はからずも、先住民族「討伐」が、絶滅戦争にほかならなかったことを証明している。

また、一九一〇年には、八人の日本人僧侶を蕃人教化のために採用し、布教にあたらせた。一九一一年四月からは、「生蕃」の代表を日本に派遣し、文明の威力を見せつけるための内地観光旅行も実施している。日本観光には、タイヤル族の頭目や勢力者一〇三名が参加させられた。それ以外にも、台北《タイペイ》の台湾神社の例大祭にあわせて、神社参拝を行なう観光旅行も実施している。

一九一〇年代には、平地でも植民地支配に対する武力抵抗運動が相次いだ。一九一二年から一三年にかけての羅福星《ルオフーシン》らを中心とした苗栗《ミャオリー》事件、一九一五年の西来庵《せいらいあん》事件（台湾では暴動が発生した地名をとって噍吧哖《ジャオバヤー》事件という）などである。とくに、余清芳《ユーチンファン》らを中心とした後者の蜂起《ほうき》では、八六六人もの死刑囚を出している。

一九二〇年九月一八日、サラマオ社の壮丁約六〇名が駐在所などを襲撃し、巡査らを殺害する事件が起こった。これに対し総督府は、帰順していた先住民族を組織して奇襲隊を編成し、攻撃にあたらせた。その主力が、霧社《ウーシェー》《むしゃ》の各部族であった。このとき、総督府は、先住民族のもっとも「野蛮」な風習として禁止していた「首狩り」を奨励した（サラマオ事件）。

こうして、抗日霧社蜂起の直前には、一九二五年に霧社を訪れた作家の佐《さ》藤春夫《とうはるお》が記すように、霧社は〈蕃人第一の都会〉になっていた。能高《のうたか》郡警察課の霧社分室や警察官吏駐在所のほ

37

◉霧社の蕃童教育所
一九一一年に僧侶の安部《あべ》道溟《どうめい》が霧社に創設した。当時は、小学校、公学校に加え、先住民族用に蕃童《ばんどう》教育所が設けられていた。

かに、小学校・公学校・郵便局・公医診療所・交易所・旅館・樟脳の製造会社詰所などがあり、「内地人」一五七人、「本島人」一一一人に加え、台湾製脳会社の関係者が七三三名も常住するなどのにぎわいを見せていた。霧社は、まさに、総督府による「文明化」が成功した模範地となったのである。こうした日本の台湾統治は、国際的にも高い評価を受けていた。

井上伊之助の伝道

台湾総督には、一八九六年（明治二九）一〇月一日より施行された法律第六三号（通称「六三法」）によって、立法権（台湾では「律令《リューリン》」と呼んだ）が与えられたばかりか、軍政と軍令権、行政権・司法権・財政権など、絶大な権力が与えられた。このような台湾総督が支配する台湾に居住していた日本人は、つねに台湾におけるいのちの序列のトップに位置していた。

たとえば、のちにゾルゲ事件で処刑される尾崎秀美《おざきほつみ》の父は、台湾日日新聞社に勤務していたが、ふだん温厚な父も、台湾人人力車夫には適当にしかお金を渡さず、つきまとう車夫をステッキを振って追い払ったりしていた。そういった日本人のふるまいに、尾崎は、子供ながらも、同情心や人道主義から反感をもったという。

そのような状況のなかで、先住民族を「理解」しようと努めた数少ない日本人のひとりにキリスト者井上伊之助《いのうえいのすけ》がいた。井上は、自分の父親が先住民族（タイヤル族）によって殺害され馘首《かくしゅ》されたにもかかわらず、先住民族を敵視することなく、彼ら／彼女らを「教化」するために伝道と教育の生涯を送った人物である。

井上が台湾に渡ったのは、一九一一年一〇月のことであった。〈蕃人《ばんじん》の友となり、蕃山の土となるの覚悟〉であった。ところが、総督府によって伝道を禁止されたために、いったん日本に帰り、一九二五年（大正一四）五月、ふたたび台湾の土を踏んだ。

そんな井上が一九二三年に発表した文章に、「ああ我等《われら》生蕃《せいばん》の運命」と題するものがある。そこで、井上は、台湾の先住民族を〈第二のアイヌ〉と規定し、〈亡《ほろ》びゆく〉運命の共通性を指摘している。そして、〈日本文明人諸君　私共は野蛮人であります〉と、先住民族の立場に身を置き、文字も文明も知らない自分たちも同じ人間であり、〈暖かい血が通って〉いるから〈どうか私共のハートに触れて下さい〉と日本人に呼びかけた。

そのうえで、井上は、先住民族のさまざまな慣習を紹介する。〈人類通有の人情美〉は日本人以上かもしれないこと、先住民族には階級がなくひとりの乞食もいないこと、子供を叱《しか》る場合にも決して叩《たた》いたりしないこと、子供を叩くことは人の道に反すると考えていること、男女間の性的モラルがきわめて厳格なこと、うそも盗みもほとんどないこと、狩猟で獲《と》った猪や鹿は皆に分配し、日本人にも持ってきてくれること、「ウットフ」という神霊を信じており、獲物を自分ひとりで独占したり、盗みを働いたりすると、「ウットフ」の罰《ばち》が当たると考えていること、

38

●八田與一《はったよいち》（一八八六〜一九四二）金沢市出身。台湾総督府内務局土木課の技手として嘉南用水路をつくり、嘉南平野を台湾最大の穀倉地に変貌《へんぼう》させた。現在も台湾で、井上伊之助以上に高く評価され、中学校歴史教科書にも出ている。

などである。

井上だけでなく、『蕃族慣習調査報告書』第一巻（一九一五年）でも、タイヤル族の社会が〈平等的、自主的及び共和的〉であることを強調し、敵に対しては容赦しないが、敵の婦女を強姦することは決してないことを指摘して、〈この点は遙《はる》かに支那《しな》人及び文明を以《もつ》て自任する泰西諸国の兵士に勝れり〉と述べていた。

〈実に蕃人は将来ある伸び行く民で、大人になって退化したヒネクレた文明人と異なり野性の儘《まま》なる単純な生き生きした民族である〉。それが、井上の先住民族観であった。

井上は、自分の日記や講演録を、一九二六年に『生蕃記《せいばんき》』と題して刊行した。

霧社蜂起

一九三〇年（昭和五）一〇月二七日。この日は、北白川宮《きたしらかわのみや》を祭神とする台湾神社の祭礼の日だった。祭礼にあわせて霧社《むしや》《ウーシエー》分室管内の小学校・公学校と八つの「蕃童《ばんどう》教育所」は、例年、連合運動会を催してきた。連合運動会は、「内地人」が二〇〇人以上集まる霧社地方で最大の年中行事だった。

ホーゴー社頭目家の直系に一九一六年（大正五）に生まれたアウイヘッパハ（日本名田中愛三、中国名高愛徳《ガオアイドウ》）少年は、太鼓係として運動場にいた。午前八時過ぎ、国旗掲揚が始まろうとしたときに、突然、観客がざわめきはじめた。日本人が襲われたのである。警官が、犯人を追っていった。すると、頭に白い鉢巻《はちまき》をしたセーダッカ族の一団が来襲してきた。彼らは、口々に「プムカンを殺すな、殺してはいけないぞ！」と叫びながら、日本人をねらい、銃を撃ち、刀で斬り、刺し殺した。
「プムカン」とは漢民族のことである。
数百人の観衆は、混乱の極みに達し、われ先にと逃げまどった。校長の公舎に逃げ込み隠れた人たちも、見つけ出されてはつぎつぎに殺害された。小笠原《おがさわら》郡守も殺害された。アウイヘッパハも、竹槍《たけやり》を持って大人たちのあとをついていった。

こうして、痛ましいことに、女性や子供を含めて一三四人の日本人が殺され、二六人が重軽傷を負った。漢民族系住民も二名殺害されたが、そのうちのひとりは日本服を着ていた幼女であった。

戦闘の経緯を、アウイヘッパハ少年の証言をもとに、まとめてみよう。

日本人襲撃計画は、マヘボ社の頭目モーナ・ルーダオを中心に、慎重に進められてきたが、頭目会議では、二七日に襲撃することまでは決めていなかった。そのため、霧社一二社のうち、襲撃に参加したのは六社にとどまった。

襲撃隊は、翌二八日未明に、五五〇名ほどで埔里《プーリー》の日本人を襲撃する予定であったが、埔里では自警団が組織され、たくさ

霧社における蕃社の分布

んの武器を持って襲撃に備えているとの情報が入り、襲撃を強行すれば漢民族までも敵にまわすことになるとして、断念した。その結果、マヘボでの頭目会議で、日本軍の来襲に備えた作戦が練られ、各社の戦闘配置が決められた。指導者たちは妻子に死を命じて後顧の憂いを断つとともに、家屋に火を放って故郷を捨てた。

一〇月三一日、タロワン台地で激戦となった。蜂起《ほうき》側の武器は、霧社分室や駐在所から奪った銃と、こっそりと墓に隠していた銃だけであった。総督府は、全部で二〇〇挺《ちょう》あまりの銃を所有するにすぎない五〇〇名ほどの蜂起勢に対して、軍隊・警察その他あわせて四一七五人もの人員を動員し、各種の近代兵器を使用した鎮圧行動に入った。

一一月一日、いよいよ日本軍のマヘボ社攻撃が始まった。二日には、屏東《へいとう》飛行第八連隊に所属する飛行機四機と山砲《さんぽう》による猛爆撃が行なわれた。台湾総督府がまとめた『霧社事件誌』には、〈十一月二日マヘボ岩窟《がんくつ》に投下したる一弾は兇蕃《きょうばん》の巣窟《そうくつ》に命中し一挙に二十余名を殪《たお》し、ついにこれを自滅に陥《おちい》らしめた〉と記載されている。

日本側の先頭には、タウツア社とトロック社を中心とする三百数十名の奇襲隊の姿があった。これは、霧社との仇敵《きゆうてき》関係を利用したものであった。『霧社事件誌』は、わざわざ「蕃人奇襲隊の活躍」と題する一節を設けて、彼らの「活躍」を賛美している。

奇襲隊は、一二月二〇日の解散までに、延べで六八二二人が参加した。台湾総督府は、霧社の人びとの首に懸賞金をかけていた。頭目および勢力者が二〇〇円、壮丁《そうてい》が一〇〇円、女性が三〇円、幼児が二〇円であった。その結果、一〇月三〇日から一二月一三日までのあいだに、八七名が馘首《かくしゅ》された。そのうち、女性が三〇名、児童が三六名と、女性・児童だけでその四分の三を占めた。

タウツア社の人びとは、モーナ・ルーダオの首を虎視《こし》眈々《たんたん》とねらっていた。それを恥辱《ちじょく》と考えたモーナ・ルーダオは、後事《こうじ》を長男のタダオ・モーナに託し、自決の道を選んだ。モーナ・ルーダオは一族に死を命じ、小屋に火を放って遺体を焼いたあとで、ただひとり険しい岸壁をよじ登っていき、狭い岩陰で自決した。

日本軍は、飛行機から投降を呼びかけるビラを渓谷に六〇〇〇枚まいた。戦闘には、霧社の同族であるパーラン社やトーガン社の人びとも動員されるようになった。〈日本人は我々が同族間で相殺しあうのを、安全地帯で、高見の見物をしようとしている、と思うと、我々は怒り、そして恨んだ〉。アウイヘッパハはそう回想している。

タダオ・モーナのもとに、妹のマホン・モーナが現われ、帰順を勧めた。マホン・モーナは、父のモーナ・ルーダオの命令に背いて投降していた。一一月二七日、プラズの戦いでトロック社に勝利したあ

●**投降を呼びかけたビラ**（伝単）
赤地の紙に印刷したビラを飛行機からまいた。「コウサンスルモノハ、コロサナイ」というのは、まったくの詭弁《きべん》だった。

とで、タダオ・モーナは、一同に、自分で自分の運命を決めるように、言い渡した。一二月八日に、ふたたび、マホン・モーナらがやってきた。マホン・モーナは、台中州《タイチュン》の水越《みずこし》知事が提供した日本酒と肴《さかな》を持っていた。タダオ・モーナは、仲間と一緒に最後の酒盛りをし、首を吊って自決した。

こうして抗日霧社蜂起は鎮圧された。生き残った人びとは、シーパウ収容所に三一九名、ロードフ収容所に一九五名など、五六一名だけであった。蜂起前の六社の人口はあわせて一二〇〇名余であったから、半分以下に減ってしまったことになる。

事件の波紋

蜂起《ほうき》の前日、駐在所の小谷《こたに》巡査に対して、「ホーゴー社の壮《そう》丁《てい》たちが日本人を皆殺しにすると言っている。たしかに様子がおかしい」という密告があった。しかし、小谷巡査は、「いまごろそんな馬鹿なことがあるか」と一笑に付したという。最前線にいる巡査でさえ蜂起などあるはずがないと思っていたのだから、ましてやほかの関係者にとっては、まさに寝耳に水の話

抗日6社の死亡者数

	マヘボ社		ボアルン社		ホーゴー社		ロードフ社		スーク社		タロワン社		小計		総計
	男	女	男	女	男	女	男	女	男	女	男	女	男	女	
戦死	13		9		53		10						85		85
飛行機爆弾死	21	31	11	12	4	13	11	6	9	11	4	4	60	77	137
砲弾死	6	3	2	6	4	5	2		2	1	2	1	18	16	34
被馘首	2	3	14	22	5	3	2	5	16	15			39	48	87
縊死	15	41	3	8	51	80	26	26	28	12			123	167	290
銃自殺	1	1											1	1	2
刀自殺					2	1	1						3	1	4
病死	1	1		1							1		2	2	4
焼死							1						1		1
小計	59	80	39	49	119	102	53	37	55	39	7	5	332	312	
総計		139		88		221		90		94		12			644

であった。それだけに事件の衝撃は大きかった。
拓務省《たくむ》は、さっそく、管理局長の生駒高常《いこまたかつね》を派遣して、一一月四日から約二週間にわたって調査にあたらせた。生駒は、事件の原因として、①先住民族の外来者に対する反感、②出役《しゆつえき》、③賃金、④慣習の無視、⑤警備の弛緩《しかん》の五つをあげ、「内地人」だけがねらわれた理由を警察に対する反感に求めていた。とくに、霧社《ウーシエー》《むしや》小学校寄宿舎建築工事に伴う木材の伐り出しに着目している。これは、セーダッカ族の狩猟地であった山から檜《ひのき》の大木を伐採し、急峻な斜面を担がせて運搬させたことを指している。

木材は引きずって運ぶのが先住民族の慣習であった。そうしなければ、木材もろともに斜面を転がり落ちる危険性があったからであるが、警官は材木に傷がつくといってそれを認めなかった。しかも、たいへんな重労働にもかかわらず、賃金は出来高払いで、一日四〇銭のところ、実際には二〇銭以下にしかならなかった。

生駒の復命書のみならず、台湾総督府の『霧社事件誌』にしても、蜂起の本質を、日本の植民地支配に対する先住民族の誇りと生存権をかけた抵抗、とする観点はほとんどみられなかった。それに反して、〈性獰猛《どうもう》にして他蕃社を圧するの勢力を有す〉というように、モーナ・ルーダオの〈獰猛〉な性格が強調された。

抗日霧社蜂起は、日本の帝国議会でも問題になった。民政党《みんせいとう》内閣攻撃のために利用されたのである。石塚《いしづか》総督の責任を問う声が強まっているにもかかわらず、幹事長の富田幸次郎《とみたこうじろう》は、「相手が生蕃《せいばん》だからふつうの人間とは違う」と言い放ち、辞任の必要はないとしていた。

衆議院では、翌一九三一年（昭和六）一月二四日の浅原健三《あさはらけんぞう》の質問を皮切りに、霧社蜂起をめぐる論戦が始まった。浅原は、鎮圧にあたって「毒ガス」を使用した問題をとりあげたが、宇垣一成《うがきかずしげ》陸軍大臣はそれを否定し、使用したのは催涙ガスであると答弁した。結局、石塚総督、人見《ひとみ》総務長官、石井《いしい》警務局長、水越《みずこし》台中《タイチュン》州知事の四人が更迭されることになった。

問題は、ほんとうに毒ガスが使用されたかどうかである。台湾側の著作の多くは、中学校の歴史教科書も含めて、毒ガスが使用されたと明記している。台湾軍参謀として鎮圧にあたった服部《はっとり》兵次《へいじ》郎《ろう》陸軍歩兵大佐は、内地から「特種弾」を約一〇〇発取り寄せて、蜂起した人びとが立てこもっているマヘボ岩窟《がんくつ》の射撃に使用したと指摘している。

服部は、〈特種弾の使用の時には風の方向が非常に関係がありますので気象学の応用が必要になりました〉と述べている。「風の方向」によって効果が左右される「特種弾」ということは、なんらかのガス弾が使用されたと考えて間違いない（服部はダムダム弾の創痍《そうい》の研究もできたと指摘している）。

39

●抗日霧社蜂起を記念する銅像
抗日蜂起の記念公園に建てられている。子供や犬までもが立ち上がった様子を示す。すぐそばにモーナ・ルーダオの銅像がある。

遺体の爛《ただ》れた状況から、イペリットガス弾が使用されたのではないかと指摘する人もいるが、使われたとしたら青酸ガス弾ではないかという人もいる。いずれにしても、マヘボ渓谷に入った兵隊たちが防毒マスクを着用していたという証言もあることから、日本軍が毒ガス弾を使用したことは間違いないだろう。

収容所襲撃事件

一九三一年（昭和六）四月二五日未明、シーパウとロードフの二つの収容所が、武装した二〇〇名以上のタウツア社の壮丁《そうてい》に襲われた。その結果、二〇〇名近くが殺害され、一九名が縊死《いし》した。襲撃前の収容者は五一四名であったが、生存者は二九八名にすぎなかった。

これまで、この収容所襲撃事件は「第二霧社《むしゃ》事件」と称されてきた。しかし、この名称は適切ではない。なぜなら、この襲撃事件は、日本側がタウツア社をそそのかした結果発生したものであり、これまで「霧社事件」といわれてきた抗日蜂起《ほうき》とは、性格を異にするからである。

当時、タウツア駐在所の主任を務めていた小島源治《こじまげんじ》巡査部長が、戦後、証言しているように、総督府は、またしても霧社とタウツア社の敵対関係を利用し、あたかもタウツア社が武装解除するための交換条件のようにして、収容所の襲撃をそそのかしたのである。そして、このときもタウツア社の人びとが首を獲《と》ることを放任した。

このような悲惨《ひさん》な事件があったあとの五月六日、生き残った人びとは、川中島《かわなかじま》と呼ばれる「陸の孤島」に移住することを余儀なくされた。移住に際して、〈官の指定する地域に於て只管《ひたすら》農耕を励むべし〉と厳命され、狩猟が禁止された。残された土地は、タウツア社やトロック社に下げ渡された。

ところが、総督府側では、抗日霧社蜂起の参加者を許すつもりはまったくなく、ひそかに調査を継続していた。その結果、川中島に移住した人びとのなかに、二〇数名の蜂起参加者が存在することが判明した。そこで、総督府は、一〇月一五日に埔里《プーリー》の能高《のうたか》郡役所で開く帰順式にかこつけて、蜂起参加者を処断する計画を立てた。帰順式を名目に集まった人びとを惨殺することは、台湾領有戦争当時からの常套《じようとう》手段でもあった。

一〇月一五日の朝五時五〇分、男子八三名、女子二三名の合計一〇六名が川中島を出発した。『霧社事件誌』は、〈右蕃婦二十三名を加えたるは蕃丁等に安心を与えて兇行者をも安全に誘出する手段なり〉と記している。一行は、途中からトラックに乗せられて埔里に向かった。埔里に到着したとき、男だけが下車を命じられた。そして郡役所に集合させて、二三名を逮捕し、留置場に収容したのである。翌日には、霧社《ウーシェー》に残っていた蜂起参加者一五名も逮捕された。

以前から留置中の一名とあわせて、逮捕収容された人びとは、罪の軽重に従って三年、二年、一年の留置処分に処された。『霧社事件誌』によれば、一九三二年三月までに、殺害された一人を除き、三八名全員が病死している。死因は、大腸カタル一三名、脚気《かつけ》一二名、マラリア三名であった。

それにしても、拘置された人びとは、二〇代、三〇代がほとんどの青壮年である。収容されてから半年もたたないうちに、全員が病死したという結末には、大きな疑念を抱かざるをえない。郡役所の近所の人の証言によれば、夜中に人が殺されるときに発するような声が、何度となく聞こえたということである。

抗日霧社蜂起の歴史的位置

一八九五年（明治二八）の台湾領有以来、児玉源太郎《こだまげんたろう》総督が明言していたように、山地民族は絶滅の対象とされていたが、財政的理由によって「理蕃《りばん》」政策がとられるに至った。「理蕃」政策の本質は、山地民族を「文明化」させることにあった。それは、半猟半農という生活様式を改めさせ、「出《しゅっ》草《そう》」（首狩り）や刺青《いれずみ》などの習慣を「野蛮」なものとしてやめさせることであった。何よりも、植民地支配に抵抗しない従順な「良民」と化すのが最大の目的であった。

しかし、一九三〇年（昭和五）の抗日霧社蜂起《むしゃほうき》は、「文明化」がもっとも進んだ地域と見なされていた霧社《ウーシェー》で発生したものであり、総督府が進めてきた「理蕃」政策を根底から否定するものであった。それだけではなく、「いのち」の序列化を拒否した民族の自決権と生存権をかけた戦いであり、植民地支配そのものに対する強烈なアンチテーゼであった。満州事変に始まる一五年戦争の前年に発生したこの蜂起は、本来ならば、日本の対アジア・植民地政策全般の根本的見直しを迫るものであったはずである。「いのち」の序列化政策を根本から見直すことなしに、いかなる民族との「協和」も「共栄」もありえないからである。

だが、蜂起後の弾圧に始まる一連の過程は、まさに「劣等」視された民族の絶滅政策そのものであった。毒ガスやダムダム弾の使用とその効果の「研究」は、生体実験にほかならない。掃討作戦を指揮した服部《はっとり》大佐は、これを「小規模な戦争」と位置づけていた。そして、南方アジアにおける山岳ゲリラ戦の予行演習とまで考えていたのである。

また、執拗な蜂起参加者の追及は、面子《メンツ》をつぶされたことへの報復としかいえないものであった。いったい、どちらが「文明人」であったのだろうか。台湾総督府が「生蕃《せいばん》」に迫った「文明化」とは、たんに「西洋化」だけを指すのではなかった。「理蕃」政策の究極の目的が先住民族の定住農耕民化にあったように、農耕＝文明、狩猟＝野蛮という図式も存在していた。このことは、奇《く》しくもアイヌ民族に対する政策と共通する。いや、「理蕃」政策がモデルにしたのは、アイヌ民族に対する政策であったといっても過言ではないだろう。

抗日霧社蜂起は、「人間以下の存在」と位置づけられていた山地民族のいのちの叫びにほかならない。アウイヘッパハの、〈我々だって、人間だ〉〈どうして、我々は自由に楽しく、一人前の人間らしく、生かしてもらえないのだろう〉という言葉は、それがまさに人間としての根源的な平等を希求する、いのちの尊厳をかけた蜂起であったことを示している。

その後、台湾における大規模な抗日蜂起はみられなくなる。そして、川中島に移住したセーダッカの青年たちも、アジア太平洋戦争では、「高砂義勇隊《たかさごぎゆうたい》」の一員として、日本のために従軍して戦い、戦死者は靖国《やすくに》神社に祀《まつ》られたのである。

おわりに

「いのちをめぐる政治」の転換

本巻が対象とした時期は、一〇年おきに勃発《ぼっぱつ》した対外戦争と資本主義の発展、アジアへの侵略と植民地の獲得というように、それだけをみれば帝国日本の輝かしい発展の時代であった。戦争と戦争のあいだには、政治的民主主義の実現を求める運動も高揚した。それは、戦争を通じて形成された国民意識や国民的一体感（ナショナリズム）が、戦後の民主主義運動を下支えしていったからであって、ナショナリズムとデモクラシーは相補関係にあった。

そのようななかで、人間としての基本的権利、いのちの尊さと価値の平等に関する目覚めが広範にみられるようになる。それをひとことで言えば、生存権である。その先駆的主張者が田中正造《たなかしょうぞう》であったが、世界史的にみても一九一九年のワイマール憲法（ドイツ）で初めて規定された生存権という考え方が日本で明確に登場するのは、米騒動以降である。米騒動が、強者の論理である自由放任主義からの転換を迫り、社会政策への関心を本格的にしていった。

このような意味で、足尾《あしお》銅山鉱毒事件と米騒動は、運動スタイルの相違はあったものの、いのちと暮らしを守るための民衆運動であった。本巻の観点からすれば、この二つの運動こそが、いのちの根源的な平等と生存基盤の確立を要求したデモクラシー運動なのである。

だが、米騒動を契機に、「いのちをめぐる政治」は新たな段階を迎える。それまでの時期は、戦争への動員といい、ハンセン病者に対する隔離政策といい、またアイヌ民族や台湾の先住民族政策といい、いずれも「文明」を基準とした管理、動員であった。しかし、一九二〇年（大正九）を前後して、急性感染症から慢性感染症へ、さらには病者以外の人びとのいのちも管理の対象になってくる。人口が資源であるという考え方が浸透し、優生思想と結びついた「民族衛生」の掛け声のもとに、「文明」に加えて「健康」という名のいのちの管理政策が始まる。つまり、戦争時の直接動員だけでなく、将来の戦争（総力戦）をにらんだ国民全体のいのちの総動員が日常化していくのである。このような帝国日本のいのちの総動員政策の帰結は、第十五巻で克明に論じられる。

反「文明」的存在と見なされた先住民族とハンセン病者に対する「絶滅」政策が、一九三〇年（昭和五）の抗日霧社《むしゃ》蜂起の弾圧、一九三一年の癩《らい》予防法の制定による強制収容絶対隔離政策の実現により完成する。一八九九年（明治三二）に制定された旧土人保護法が廃止されたのは一九九七年。一九〇七年に制定された「癩予防ニ関スル件」以来の癩予防法が廃止されたのは一九九六年。この奇妙な符合は、いつ思い返しても暗澹《あんたん》たる思いにさせられる。

本来、このような潮流に対決すべき政治的デモクラシー運動は、その担い手のほとんどが、いのちの管理政策と帝国日本の発展を無批判に前提としていただけに、大きな問題点を抱え込んでいた。それだけではない。第二章でみたように、民衆の意識・運動との乖離《かいり》という弱点も内包していたのである。民衆の政治・政治家に対する徹底した不信感は、一見平穏な「憲政の常道」下にあっても、地下のマグマとしてくすぶっていった。

それに加え、本巻では触れることができなかったが、一九一〇年代から二〇年代にかけて、天理《てんり》教・金光《こんこう》教・大本《おおもと》教などの民衆宗教が爆発的に教勢を拡大していることも忘れてはならない。さまざまな理由から民衆宗教にすがるしかなかった人びとの存在も考慮するならば、この時期を一括して「大正デモクラシー」と表現することに大きな疑問を抱かずにはいられない。

「大正デモクラシー」という歴史的概念が問題なのは、明治後期から昭和初期にかけての事象に「大正」という年号を冠していることにあるのではない。歴史の実態そのものが、総体として「大正デモクラシー」と表現できるだけの内実を伴っていたのか、という点にある。たしかに、政治・社会・教育・文化・思想など多方面にわたって制度的変革も含めた新しい動きが繰り広げられ、そういった動きが地方の青年にもみられたことは事実であり、その重要性を強調するのはやぶさかではないが、それだけではなぜあんなにもろくファシズムに屈してしまったのかという問いに答えることは困難である。

この問いに対する答えのひとつは、デモクラットたちと民衆との意識・運動の乖離《かいり》に加え、日々生存のために格闘し、いのちをつなぐことに精一杯だった人びとも、基本的には支配者層が提示する帝国日本の発展の方程式を受け入れ、それに同調し、帝国意識に染められていったことである。それだけではなく、「いのち」の序列化を内面化することによって、「日本人」以外の人びとのいのちが喪《うしな》われることに不感症になっていったからであった。

いのちを生きぬいた人びと

私が本巻でとりあげた「いのち」の序列化に身をもってあらがった人物は、これまでの通史にはほとんどとりあげられなかった「無名」の人びとが多い。だが、あらためて確認するまでもなく、彼ら／彼女ら、もしくはそのようなくくり方になじまない人びとこそが、歴史を、社会を支えてきた主体にほかならない（たとえば二〇〇〇人に一人の割合といわれるインターセックス〔半陰陽《はんいんよう》〕の人びとである）。

そういった人びとを「無名」のままにしてきたのは、資料的な制約も大きいが、私たち歴史を研究するものの責任にほかならない。それは、これまでの「歴史」が、あまりにも政治史や経済史中心、そして男性中心的でありすぎたからである。

たとえば、第二章でとりあげた藤本としは、ハンセン病療養所の外島《そとしま》保養院（大阪）が洪水によって崩壊したあとに岡山県の長島愛生園《ながしまあいせいえん》に移ったが、目が見えなくなり、身体のなかで唯一感覚が残っている舌を頼りに、点字の本を読みあさった。鋼版の点字を舌でなぞっていくうちに、舌が裂け、血が流れ出しても気づかないほどだった。

視力を失ってからようやくわかったこととして、としは、この「悲しい病気」が自分を鍛えてくれた、「今から思えば、あたしはライに生かしてもらったんですね。…おかしな言い方ですけど、ライに頼って生きてこれたのです」とまで言っている。

そんなとしは、一九七三年五月三一日に行なわれた聞き取りのなかで、つぎのように語っている。「闇の中に光を見いだすなんていいますけど、光なんてものは、どこかにあるもんじゃありませんねえ。なにがどんなにつらかろうと、それをきっちり引き受けて、こちらから出かけて行かなきゃいけません。光ってものを捜すんじゃない、自分が光になろうとすることなんです。それが、闇の中に光を見いだすということじゃないでしょうか」

私たちは、藤本としや杉谷《すぎたに》つも、金子《かねこ》文子《ふみこ》などのように、歴史を生きた人びとが、どのような苛《か》酷《こく》な環境にあっても、楽しみや喜びを求め、精一杯いのちを輝かして生きぬこうとしてきたという、ごく当然のことを忘れてはならない。おそらくは、日々のそうした姿勢こそが、社会矛盾に目を開かせる契機となるのである。

戦争による犠牲者も、公害やコレラ・結核などの感染症による犠牲者も、帝国日本に抗して斃《たお》れていった人びとも、すべては田中正造が指摘した「非命《ひめい》の死者」にほかならない。いま私たちに必要なのは、アジアの人びとを含め、帝国日本の発展の陰に犠牲になった無数の「非命の死者」のいのちの叫びに耳を傾けることではないだろうか。

私たちに、現在までに二万五〇〇〇人近い人びとがハンセン病療養所のなかで亡くなっている事実が見えているだろうか。薬害C型肝炎にみられるように、薬害問題も跡を絶たない。また、一九八九年以来、この国では一〇年連続で年間三万人以上の自死者を出している。人口三万人の市がまるごと消えつづけていることの異常さが最大の政治課題にならないのはなぜであろうか。この国の、いのちが喪われることへの鈍感さは、いまも変わっていない。

これ以上「非命の死者」を生み出さないために、私たちは、あらためて歴史に学ぶ必要があるだろう。

・海野福寿『韓国併合』岩波新書、1995
・大野芳『伊藤博文暗殺事件』新潮社、2003
・岡倉天心著　桶谷秀昭訳『茶の本』講談社学術文庫、1994
・『岡倉天心全集』第1巻、平凡社、1980
・織田楢次『チゲックン』日本基督教団出版局、1977
・片岡覚太郎『日本海軍地中海遠征記』河出書房新社、2001
・金子文子『何が私をかうさせたか』黒色戦線社、1972
・上垣外憲一『暗殺・伊藤博文』ちくま新書、2000
・関東大震災50周年朝鮮人犠牲者追悼行事実行委員会編『歴史の真実—関東大震災と朝鮮人虐殺』現代史出版会、1975
・『北一輝著作集』第1巻、第2巻、みすず書房、1959
・金一勉『朴烈』合同出版、1973
・黒澤明『蝦蟇の油』岩波書店、1984
・黒瀬郁二『東洋拓殖会社　日本帝国主義とアジア太平洋』日本経済評論社、2003
・現代史資料6『関東大震災と朝鮮人』みすず書房、1963
・小林道彦「田中政友会と山東出兵— 1927-1928 —」（一）『北九州市立大学法政論集』32・2・3、2004
・さねとうけいしゅう『増補　中国人日本留学史』くろしお出版、1970
・台湾総督府警察本署『理蕃誌稿』第1～5編、1918～38（復刻：青史社、1989）
・高崎宗司『朝鮮の土となった日本人　浅川巧の生涯』草風館、1982
・田谷廣吉・山野辺義智編『室田義文翁譚』常陽明治記念会東京支部、1938
・戴國輝『台湾霧社蜂起事件　研究と資料』社会思想社、1981
・千葉県における追悼・調査実行委員会編『いわれなく殺された人びと』青木書店、1983
・千寛宇／田中明訳『韓国史への新視点』學生社、1976
・塚瀬進『満洲の日本人』吉川弘文館、2004
・ドウス，ピーター、小林英夫編『帝国という幻想』青木書店、1998
・内務省社会局『大正震災志』1926（復刻版、雄松堂出版、1986）
・中野泰雄『安重根　日韓関係の原像』亜紀書房、1984
・増補版『難波大助大逆事件』黒色戦線社、1979
・西順蔵編『原典中国近代思想史』第4冊、岩波書店、1977
・能仲文夫『南洋と松江春次』時代社、1941
・『原敬日記』第5巻、福村出版、1981
・原暉之『シベリア出兵—革命と干渉 1917－1922』筑摩書房、1989
・朴殷植／姜徳相訳『朝鮮独立運動の血史』1、2、平凡社東洋文庫、1972
・朴慶植『朝鮮三・一独立運動』平凡社、1976
・朴慶植『日本帝国主義の朝鮮支配』上下、青木書店、1973
・朴宗根『日清戦争と朝鮮』青木書店、1982
・細谷千博『シベリア出兵の史的研究』岩波現代文庫、2005
・松江春次『南洋開拓拾年記』南洋興発株式会社、1932
・松尾勝造『シベリア出征日記』風媒社、1978
・松尾尊兊編『石橋湛山評論集』岩波文庫、1984
・マッケンジー，F・A／渡部学訳『朝鮮の悲劇』平凡社東洋文庫、1972
・三浦梧楼『観樹将軍回顧録』中公文庫、1988
・溝口白羊編著『尼港事件国辱記』日本評論社、1920
・『宮崎滔天全集』第2巻、平凡社、1971
・宮嶋博史『朝鮮土地調査事業史の研究』汲古書院、1991
・森山茂徳『近代日韓関係史研究』東京大学出版会、1987
・柳宗悦／高崎宗司編『朝鮮を想う』筑摩書房、1984
・『山川菊栄集』第4巻、岩波書店、1982
・山田昭次『金子文子』影書房、1996
・山室信一『思想課題としてのアジア』岩波書店、2001
・吉田裕「日本帝国主義のシベリア干渉戦争」『歴史学研究』490号、1980年3月
・吉野作造・松尾尊兊編『中国・朝鮮論』平凡社東洋文庫、1970
・臨時台湾旧慣調査会第一部『番族慣習調査報告書』第1巻、1915
・労働運動史研究会編『熊本評論』明治文献、1962

全編にわたるもの

・海野福寿『日本の歴史18　日清・日露戦争』集英社、1992
・江口圭一「1910—30年代の日本」『岩波講座日本通史』18、1994
・江口圭一『大系日本の歴史14　二つの大戦』小学館、1989
・鹿野政直『日本の歴史27　大正デモクラシー』小学館、1976
・小松裕『田中正造の近代』現代企画室、2001
・武田晴人『日本の歴史19　帝国主義と民本主義』集英社、1992
・田中正造全集編纂会『田中正造全集』全19巻別巻1、岩波書店、1977～80
・咸錫憲／小杉尅次訳『死ぬまでこの歩みで』新教出版社、1974
・広田寿子『女三代の百年』岩波書店、1996

• 上野英信編『近代民衆の記録 2　鉱夫』新人物往来社、1971
• 魚津市教育委員会『魚津の米騒動資料集』1999
• 内田敬介「郡築小作争議と杉谷つも」熊本近代史研究会編『大正デモクラシー期の体制変動と対抗』熊本出版文化会館、1996
• 『岡山市史』美術映画編、1962
• 沖縄県教育委員会編『沖縄県史』第 1 巻通史、1976
• 貝澤正『アイヌ　わが人生』岩波書店、1993
• 加藤百合『大正の夢の設計家　西村伊作と文化学院』朝日選書、1990
• 鹿野政直『沖縄の淵　伊波普猷とその時代』岩波書店、1993
• 鹿野政直「橋本憲三氏の生涯」『朝日新聞』1976
• 『管野須賀子著作集』第 2 巻、弘隆社、1984
• 菊池恵楓園患者自治会『自治会 50 年史』1976
• 草津町誌編さん委員会『草津温泉誌』第 2 巻、1992
• 『幸徳秋水全集』第 3、4 巻、明治文献、1968
• ゴードン，アンドリュー「日本近代史におけるインペリアル・デモクラシー」『年報　日本現代史』2、1996
• 札幌女性史研究会編『北の女性史』北海道新聞社、1986
• 沢山美果子『江戸の捨て子たち』吉川弘文館、2008
• 「社会民主党百年」資料刊行会編『社会主義の誕生―社会民主党一〇〇年』論創社、2001
• 東海林吉郎・菅井益郎『通史足尾鉱毒事件』新曜社、1984
• 新藤東洋男『ドキュメント福岡連隊事件』現代史出版会、1974
• 首藤美香子『近代的育児観への転換―啓蒙家三田谷啓と 1920 年代』勁草書房、2004
• 住谷一彦『日本の意識』岩波書店、1982
• 生活古典叢書 4『職工事情』光生館、1971
• 生活古典叢書 5『女工と結核』光生館、1970
• 『性と生殖の人権問題資料集成』不二出版、2000 ～
• 『漱石全集』第 20 巻、岩波書店、1996
• 高橋磌一『流行歌でつづる日本現代史』新日本出版社、1969
• 高橋紘ほか編『昭和初期の天皇と宮中　侍従次長河井弥八日記』第 5 巻、岩波書店、1994
• 高群逸枝『火の国の女の日記』上、講談社文庫、1974
• 立川昭二『病気の社会史』日本放送出版会、1971
• 谷川健一編『近代民衆の記録 3　娼婦』新人物往来社、1971
• 戸崎敬子『特別学級史研究』多賀出版、1993
• 永島與八『鉱毒事件の真相と田中正造翁』明治文献、1971
• 中村茂『草津「喜びの谷」の物語　コンウォール・リーとハンセン病』教文館、2007
• 西村伊作『生活を芸術として』民文社、1922
• 西村伊作『楽しき住家』警醒社書店、1919 年
• 『日本婦人問題資料集成』第 7 巻、生活、ドメス出版、1980
• 橋本憲三「手紙と書き入れ」『高群逸枝雑誌』2、1968
• バチェラー八重子『若きウタリに』岩波現代文庫、2003
• 速水融『日本を襲ったスペイン・インフルエンザ』藤原書店、2006
• 速水融・小嶋美代子『大正デモグラフィ』文春新書、2004
• 比嘉春潮『沖縄の歳月』中公新書、1969
• 土方苑子『近代日本の学校と地域社会』東京大学出版会、1994
• 比屋根照夫「「混成的国家」への道」『日本の歴史 25　日本はどこへ行くのか』講談社、2003
• 平岩昭三『検証藤村操　華厳の滝投身自殺事件』不二出版、2003
• 福岡県女性史編纂委員会編『新聞にみる福岡県女性のあゆみ―明治・大正編』福岡県、2003
• 藤野裕子「日露講和問題をめぐる政治運動と民衆の動向―日比谷焼打事件再考に向けて―」『民衆史研究』66、2003
• 藤野豊『「いのち」の近代史』かもがわ出版、2001
• 藤野豊『強制された健康』吉川弘文館、2000
• 藤本とし『地面の底がぬけたんです』思想の科学社、1974
• 細井和喜蔵『女工哀史』岩波文庫、1954
• 牧原憲夫「政事と徳義」困民党研究会編『民衆運動の〈近代〉』現代企画室、1994
• 松尾尊兊『普通選挙制度成立史の研究』岩波書店、1989
• 三好行雄編『漱石文明論集』岩波文庫、1986
• 森崎和江『奈落の神々　炭坑労働精神史』大和書房、1974
• 山中永之佑編『古市町米騒動裁判資料』羽曳野資料叢書 4、1993
• 『山内みな自伝』新宿書房、1975
• 吉河光貞『所謂米騒動事件の研究』司法省刑事局、1938
• 労働運動史研究会編『日刊平民新聞』明治文献、1961
• 労働運動史研究会編『世界婦人』明治文献、1961

第三章

• アウイヘッパハ、許介鱗編『証言霧社事件』草風館、1985
• 『安達謙蔵自叙伝』新樹社、1960
• 井上伊之助『生蕃記』警醒社書店、1926
• 宇都宮太郎関係資料研究会編『日本陸軍とアジア政策　陸軍大将宇都宮太郎日記』第 3 巻、岩波書店、2007

参考文献

はじめに

- 阿波根昌鴻『命こそ宝　沖縄反戦の心』岩波新書、1992
- 謝花直美『証言沖縄「集団自決」』岩波新書、2008
- 松下竜一『いのちきしてます』三一書房、1981

第一章

- 朝河貫一『日本の禍機』講談社学術文庫、1987
- 荒川章二『軍隊と地域』青木書店、2001
- 『荒畑寒村著作集』第9巻、平凡社、1977
- 井口和起編『近代日本の軌跡3　日清・日露戦争』吉川弘文館、1994
- 石光真清『城下の人』龍星閣、1958
- 石光真清『望郷の歌』龍星閣、1958
- 伊谷隆一編『柏木義円集』第1巻、未来社、1970
- 『稲城市史』資料編3・近現代1、1997
- 井上晴樹『旅順虐殺事件』筑摩書房、1995
- 『内村鑑三選集』第2巻、岩波書店、1990
- 生方敏郎『明治大正見聞史』中公文庫、1978
- 大江志乃夫『兵士たちの日露戦争』朝日新聞社、1988
- 大江志乃夫『日露戦争の軍事史的研究』岩波書店、1976
- 大門正克『近代日本と農村社会』日本経済評論社、1994
- 太田雅夫編『明治社会主義資料叢書』第4巻、新泉社、1972
- 大谷正『兵士と軍夫の日清戦争』有志舎、2006
- 大谷正「福岡日日新聞と日清戦争報道」『専修大学人文科学研究所月報』143、1991
- 大濱徹也『庶民のみた日清・日露戦争』刀水書房、2003
- 大濱徹也監修、済々黌日露戦役記念帖編集委員会編『日露戦争従軍将兵の手紙』同成社、2001
- 大濱徹也編『近代民衆の記録8　兵士』新人物往来社、1978
- 亀山美知子『近代日本看護史I　日本赤十字社と看護婦』ドメス出版、1983
- 喜多村理子『徴兵・戦争と民衆』吉川弘文館、1999
- 京都聯隊区将校団『日露戦役回顧談集』1929
- 復刻版『滑稽新聞』第3巻、筑摩書房、1985
- 小林一美『義和団戦争と明治国家』汲古書院、1986
- 斎藤聖二『北清事変と日本軍』芙蓉書房出版、2006
- 児童遊戯研究会『日露戦争を応用したる児童遊戯』博報堂、1905
- 『田岡嶺雲全集』第5巻、法政大学出版局、1969
- 千葉功『旧外交の形成』勁草書房、2008
- 趙景達『異端の民衆反乱　東学と甲午農民戦争』岩波書店、1998
- 徳冨健次郎『謀叛論』岩波文庫、1976
- 中勘助『銀の匙』岩波文庫、1935
- 西川宏『ラッパ手の最後』青木書店、1984
- 橋本憲三・堀場清子『わが高群逸枝』上、朝日新聞社、1981
- 原田敬一『日清・日露戦争』岩波新書、2007
- 東アジア近代史学会編『日清戦争と東アジア世界の変容』上下、ゆまに書房、1997
- 常陸山谷右エ門『相撲大鑑』1914年、『復刻版相撲名著選集』1、ベースボールマガジン社、1985
- 秀村選三監修、森俊藏日露戦役従軍日記刊行会編『森俊藏日露戦役従軍日記』上下、高志書院、2006
- 檜山幸夫編著『近代日本の形成と日清戦争—戦争の社会史』雄山閣出版、2001
- 平塚らいてう『元始、女性は太陽であった』上、大月書店、1971
- 『福沢諭吉全集』第14巻、岩波書店、1961
- 藤村俊太郎『ある老兵の手記　秘録北清事変』人物往来社、1967
- ポーラ文化研究所コレクション5『浮世絵美人くらべ』ポーラ文化研究所、1998
- 陸奥宗光『蹇蹇録』岩波文庫、1993
- 山川菊栄・向坂逸郎編『山川均自伝』岩波書店、1961
- 山室信一『日露戦争の世紀』岩波新書、2005
- 『横山源之助全集』第1巻、明治文献、1972
- 陸軍省編『明治三十七八年戦役統計』、改題『日露戦争統計集』東洋書林、1995
- 労働運動史研究会編『週刊平民新聞』(2)、明治文献、1962

第二章

- 『アイヌ史資料集』北海道新聞社、1981～
- 天野茂編『増補復刻版　荒村遺稿』不二出版、1982
- 新井奥邃著作集編纂会編『新井奥邃著作集』第8巻、春風社、2003
- 有馬学「「大正デモクラシー」論の現在」『日本歴史』700、2006
- 『育児雑誌』復刻版、全9巻、大空社、1986～
- 『市川房枝自伝　戦前編』新宿書房、1974
- 伊藤隆・広瀬順晧編『牧野伸顕日記』中央公論社、1990
- 『伊藤野枝全集』下、學藝書林、1970
- 違星北斗『遺稿　コタン』草風館、1995

相揚『霧社事件』玉山社（台湾）より／38 土木学会土木図書館

＊写真・図版掲載に際しましては、所蔵者ならびに撮影者の了解を求めましたが、古い史料のため、関係者を知ることができなかった場合がございます。ご理解ご容赦くださいますようお願いいたします。また、お心当たりがございましたら、編集部までご一報ください。

スタッフ一覧

本文レイアウト	姥谷英子
校正	オフィス・タカエ
図版・地図作成	蓬生雄司
写真撮影	西村千春
索引制作	小学館クリエイティブ
編集長	清水芳郎
編集	阿部いづみ
	宇南山知人
	水上人江
	田澤泉
	一坪泰博
編集協力	青柳亮
	石附啓子
	北村永
	小西むつ子
	林まりこ
月報編集協力	㈲ビー・シー
	関屋淳子
	藤井恵子
制作	大木由紀夫
	山崎法一
資材	横山肇
宣伝	中沢裕行
	後藤昌弘
販売	永井真士
	奥村浩一
協力	株式会社モリサワ

所蔵先一覧

所蔵先と写真提供者、撮影者が異なる場合は、(　)内にその旨を明記した。

カバー・表紙

三春町歴史民俗資料館（提供：福島県立博物館）

口絵

1・5 朝日新聞社／2 生活情報センター『東京下町 100 年のアーカイブスー明治・大正・昭和の写真記録』より／3『国際写真情報』2巻2号より／4 国書刊行会『写真集 明治・大正・昭和 甲府』より／6 個人蔵／7 小島良章／8『風俗画報』314 号より／9 奥州市立斎藤實記念館（『韓国写真帖』）

はじめに

1 わびあいの里

第一章

1 福富太郎コレクション資料室／2 鉄道博物館／3 国立国会図書館（『ザ・グラフィック』1894 年）／4 川崎市市民ミュージアム（『ザ・グラフィック』1894 年）／5・8 国書刊行会『写真で知る韓国の独立運動 上』より／6 春陽堂『日清戦争絵巻』第3より／7 京都外国語大学付属図書館（『ザ・イラストレイテッド・ロンドン・ニュース』1895 年）／9『風俗画報』臨時増刊 111 号より／10 新日本製鐵株式会社・八幡製鐵所／11 東京都立中央図書館東京誌料文庫／12 国立国会図書館（『ザ・イラストレイテッド・ロンドン・ニュース』1900 年）／13 青梅きもの博物館／14 乃木神社／15 サンクトペテルブルク ロシア国立図書館（協力：アートインプレッション）／16 重要文化財旧開智学校管理事務所／17・22・25 国立国会図書館／18 切手の博物館／19 毎日新聞社／20・21・26 日本近代文学館／23 個人蔵／24 未来社『柏木義円集』第1巻より／27 東京大学総合図書館（『近時画報』80 号）／28 国立国会図書館（『日露戦役記念写真帖』）／29 個人蔵／30 国立国会図書館（『ザ・イラストレイテッド・ロンドン・ニュース』1904 年）／31 ポーラ文化研究所／32 新教出版社『死ぬまでこの歩みで』より／33 仙台市戦災復興記念館／34 クリスチャン・ポラック／35『風俗画報』252 号より／36 郷土出版社『目で見る田辺・西牟呂の 100 年』より／37 個人蔵／38 国立国会図書館（『東京パック』6巻 19 号）／（コラム）国立国会図書館（『日露戦争日本赤十字社救護写真帖』）

第二章

1 国立国会図書館（『歴史写真』72 号）／2・5 栃木県立博物館／3 東京都公園協会／4 個人蔵（提供：栃木県立博物館）／6・7・8 佐野市郷土博物館／9・14・40 提供：日本近代史研究会／10・22 法政大学大原社会問題研究所／11 国立国会図書館（『妾の半生涯』）／12・13 日本近代文学館／15・24 朝日新聞社／16 東京大学法学部附属明治新聞雑誌文庫（『戦時画報』66 号・臨時増刊『東京騒擾画報』）／17 国立国会図書館（『日本之名勝』）／18 部落解放同盟中央本部／19『郡築百年史』より／20・34 毎日新聞社／21『岡山県史』第 11 巻 近代Ⅱより／23 市川房枝記念会／25 国立国会図書館（『安価生活法』）／26 文化学院／27 大阪人権博物館／28 北海道立文学館／29 琉球新報社／30 リデル、ライト両女史顕彰会／31 国立ハンセン病資料館／32 栗生楽泉園入園者自治会／33 日本聖公会北関東教区／35 新宿書房『山内みな自伝』より／36 撮影：小松裕／37・38 田川市石炭・歴史博物館／39 横浜開港資料館／41『長崎県文化百選』より／42 不二出版『性と生殖の人権問題資料集成』第 13 巻より／43 個人蔵（提供：平凡社）／44 熊本日日新聞社／（コラム）国書刊行会『写真集 明治・大正・昭和 岡山』より

第三章

1・5 国書刊行会『写真で知る韓国の独立運動 上』より／2 国立国会図書館／3 韓国独立記念館（提供：ユニフォトプレス）／4 国立国会図書館（『大日本帝国朝鮮写真帖』）／6 日本近代文学館／7 切手の博物館／8・24 在日韓人歴史資料館／9 国立国会図書館（『東京パック』6巻 11・12 合併号）／10・22・39 撮影：小松裕／11 撮影：江崎徹志／12 茨城県天心記念五浦美術館／13 本邦書籍『団団珍聞（復刻版）』より（上：4巻 中：9巻 下：12 巻）／14 本邦書籍『団団珍聞（復刻版）』31 巻より／15・16・20・23・29・30・36 提供：日本近代史研究会／17 荒尾市宮崎兄弟資料館／18・27・34 毎日新聞社／19 石橋湛山記念財団／21 ペンタックスカメラ博物館／25 日本民藝館／26 草風館『朝鮮の土となった日本人－浅川巧の生涯』より／28 みすず書房『現代史資料 6 関東大震災と朝鮮人』より／31 防衛研究所図書館／32 石巻市教育委員会／33 黒色戦線社『金子文子・朴烈裁判記録』より／35『南満洲写真大観』より／37 鄧

西暦	年号 干支	天皇	内閣	日本	世界
1921	10 辛酉	大正天皇	原敬内閣	3 足尾銅山でストライキ。4 借地法・借家法公布。郡制廃止法公布。伊藤野枝ら、赤瀾会を結成。11 原敬首相、東京駅で刺殺される。ワシントン会議開催。皇太子裕仁、摂政となる。12 日・英・米・仏 4 か国条約調印。日英同盟廃棄を決定。	ソ連、新経済政策を採択。上海で中国共産党結成。イタリアで国家ファシスト党成立。
1922	11 壬戌		高橋是清内閣 加藤友三郎内閣	2 日本・中国、山東懸案解決条約に調印。海軍軍縮条約・9 か国条約に調印。3 南洋庁官制公布。6 シベリア派遣軍撤退を声明。7 日本共産党、非合法に結成。8 陸軍、山梨軍縮を公示。11 犬養毅ら、革新倶楽部を結成。アインシュタイン来日、相対性理論ブーム起こる。	イタリア、ムッソリーニのファシスト政権成立。ソヴィエト社会主義共和国連邦成立。
1923	12 癸亥		第2次山本権兵衛内閣	4 石井・ランシング協定を破棄。7 日本航空株式会社設立、大阪—別府間定期航路開設。9 関東大震災起こる。東京に戒厳令。甘粕正彦憲兵大尉、大杉栄・伊藤野枝夫妻らを殺害（甘粕事件）。日銀震災手形割引損失補償令発公布。12 摂政裕仁親王、狙撃される（虎の門事件）。	孫文・ヨッフェ共同宣言。中国の反日運動盛んとなる。トルコ共和国成立。
1924	13 甲子		清浦奎吾内閣 加藤高明内閣	1 政友会・憲政会・革新倶楽部の 3 派、第 2 次護憲運動始まる。6 護憲三派内閣成立（首相加藤高明）。7 小作調停法公布。8 阪神甲子園球場完成。10 政府、中国に内政不干渉・満蒙利権擁護に関する覚書を交付。12 婦人参政権獲得期成同盟会結成。	第 1 次国共合作成立。レーニン没。中ソ協定調印。イギリス・イタリア、ソ連を承認。張作霖、ソ連と協定（奉ソ協定）。
1925	14 乙丑			1 日ソ基本条約調印。講談社『キング』創刊。3 ラジオ試験放送開始。衆議院、男子普通選挙法・治安維持法を修正可決。4 陸軍現役将校学校配属令公布。7 細井和喜蔵『女工哀史』刊行。11 山手線電車、環状運転を開始。12 農民労働党結成（書記長浅沼稲次郎）、即日結社禁止。	中国、5・30 事件起こる。ソ連、スターリンの一国社会主義理論を採択。ヒトラー『わが闘争』刊行。
1926	15 丙寅 昭和 1 丙寅		第1次若槻礼次郎内閣	1 共同印刷ストライキ。3 大阪で労働農民党結成（委員長杉山元治郎）。8 日本放送協会設立。10 日本農民党結成（幹事長平野力三）。12 日本共産党再結成。社会民主党結成（委員長安部磯雄）。日本労農党結成（書記長三輪寿壮）。大正天皇没。	独ソ中立条約調印。中国の蔣介石、北伐を開始。フランス、挙国一致内閣成立。ドイツ、国際連盟に加入。
1927	2 丁卯	昭和天皇	田中義一内閣	3 金融大恐慌勃発。4 モラトリアム施行。5 田中義一内閣、山東出兵を声明。6 憲政会・政友本党、合同して立憲民政党を結成（総裁浜口雄幸）。東方会議を開き、7 月、対支政策綱領を発表。岩波文庫、刊行開始。12 東京地下鉄道、浅草—上野間で開業（日本初の地下鉄）。	イギリス・アメリカ、南京城内を砲撃（南京事件）。蔣介石、上海でクーデタを起こす。
1928	3 戊辰			2 初の普通選挙実施。3 共産党員大量検挙（3・15 事件）。全日本無産者芸術連盟（ナップ）結成。4 田中義一内閣、第 2 次山東出兵を決議。5 日本軍、山東省済南で国民政府軍と衝突（済南事件）。第 3 次山東出兵。6 張作霖爆殺事件起こる。治安維持法改正。7 特別高等警察課、全県に設置。8 パリ不戦条約調印。	パリで 15 か国が不戦条約に調印。ソ連、第 1 次 5 か年計画を開始。蔣介石、国民政府主席に就任。インド、ネルーの憲法草案を採択。
1929	4 己巳		浜口雄幸内閣	1 日本プロレタリア美術家同盟結成。3 築地小劇場分裂。4 共産党員、全国で検挙（4.16 事件）。5 小林多喜二『蟹工船』発表、発禁。6 朝鮮疑獄事件起こる。政府、中国国民政府を正式承認。7 榎本健一ら、浅草にカジノ・フォーリーを発足。10 犬養毅、政友会総裁に就任。	ヴァチカン市国成立。ニューヨーク株式市場大暴落、世界恐慌始まる（暗黒の木曜日）。ソ連軍、満州に侵攻。
1930	5 庚午			1 金輸出解禁実施（金本位制に復帰）。4 日・英・米 3 国、ロンドン海軍軍縮条約に調印。統帥権干犯問題起こる。5 日華関税協定調印。中国の間島で朝鮮人武装蜂起。9 陸軍中佐橋本欣五郎ら、桜会を結成。10 台湾で抗日霧社蜂起。11 浜口雄幸首相、東京駅で狙撃される。この年、昭和恐慌。	ロンドン軍縮会議開催。ドイツ、ナチスが第 2 党となる。第 1 回バルカン会議開催。第 1 回英印円卓会議開催。

西暦	年号 干支	天皇	内閣	日本	世界
1912	45 壬子 大正 1 壬子	明治天皇 大正天皇	第2次西園寺公望内閣 第3次桂太郎内閣	1 保善社、合名会社となる（のちの安田財閥）。3 呉海軍工廠でストライキ。7 第 3 次日露協約調印。明治天皇没。8 鈴木文治ら、友愛会（のちの日本労働総同盟）を結成。9 乃木希典夫妻、殉死。12 東京で憲政擁護連合大会開催。	中華民国臨時政府が成立し、孫文、臨時大統領に就任。清国の宣統帝退位、清朝滅亡。
1913	2 癸丑		第1次山本権兵衛内閣	1 東京で全国記者大会開催、憲政擁護・閥族掃蕩を宣言。2 政友・国民両党、内閣不信任案提出。桂内閣総辞職、山本権兵衛内閣成立（大正政変）。6 陸・海軍省官制を改正。8 文官任用令を改正。中国各地で袁世凱軍による日本将校監禁事件起こる。10 中華民国を承認。	アメリカ、外国人土地所有禁止法（排日移民法）を可決。袁世凱、南京を占領。
1914	3 甲寅		第2次大隈重信内閣	1 シーメンス事件起こる。3 貴族院、海軍拡張費を削減。芸術座、トルストイ作『復活』を上演。東京駅完成。4 宝塚少女歌劇第1回公演。6 東洋紡績株式会社設立。8 ドイツに宣戦布告。第一次世界大戦に参加。10 日本軍、赤道以北のドイツ領南洋諸島を占領。東京で二科会第1回展。11 日本軍、青島を占領。	サラエボ事件。オーストリア、セルビアに宣戦布告（第1次世界大戦開戦）。パナマ運河開通。中国、日本軍の山東進駐に抗議。
1915	4 乙卯			1 日置益公使、袁世凱に 21 ヵ条の要求を提出。3 猪苗代水力電気会社、東京―猪苗代間の長距離高圧送電に成功。5 袁世凱政府、21 ヵ条の要求を承諾。11 日・仏・英・伊・露 5 か国、単独不講和宣言に調印。12 東京株式市場暴騰（大戦景気）。この年、年間貿易収支、輸出超過となる。	英・仏・露・伊、ロンドン秘密条約調印。イタリア、三国同盟を破棄。朝鮮各地で独立運動起こる。
1916	5 丙辰		寺内正毅内閣	1 大隈重信首相、狙撃される。吉野作造、民本主義を説く。3 海軍航空隊令公示。5 インドの詩人タゴール来日。7 第 4 次日露協約調印。9 工場法を施行。12 株式相場大暴落、東京・大阪の株取引所立会停止。この年、チャップリンの映画が人気となる。	イギリス・フランス、サイクス・ピコ秘密条約調印。イタリア、ドイツに宣戦布告。袁世凱没。
1917	6 丁巳			1 イギリス、日本艦艇の地中海派遣を要請。西原借款開始。3 日本工業倶楽部設立。理化学研究所の設立を認可。6 三菱長崎造船所でストライキ。9 大蔵省、金の輸出取締令を公布（金本位制の停止）。11 日本・アメリカ、中国に関する石井・ランシング協定を結ぶ。	ロシア、2月革命（ロマノフ王朝滅亡）。ロシア、10月革命、ソビエト政権樹立。フィンランド、独立を宣言。
1918	7 戊午		原敬内閣	4 軍需工業動員法を公布。5 満鉄、鞍山製鉄所を設置。日華陸軍共同防敵軍事協定に調印。7 鈴木三重吉『赤い鳥』創刊。8 米価暴騰し、富山県で米騒動、全国に波及。8 寺内内閣、シベリア出兵を宣言。9 原敬の政友会内閣成立。牧野伸顕元外相、パリ講和会議に向けて出発。	アメリカ大統領ウィルソン、平和構想 14 か条を発表。第 1 次世界大戦終結。アイスランド独立。
1919	8 己未			2 東京で普通選挙期成大会開催。3 京城などで朝鮮独立宣言発表（万歳事件）。4 関東庁官制・関東軍司令部条例を公布。5 衆議院議員選挙法を改正・公布。6 ヴェルサイユ条約に調印。8 北一輝ら、猶存社を結成。友愛会、大日本労働総同盟友愛会と改称。10 帝国美術院第 1 回展。	ドイツ労働者党結成（のちのナチス）。パリ講和会議開催。中国で 5・4 運動広がる。中国国民党結成。
1920	9 庚申			1 国際連盟に加入。2 八幡製鉄所でストライキ。東京で数万人による普選大示威行進。3 株価暴落（戦後恐慌始まる）。平塚らいてうら、新婦人協会を設立。5 日本初のメーデー開催。8 海軍 88 艦隊建造予算公布。10 第 1 回国勢調査実施。11 呉海軍工廠、戦艦長門竣工。12 大杉栄ら、日本社会主義同盟を結成。	国際連盟発足。ドイツ労働者党、25 か条の綱領を採択。ソ連・ポーランド戦争開始（～1921 年）。

西暦	年号 干支	天皇	内閣	日本	世界
1902	35 壬寅	明治天皇	第1次桂太郎内閣	1 日英同盟協約調印（日英同盟成立）。青森歩兵第2大隊、八甲田山で訓練中、猛吹雪で遭難。2 河野広中ら、初の普通選挙法案を衆議院に提出。4 日本興業銀行開業。衆議院議員選挙法改正公布。7 呉海軍工廠の職工ストライキ。	シベリア鉄道、ウラジオストクーハバロフスク間開通。アメリカ、フィリピンの平定完了。
1903	36 癸卯			6 東京帝大教授戸水寛人ら7博士、意見書を政府に提出。8 頭山満ら、対露同志会結成。日露協商基礎条項をロシアに提出。10 ロシア駐日公使ローゼン、小村寿太郎外相に協定対案を提出（小村・ローゼン会談）。11 幸徳秋水・堺利彦ら、平民社を設立し、『平民新聞』を創刊。	ロシア軍、鴨緑江を越えて軍事基地を建設。ライト兄弟、飛行機の初飛行に成功。
1904	37 甲辰			1 御前会議で対ロシア最終案決定。2 日露戦争開戦。日韓議定書調印。4 国定教科書の使用開始。5 日本軍、遼東半島に上陸。8 黄海海戦。第1次日韓条約調印。9 日本軍、遼陽を占領。徴兵制を改正・公布。11 第3回旅順総攻撃。	韓国・清国、日露戦争に対し中立を宣言。英仏協商調印。イギリス・チベット、ラサ条約調印。
1905	38 乙巳			1 旅順のロシア軍、降伏。3 奉天会戦。5 日本海海戦。7 日本軍、カラフトに上陸。桂・タフト覚書成立。8 第2次日英同盟協約調印。9 日露講和条約調印（ポーツマス条約）。日比谷焼打ち事件。戒厳令公布。10 平民社解散。夏目漱石『吾輩は猫である』発表。	ペテルブルクで血の日曜日事件。孫文、東京で中国革命同盟会結成。アインシュタイン、相対性理論を発表。
1906	39 丙午		第1次西園寺公望内閣	1 堺利彦ら、日本社会党を結成。2 韓国統監府開庁。3 英・米大使、満州での門戸開放・機会均等を申し入れる。鉄道国有法公布。8 関東都督府官制公布。9 旅順鎮守府条例公布。10 山県有朋、「帝国国防方針案」を上奏。11 南満州鉄道株式会社（満鉄）設立。	イギリス労働党結成。ロシア、憲法発布。アメリカで日本人移民排斥運動広まる。
1907	40 丁未			1 東京株式相場暴落。2 足尾銅山で坑夫ら暴動。4 元帥府、「帝国国防方針」を決議。6 日仏協約調印。7 ハーグ密使事件。第3次日韓協約調印（韓国の内政を統監）。第1次日露協約調印。8 日韓両軍衝突（義兵運動）。	第2回ハーグ平和会議開催。英・仏・露、3国協商成立。アメリカ、日本人労働者の入国禁止。
1908	41 戊申		第2次桂太郎内閣	2 移民に関する日米紳士協約成立。4 第1回ブラジル移民が出発。5 アメリカと仲裁裁判条約調印。6 赤旗事件。10 戊申詔書発布。『アララギ』創刊。11 高平・ルート協定。12 東洋拓殖株式会社設立。	ブルガリア、独立宣言。清国、宣統帝が即位。ロンドンで海軍会議開催。
1909	42 己酉			1 政府・政友会の妥協成立。3 遠洋航路補助法公布。4 種痘法公布。6 伊藤博文韓国統監、枢密院議長となる。10 三井合名会社設立。ハルビン駅で伊藤射殺される。12 アメリカ、満鉄の中立を提案。この年、生糸の輸出量、中国を抜き世界1位となる。	イラン、国民軍の蜂起。ドイツ・フランス、モロッコに関する協定調印。
1910	43 庚戌			1 日本・ロシア、アメリカの満鉄中立案に不同意。4 改正関税定率法公布。5 大逆事件の検挙始まる（幸徳秋水逮捕）。7 第2次日露協約調印。8 韓国併合条約締結。9 韓国の国号を朝鮮とする。10 朝鮮総督府を設置。	ハレー彗星、地球に最接近。安重根処刑。南アフリカ連邦成立。メキシコ革命（〜1917年）。
1911	44 辛亥			1 大逆事件の被告幸徳秋水・管野スガらに死刑判決。2 窮民済世に関する勅語発布。日米新通商航海条約調印（関税自主権の確立）。3 工場法公布。6 平塚らいてうら、青鞜社を結成。7 第3次日英同盟協約調印。8 警視庁、特別高等課を設置。11 東京に初の職業紹介所。この年、西田幾多郎、『善の研究』を著わす。	第2次モロッコ事件。イタリア・トルコ、トリポリ戦争開戦。清国で辛亥革命始まる。アムンゼン、初めて南極に到達。

年表

西暦	年号 干支	天皇	内閣	日本	世界
1892	25 壬辰	明治天皇	第2次伊藤博文内閣	2 第2回臨時総選挙。5 衆議院、選挙干渉弾劾決議案可決。貴族院、民法・商法施行延期法案を審議。6 西郷従道・品川弥二郎ら、国民協会を結成。11 大井憲太郎ら、東洋自由党を結成。千島艦事件起こる。	ロシア・フランス、軍事協定を締結。ディーゼル、ディーゼル・エンジンを発明。
1893	26 癸巳			2 製艦費補助のため6年間内廷費毎年30万円下付・文武官俸給1割納付を命じる詔書を発布。4 上野—直江津間全通。5 防穀令賠償問題、朝鮮政府との間で妥結。7 臨時閣議、条約改正案・交渉方針を決定。	ハワイ、王制廃され、アメリカの保護領になる。ニューヨークで株大暴落、経済恐慌勃発。
1894	27 甲午			1 大阪天満紡績でストライキ。7 日英通商航海条約調印。日本軍、漢城の朝鮮王宮を占拠。大院君政権樹立。日本艦隊、豊島沖で清国軍艦を撃退（豊島沖海戦）。8 清国に宣戦布告（日清戦争）。11 大連・旅順を占領。日米通商航海条約調印。	金玉均、上海で暗殺される。朝鮮、東学農民蜂起（甲午農民戦争）。フランス、ドレフュス事件。
1895	28 乙未			2 日本軍、威海衛を占領。4 日清講和条約（下関条約）調印。ドイツ・フランス・ロシア、三国干渉。5 遼東半島返還の詔書。日本軍、台湾上陸、翌月台北を占領。6 日露通商航海条約調印。10 日本軍、漢城で大院君を擁してクーデターを起こし、閔妃を殺害。11 遼東半島還付条約調印。	キューバ独立戦争。レントゲン、X線を発見。孫文、広州事件に失敗し、日本に亡命。
1896	29 丙申		第2次松方正義内閣	3 進歩党結成（総裁大隈重信）。日本郵船、欧州定期航路開始。台湾総督府条例公布。4 民法第1・2・3編公布。5 朝鮮問題に関して日露間で小村・ウェーバー覚書。6 朝鮮財政共同援助に関して日露間で山県・ロバノフ協定。7 日清通商航海条約調印。	ギリシャのアテネで第1回オリンピック大会開催。ロシア、ニコライ2世戴冠式。清国・ロシア、李・ロバノフ密約。
1897	30 丁酉			1 正岡子規ら『ホトトギス』創刊。2 福岡県に八幡製鉄所設立を決定。大阪でシネマトグラフが紹介される（映画の初興行）。3 貨幣法公布（金本位制確立）。7 高野房太郎ら、労働組合期成会を結成（日本初の労働組合）。8 日本勧業銀行開業。10 台湾総督府官制公布。	清国・イギリス、ビルマ協定調印。朝鮮の高宗、皇帝に即位。朝鮮、国号を大韓帝国と改称。
1898	31 戊戌		第3次伊藤博文内閣 第1次大隈重信内閣	4 福建省不割譲に関する日清交換公文。韓国に関する議定書調印（西・ローゼン協定）。6 自由・進歩両党合併し、憲政党を結成。隈板内閣成立。8 尾崎行雄文相、共和演説事件。10 憲政党分裂。岡倉天心ら、日本美術院を創立。11 憲政本党結成。12 地租条例改正。	ロシア、旅順・大連を租借。アメリカ・スペイン戦争、8か月後、パリ講和条約調印。
1899	32 己亥		第2次山県有朋内閣	3 北海道旧土人保護法公布。新商法・国籍法公布。文官任用令改正。6 農会法公布。最初の日本製映画、東京の歌舞伎座で公開。7 日英通商航海条約など改正条約実施。外国人の内地雑居を許可。9 台湾銀行設立。	清国で義和団蜂起。オランダのハーグで第1回国際平和会議開催。
1900	33 庚子		第4次伊藤博文内閣	3 治安警察法公布。衆議院議員選挙法改正公布（直接国税10円以上に選挙権）。4『明星』創刊。5 軍部大臣現役武官制が確立。6 義和団事件に日本出兵（義和団戦争）。9 立憲政友会結成（総裁伊藤博文）。	清国で、義和団事件。清国が、日・露・英・米・独・仏・墺・伊に宣戦布告。
1901	34 辛丑		第1次桂太郎内閣	3 政府増税諸法案成立。5 安部磯雄ら、社会民主党を結成（翌々日禁止）。9 北京議定書調印（義和団戦争終わる）。八幡製鉄所、操業を開始。6 第1次桂太郎内閣成立（桂園時代の始まり）。12 伊藤博文、日露協定交渉を開始。田中正造、足尾鉱毒事件で天皇に直訴。	オーストラリア連邦成立。アメリカ、キューバを保護国化。第1回ノーベル賞授賞式。

ま行

や行

ら行

わ行

な行

は行

た行

さ行

索引

000—詳しい説明のあるページを示す。
000*—写真・図版のあるページを示す。

あ行

か行

全集　日本の歴史　第14巻　「いのち」と帝国日本

2009年1月31日　初版第1刷発行

著者　小松　裕
発行者　蔵　敏則
発行所　株式会社小学館
〒101-8001 東京都千代田区一ツ橋2-3-1
電話　編集　03(3230)5118
販売　03(5281)3555
印刷所　凸版印刷株式会社
製本所　株式会社若林製本工場

造本には十分注意しておりますが、印刷、製本など製造上の不備がございましたら、「制作局コールセンター」(フリーダイヤル0120-336-340)にご連絡ください。
(電話受付は土･日･祝休日を除く9:30〜17:30までになります。)

Printed in Japan ISBN978-4-09-622114-3